POISSON D'AVRIL

ŒUVRES DE JOSIP NOVAKOVICH

NOUVELLES

Infidelities: Stories of War and Lust

Salvation and Other Disasters

Yolk

ESSAIS

Plum Brandy: Croatian Journeys

Apricots from Chernobyl

SOUS LA DIRECTION DE

Stepmother Tongue: Stories in English as a Second Language (avec Robert Shapard)

Josip Novakovich

POISSON D'AVRIL

roman

traduit de l'anglais (États-Unis)
par Hervé Juste

Boréal

© Josip Novakovich 2004
© Les Éditions du Boréal 2014 pour l'édition en langue française au Canada
Dépôt légal : 2ᵉ trimestre 2014
Bibliothèque et Archives nationales du Québec

Publié avec l'accord de HarperCollins Publishers

L'édition originale de cet ouvrage a été publiée en 2004 par HarperCollins Publishers
sous le titre *April Fool's Day*

Diffusion au Canada : Dimedia

*Catalogage avant publication de Bibliothèque et Archives nationales
du Québec et Bibliothèque et Archives Canada*
Novakovich, Josip, 1956-
    [April Fool's Day. Français]
    Poisson d'avril
    Traduction de : April Fool's Day.
    ISBN 978-2-7646-2302-2
    I. Juste, Hervé. II. Titre. III. Titre : April Fool's Day. Français.
PS3564.O925A8614   2014   813'.54   C2014-940163-9

Pour Eva et Joseph

AUTRICHE
Vienne
HONGRIE
SLOVÉNIE
Zagreb
CROATIE
Opatija
Vukovar
Slavonski Brod
Île de
Goli Otok
Lošinj
BOSNIE-
HERZÉGOVINE
Mer Adriatique
Sarajevo
Split
ITALIE
MONTÉNÉGRO
0   50   100 kilomètres

AUTRICHE
Budapest
Vienne
HONGRIE
SLOVÉNIE
Zagreb
VOÏVODINE
ROUMANIE
CROATIE
Novi
Sad
BOSNIE-
HERZÉGOVINE
Belgrade
Mer Adriatique
Split
Sarajevo
ITALIE
SERBIE
MONTÉNÉGRO
BULGARIE
ALBANIE
GRÈCE
0   100 kilomètres

CHAPITRE 1

Où Ivan tombe amoureux
du pouvoir dès le berceau

Ivan Dolinar naquit le 1er avril 1948. Ses parents, voulant lui éviter de traverser l'existence sous le signe du Poisson d'avril, ne déclarèrent sa naissance au registre de Nizograd, en Croatie, que le lendemain. Son bourru de père donna au bébé le premier prénom qui lui traversa l'esprit – le prénom le plus commun dans la région, pour ne pas dire en Europe. D'aussi loin que se souvînt Milan, personne n'avait jamais porté ce prénom dans l'arbre familial, ce qui constituait à ses yeux une raison supplémentaire de le choisir ; il n'éprouvait envers l'arbre aucune gratitude particulière.

La nature revêche de Milan Dolinar ne relevait pas de sa personnalité, mais de l'Histoire. Le jour de son mariage, le 6 avril 1941, Belgrade avait été bombardée. Le roi, signataire d'un pacte avec l'Allemagne, avait déjà quitté le pays (ayant emporté avec lui tout l'or que pouvait contenir son avion, il dut jeter par-dessus bord une partie de son butin afin que l'appareil puisse franchir les montagnes de Bosnie et filer vers la Grèce – aujourd'hui encore, en Bosnie, on cherche cette manne), et toutes sortes d'armées, locales et importées, commencèrent à déferler sur le pays.

Le père d'Ivan fut enrôlé dans l'une d'elles. Il se distingua par sa bravoure sur les champs de bataille et aurait reçu les plus grands honneurs s'il n'avait retourné sa veste à plusieurs reprises et rejoint trop tard le camp des vainqueurs. Il n'était pas de ces collectionneurs de médailles qui se terrent dans un bunker pendant les batailles, gueulent plus fort que tout le monde une fois l'affrontement terminé et n'oublient jamais d'avoir sur eux assez de cognac à offrir aux gradés. Le père d'Ivan se ruait sur la ligne de front et s'approchait tout près de l'ennemi pour balancer ses grenades ; il tirait à la mitrailleuse et frissonnait d'extase chaque fois que ses balles déchiraient les entrailles d'un soldat et que le sang giclait dans la boue au rythme des battements du cœur.

Un jour d'hiver tout blanc, un camion vert pétaradant déposa devant chez lui un Milan Dolinar estropié. Il transportait dans un sac son bras et sa jambe parce qu'il avait entendu dire que la science pourrait rafistoler ses membres sectionnés. Après quelques semaines, la glace fondit et, bien que Milan eût pris soin de les garder dans le coin le plus frais de la maison, sa main et sa jambe pourrirent. Il garda tout de même les os, dans l'espoir qu'un jour la science leur redonnerait chair. Il dévorait tous les livres de médecine qui lui tombaient dans les mains (ou, plutôt, la main), et prétendait en savoir davantage sur la maladie que tous les docteurs du pays réunis. Quand il s'asseyait sous les marronniers, près du kiosque à musique, pour y fumer sa pipe (excellent pour les sinus par temps humide), bien des gens s'arrêtaient afin de lui demander comment soigner leurs rhumatismes ou leurs varices. Parfois, un peu de feu pour allumer sa pipe tenait lieu de seul honoraire. Il professait avant l'heure les vertus du vin rouge pour la santé des artères et de la mémoire, et, tous les après-midi, son nez virait au rouge. Il racontait alors à de jeunes passants pris au hasard ses souvenirs de guerre, ne reculant devant aucune atrocité. Quand Ivan vint au monde, le nez de son père rayonnait littéralement. Quelques mois après la naissance de l'enfant, un *delirium tremens* emporta Milan Dolinar.

Comme s'il se savait atteint d'un handicap, Ivan voulut s'illustrer dès son plus jeune âge. Il tomba amoureux du pouvoir aussitôt qu'il apprit à ramper et hurlait sa soif de lait même quand il n'en voulait pas, juste pour accaparer l'attention de sa mère. Il fut nourri au sein presque une année, et refusa le lait de vache aussi longtemps qu'il put plonger son visage dans la douce poitrine maternelle.

Puis Branka Dolinar donna naissance à Bruno, le fils que le père d'Ivan avait conçu avant de mourir – encore une des vertus du vin rouge. Ivan fut banni du sein voluptueux, bien qu'il y en eût deux. Il avait beau hurler, il ne tétait plus que du lait de vache. Et les tétines étant introuvables dans l'après-guerre, il dut se contenter de ses doigts menus.

Quelques années plus tard, Ivan se vengea d'avoir été dépossédé du sein maternel en tourmentant sans fin son petit frère, lui tirant les oreilles et le nez, le talochant. Rien n'était plus mélodieux à ses oreilles que les pleurs du garçon. Ivan n'était pas cruel, il traitait simplement son petit frère en instrument de musique provisoire, orgue dont il apprenait à maîtriser les touches – après tout, la musique n'est-elle pas un hymne aux vertus de l'ordre et de la discipline ? Il passait ensuite le reste de la journée à câliner Bruno, lui fabriquant des avions de papier et le gavant de chocolats qu'il avait volés à l'épicerie. Mais juste comme l'enfant allait saisir la friandise, Ivan la retirait puis le taquinait en l'invitant à l'attraper de nouveau. Il parvenait ainsi à attirer Bruno, envoûté par le chocolat, vers le grenier obscur. Et dès qu'il avait passé le seuil, Ivan l'enfermait, le laissant seul à hurler dans le noir. Ivan appréciait la note aiguë qu'il arrivait ainsi à tirer des poumons de Bruno, mais, bien vite, il ouvrait la porte et demandait pardon, promettant au petit qu'ils iraient ensemble à la pêche.

Ils allaient souvent s'asseoir sur les berges argileuses de la petite rivière qui traverse la ville, à l'ombre des saules pleureurs. Ivan refusait de toucher les poissons qu'ils attrapaient, les trouvant trop visqueux, mais Bruno adorait les décrocher de l'hameçon et les empaler sur une branche avant de les faire griller sur le feu que son frère avait allumé. Sous la voûte des arbres, ils mangeaient et fumaient des feuilles de saule séchées, comme de vrais petits Indiens. Bruno attrapait des crapauds à mains nues et se moquait de leurs airs de vieillards chauves et gras.

Quand Mère sortait faire les courses, elle exigeait d'Ivan qu'il fasse du babysitting, tâche dont il s'acquittait souvent au sens très littéral du terme en s'asseyant sur le gamin en pleurs. Mère battait Ivan parce qu'il avait battu Bruno. Rancunier, Ivan battait Bruno, puis lui offrait des crayons, avec lesquels il dessinait des grenouilles et des poissons.

Craignant qu'Ivan ne soit légèrement attardé, sa mère attendit qu'il ait un an de plus avant de l'inscrire à l'école. Ivan, l'un des plus grands de sa classe, voulait aussi être le plus fort. Il serrait les autres garçons à les étouffer – mais il le faisait intelligemment, comme s'il leur faisait passer un examen médical : si, par exemple, un gamin saignait du nez, il le mettait en garde contre les risques d'anémie et lui prescrivait en guise de remède de lécher sur-le-champ des tuyaux rouillés. Parfois, quand l'état de santé d'un élève l'inquiétait vraiment, il le traînait jusqu'aux tuyaux rouillés qui longeaient les murs de l'école et le forçait à les lécher. Si sa victime respirait trop bruyamment après l'étreinte, c'est qu'elle souffrait d'asthme, et il lui suggérait la plongée pour revigorer ses poumons. Il montrait un talent précoce pour la médecine et, d'une certaine manière, ses méthodes n'étaient pas très éloignées de celles que pratiquait à l'époque le corps médical yougoslave. Ivan en avait d'ailleurs fait l'expérience quand, pendant une épidémie d'hépatite, un médecin lui avait poignardé la fesse droite avec une énorme aiguille qui s'était frayé un chemin jusqu'à l'os. Pour éviter que ses hurlements n'alarment les patients assis dans la salle d'attente, une infirmière l'immobilisait en lui plaquant une main sur la bouche. Quand l'aiguille avait atteint l'os, le docteur avait continué de pousser. Ivan en avait gardé une vive douleur dans la fesse pendant un mois. Ivan avait le sentiment d'être un bienfaiteur pour les garçons de l'école. Il leur offrait des sucreries (son sirop contre la toux), les aidait en mathématiques et leur murmurait la bonne réponse aux examens.

Soucieux de se distinguer en réussissant un grand coup, il déposa des pierres sur les rails du chemin de fer et, caché dans les buissons épineux, attendit que le train débouche de la courbe, toussotant des nuages de fumée. La respiration d'Ivan s'accéléra : il espérait que le train irait s'écraser dans le fossé, broyant sous son poids tous ces passagers qui, pour le moment, agitaient leurs mouchoirs blanc et rouge. Il éprouva pour eux de la pitié, mais il était trop tard pour retirer les pierres de la voie. Le train trembla à peine. Cela suffit presque à faire son bonheur ; il frissonna, fier de la grande influence qu'il avait sur les choses. Une fois les roues d'acier passées, il ne resta sur les rails que de la poussière blanche, pareille à de la farine.

Il plaça alors des pierres toujours plus grosses sur les rails, qui ébranlaient chaque fois un peu plus le train. Et puis un jour, sur le coup de midi, un policier le surprit et lui envoya une telle gifle que l'empreinte de sa main marqua les tendres joues du garçon l'après-midi entier – la marque était si nette qu'une diseuse de bonne aventure aurait pu y lire combien les femmes, les enfants, les années et l'argent feraient le bonheur et le malheur du policier. Voulant éviter une autre paire d'empreintes (celles de sa mère), Ivan ne rentra pas chez lui. Il se glissa dans un bunker de la Seconde Guerre mondiale, perché à une vingtaine de mètres au-dessus de la voie ferrée. Pour y pénétrer, il dut se frayer un chemin entre les orties et les toiles d'araignées. Expérience cuisante et désagréable! L'intérieur était froid et noir. Ivan avança en tâtonnant le long d'un mur et s'entailla l'index sur un morceau de coquillage coulé dans le béton. Il tressaillit de peur en pensant aux serpents et aux squelettes qui à coup sûr l'encerclaient dans l'obscurité humide et glacée.

Ses craintes se dissipèrent peu à peu. Il trouva un crâne percé d'un trou et le rapporta à la maison, enveloppé dans un journal, comme un melon. Il le cacha dans le grenier, certain que le revenant y chercherait refuge. Le fantôme de l'homme exécuté viendrait nicher dans ce qui restait de son corps et en sortirait peut-être la nuit pour fumer des cigares en soupirant de chagrin.

Le soir, Ivan vint rendre visite au crâne, alluma un mégot trouvé dans le caniveau, aspira la fumée, et toussa. Il n'entendit pas le fantôme se lamenter, mais se sentit bien sûr très courageux. Peut-être les fantômes n'existaient-ils pas, seulement les âmes, et les âmes partaient au loin, pour le paradis ou l'enfer. Que se passerait-il au moment de la résurrection? Ivan se délecta du mystère entourant le crâne.

Sûr de lui, il paria avec quelques gamins de sa classe qu'il pouvait se coucher sur la voie au passage d'un train. Quinze minutes avant l'heure prévue, il se rendit à la gare et vérifia qu'aucun objet métallique ne pendait sous les wagons. N'ayant rien trouvé d'inquiétant, il repartit, rassuré, s'allonger entre les rails.

Mais quand le train apparut au sortir de la courbe, l'idée le frappa qu'une autre voiture avait pu être rajoutée qui, elle, traînerait un crochet métallique qui lui fendrait le crâne. Il jaillit des rails et roula dans le fossé une seconde avant que le train ne lui passe dessus. Les garçons se moquèrent de lui. Ivan les chassa parce qu'il détestait sombrer dans le ridicule, ce qui lui donnait l'air d'autant plus ridicule.

CHAPITRE 2

Où Ivan chérit l'appareil d'État

Puisqu'il vénérait le pouvoir, Ivan se montrait disposé à adorer l'armée, l'État, et même le président. À deux pas de chez lui, devant les murs verts de la caserne, des soldats au garde-à-vous veillaient dans leur guérite. Ils ouvrirent la culasse d'un de leurs fusils et en retirèrent les balles pour permettre au gamin de découvrir sa rue à travers le canon : la rue se glissa dans le tube de métal, comme du tabac dans un papier à cigarette, et elle brillait, toute petite, huileuse, pleine de gens qui marchaient tête en bas, minuscules chauves-souris accrochées au plafond d'une grotte de glace. Les soldats posèrent aussi sur sa tête la casquette verte ornée de l'étoile jaune et rouge des partisans, la *partizanka* – qu'importe si les vrais partisans n'avaient jamais porté le superbe couvre-chef si cher au réalisme socialiste. La tête d'Ivan disparut sous la casquette, malgré ses grandes oreilles. Les soldats placèrent ensuite un fusil sur son épaule droite, et Ivan marcha sur l'ennemi invisible avec tant de haine que, en le voyant lever très haut la jambe et claquer du talon sur les pavés, on pensait davantage aux Jeunesses hitlériennes qu'aux partisans. La crosse de l'arme traînait par terre. Même l'imposant capitaine à la grosse moustache stalinienne rigola. Paternel, il assit Ivan sur son genou gauche et le fit sauter de haut en bas, puis il lui retira sa casquette et lissa une mèche rebelle. La fierté avait mis en bataille les cheveux d'Ivan, qui pensa retrouver dans le capitaine l'homme qu'avait été son père. L'officier jucha Ivan sur son cheval bai, ignorant que l'enfant nourrissait pour ces animaux une véritable phobie. À l'âge de trois ans, il s'était retrouvé coincé dans une ruelle devant une paire de chevaux halant un tombereau de bois de chauffage. Il avait bien essayé de se fondre dans le mur alors que le cocher hurlait des obscénités et que les deux énormes bêtes avançaient, piétinaient tout sur leur passage, la bouche écumante, leurs sabots faisant jaillir des étincelles sur le pavé. Des éléphants prêts à le pulvériser comme une citrouille, voilà ce que voyait Ivan. Alors, quand le capitaine le lança sur le dos de sa monture, le gamin poussa un cri de terreur si perçant que les soldats éclatèrent de rire. Des excréments rouges et cylindriques s'échappèrent du pantalon rapiécé d'Ivan, indiquant que l'enfant avait mangé du riz et du boudin à son dernier repas. Voyant ces quenouilles écarlates et fumantes posées sur le pavé froid de novembre, les militaires s'écroulèrent, quelques-uns à genoux, d'autres sur le ventre. Ils se roulèrent par terre en hurlant de rire. Mais Ivan pleura plus fort encore, et les larmes sur ses joues rendirent plus brillant le rouge de la honte.

Ivan n'en continua pas moins d'admirer le pouvoir de l'État et de souhaiter la gloire de la Yougoslavie. À l'occasion du jour de la République, tous les élèves apportaient un fanion de papier bariolé pour décorer l'école. Seule la librairie de la ville en vendait, moyennant une pièce en aluminium de deux dinars. Ivan et son ami Peter – le meilleur joueur de foot de la classe, un grand paquet d'os qui devait son sens de l'équilibre exceptionnel à ses gros genoux cabossés – voulaient surpasser tout le monde en matière de patriotisme.

Mais leurs mères avaient refusé de leur donner assez d'argent, et ils n'avaient pas non plus réussi à voler quelques pièces ou quelques-uns de ces billets ornés de travailleurs musculeux et de moissonneuses à l'opulente poitrine, billets dont les couleurs très vives n'étaient pas sans évoquer les fameux fanions de papier. C'est en marchant vers le terrain de sport que les garçons virent les centaines de drapeaux de papier pendre aux fils électriques reliant les lampadaires. Ils shootèrent tout l'après-midi, visant délibérément les câbles avec leur ballon de foot. Chaque fois qu'ils les touchaient, deux ou trois drapeaux virevoltaient jusqu'au sol.

À la nuit tombante, ils avaient environ quatre-vingts drapeaux chacun. Au grand dam d'Ivan, Peter en avait décroché plus que lui, mais cette légère disparité n'entama pas leur amitié. Ivan ramena Peter chez lui et, une fois là, les garçons vantèrent avec enthousiasme la liberté dont ils jouissaient grâce à Tito et au Parti. Puis Peter, désolé de voir Ivan rentrer seul, le raccompagna à la maison. Après quoi Ivan reconduisit Peter jusqu'à sa porte, tous deux s'esclaffant chaque fois qu'ils apercevaient une rue privée d'électricité. Ils marchèrent ainsi jusqu'à deux heures du matin, quand leurs mères, n'ayant pas le téléphone, coururent au poste de police. En ce temps-là, l'État policier yougoslave brillait tellement par son efficacité qu'on ne risquait rien à se promener en ville. Il était normal de déambuler dans les rues jusqu'à minuit, mais, après cela, il arrivait que certains parents d'un naturel un peu fébrile se demandent où se trouvait leur enfant, plus inquiets d'une possible fugue que de leur sécurité.

Après avoir été fouettés jusqu'à la maison (quelques coups amicaux davantage destinés à marquer la joie des retrouvailles qu'à punir vraiment), les garçons n'avaient qu'une hâte : remettre les drapeaux à l'institutrice et se couvrir de gloire.

L'enseignante entra dans la classe et claqua la porte derrière elle. Ses cheveux permanentés, d'un roux incandescent, luisaient comme une sculpture de bronze fraîchement coulée. Les élèves se levèrent et la saluèrent d'un *Zdravo drugarice* (Salut, camarade). Elle prit la parole dès qu'ils furent rassis : « Voici venu pour nous le jour de chanter notre liberté, notre pays, et notre chance de vivre dans la fraternité et l'unité, nous tous, Slaves du Sud. Nos pères et nos grands-pères ont versé leur sang pour combattre les nazis – allemands, italiens, autrichiens, hongrois, bulgares, roumains, et nazis de l'intérieur. » Le ton de sa voix grimpa dans les aigus. « Les pires de tous : ils ont construit un camp de concentration, assassiné des femmes enceintes, incendié des villages. Ils vivent maintenant en Allemagne, en Argentine et aux États-Unis, d'où ils conspirent pour nous détruire. » Elle marqua une pause, observa la classe silencieuse, et plissa les paupières, ses yeux ne formant plus qu'une mince ligne traversée par la fine arête de son nez. « Mais quelques-uns d'entre eux sont toujours ici, parmi nous. Bientôt, ils poseront des bombes, feront sauter des bébés et des vieillards, comme les Allemands sans cœur durant la guerre. Il faut les arrêter avant qu'il ne soit trop tard ! » Sa voix était redevenue stridente, et deux larmes glissèrent sur ses joues, laissant dans leur sillage des traînées sombres et sinueuses. Son rouge à lèvres souillait les coins de sa bouche, pareil à du sang, et les postillons qu'elle projetait scintillaient dans l'air comme des flocons de neige.

Elle évoqua encore dans un souffle le sang et l'amour jaillissant du cœur béant des partisans et de Tito pour abreuver les bons Yougoslaves et, particulièrement, les enfants. « Pourtant, cria-t-elle, certains d'entre nous conspirent contre tout cela. » Et les *s* sifflèrent : « Ici, dans cette classe ! »

« Ils déchirent les drapeaux, crachent dessus et les piétinent. Il suffit d'aller se balader en ville pour constater que les fils où pendaient les fanions sont nus comme les gencives d'un vieillard de quatre-vingt-dix ans! Pas le moindre drapeau. Et pourquoi?» Elle plissa à nouveau les paupières et scruta la classe, ses gros poignets appuyés sur ses hanches. Le silence était alors si absolu qu'il eût été faux de dire qu'on « aurait » entendu une mouche voler. On l'entendait vraiment!

Ivan et Peter étaient verts à force d'être pâles.

« Oui, ils sont ici. Deux d'entre eux. Laissons-les se livrer eux-mêmes et nous serons cléments. Mais s'ils ne le font pas, s'ils ne le font pas... » Elle prit la longue baguette dont on se servait en géographie pour pointer les différentes régions du monde – Sibérie, Madagascar, Tasmanie et, peut-être, Tunguzia, l'Eldorado dérisoire des Slaves (*guz* signifiant « fesses » dans la plupart des langues slaves) – et la fit siffler dans l'air.

Ivan et Peter se voyaient déjà traînés dehors, un bandeau blanc sur les yeux, pour y être alignés devant un mur et fusillés par des soldats, trois douzaines de balles leur déchiquetant la poitrine.

Après avoir été tourmentés pendant une heure, les deux garçons refusaient toujours de se porter « volontaires » pour avouer leur faute. Quand le principal, un fou d'apiculture, fit son entrée, l'institutrice se rua vers leur pupitre, arracha du tiroir les drapeaux et brandit bien haut la pile multicolore. Ivan et Peter auraient voulu se justifier, jurer qu'ils n'avaient ramassé ces fanions que pour glorifier ce communisme qu'on les accusait de vouloir subvertir, mais leur gosier était si sec qu'il n'en sortit qu'un couinement.

« Petits salopards, cracha l'enseignante, la bave au menton. Ne tremblez pas, pitoyables poltrons. Je ne vous toucherai pas. Pourquoi toucherais-je de répugnantes vermines de votre espèce? Vierge Marie, pardonne-moi. Et... heu... » Elle se troubla, ayant perdu ses repères idéologiques.

Son crayon déchirait le papier à mesure qu'elle gribouillait ses conseils aux géniteurs pour la rééducation de leurs enfants. Si Ivan et Peter ne rapportaient pas dans les deux heures ce billet signé par leurs parents (elle accordait à ces derniers un bon moment pour les battre), ils seraient expulsés de l'école. Ivan avait déjà contrefait la signature de bien des parents quand l'un de ses camarades voulait s'accorder une journée de répit, mais, cette fois, l'idée d'imiter le paraphe maternel ne lui traversa pas l'esprit.

Sa mère venait juste de terminer des biscuits au miel quand Ivan rentra, et elle avait les doigts si collants qu'il lui fut impossible de lâcher le billet après l'avoir lu. Elle ouvrit la Bible et lut qu'il faut rendre à César ce qui appartient à César, autrement dit, qu'il faut respecter les bergers que Dieu nous envoie (Tito, le Parti communiste athée, le drapeau), et que le cul de ton gamin à coups de trique tu rougiras.

Elle sortit une trique du fond d'un placard. Elle avait traversé la guerre entre peur et colère, craignait la police, et essayait de se tenir loin des tentacules de l'État, sans pour autant se l'aliéner. À ses yeux, la reine des vertus s'appelait discrétion. Règle qu'Ivan avait bafouée : à force d'attirer l'attention sur lui, il avait fini par l'obtenir. Le garçon essaya de s'échapper, mais trébucha sur la poubelle, envoyant rouler par terre la tête d'une oie sacrifiée pour les fêtes. Le bâton s'abattit sur Ivan, qui crut aussitôt qu'on venait de lui fracturer un bras et quelques côtes. Ce qui serait arrivé si le bout de bois n'avait pas cédé le premier – l'autre extrémité fut projetée dans la pièce et ricocha sur le sol. Orgueilleux, Ivan ne versa pas une larme. La haine pour toute forme d'autorité parentale lui remonta du fond de la gorge, comme un crachat sanglant. Et, bien qu'il détestât cette idée, il lui faudrait encore retourner à l'école, redoutant ce qui arriverait s'il ne le faisait pas.

Ivan était à peine capable de marcher tellement le sel de sa sueur brûlait ses blessures, mais quand il rentra à la maison ce soir-là, sa mère le renvoya dans la rue. La vieille radio de bois, recouverte d'un tissu jaune qui vibrait au son des haut-parleurs, venait d'annoncer que les Soviétiques occupaient Budapest. La mère d'Ivan écoutait constamment la radio dans l'attente de ce genre de nouvelle… qui provoquait instantanément une crise de panique. Elle grimpa sur une chaise et sortit du placard une bible tchèque dont elle tourna rapidement les pages. Elle en tira les billets les plus grands qu'Ivan eût jamais vus, les lui tendit, et les envoya, Bruno et lui, chercher dans un petit chariot de bois cinquante kilos de farine, vingt litres d'huile et cinq kilos de sel. Assez pour tenir quelques mois en cas d'invasion soviétique. Les garçons galopèrent et furent parmi les premiers clients à arriver à l'épicerie du coin. Le commis se moqua d'Ivan : « Pourquoi as-tu besoin de tout ça ?

— Les Russes arrivent.

— Les Russes arrivent toujours, répondit l'homme. Pourquoi devrait-on s'inquiéter ? Nous avons Tito. »

Dehors, une file se formait rapidement, des dizaines de personnes au teint pâle qui, toutes, voulaient de la farine, de l'huile et du sel.

« Est-ce que les Russes vont tous nous tuer ? demanda Bruno.

— Je pense, oui », répondit Ivan.

Le petit se mit à pleurer.

« S'ils viennent à la maison, il faudrait leur tendre un piège, poursuivit Ivan. Faisons croire à Mère qu'il n'y avait plus d'huile, elle nous croira – regarde tous ces gens qui eux aussi veulent de l'huile. On n'aura qu'à verser partout un mélange d'huile et d'essence et à craquer une allumette pour faire cramer tous les Russes.

— Et nous?

— On brûlera avec.

— Je veux pas.

— Avec les Russes, il faudra étudier seize heures par jour.

— Ça pourrait être chouette. On pourrait devenir ingénieurs d'avions.

— Ingénieurs en machines agricoles, tu veux dire! Plutôt crever.»

C'est alors que la voix de Tito s'éleva du coin de la rue. «Nous avons vaincu les Allemands, et nous vous écraserons, vous, les Soviétiques, si vous venez ici. Nous avons l'armée la mieux entraînée et la plus disciplinée d'Europe. Et nous sommes prêts à nous battre jusqu'au dernier homme. Longue vie à la Yougoslavie!» Tito s'était adressé directement aux Soviets, comme s'ils pouvaient entendre son message dans les rues. Comme si le pays fourmillait d'espions russes et que c'était un moyen comme un autre de communiquer avec Moscou.

CHAPITRE 3

Où Ivan envoie une lettre émouvante au président Tito

Ivan souhaitait par-dessus tout exprimer son admiration pour le président. Tito avait tenu tête aux Soviétiques et, après quelques mois d'un face-à-face tendu, les hordes multinationales de l'Armée rouge reculèrent avec leurs chars d'assaut. La Yougoslavie resta libre, enfin, libre de toute ingérence étrangère. La vénération pour le président devint littéralement, après cet épisode, une affaire d'État. Dans tout le pays, les écoliers devaient écrire au président pour son anniversaire, le 25 mai, « Jour de la jeunesse ». Chaque école choisissait parmi ces textes les trois plus belles lettres, chaque district en sélectionnait ensuite une demi-douzaine, puis chaque république, une dizaine. Pendant des semaines, de radieuses jeunes filles et de gracieux athlètes sillonnaient les six républiques et les deux territoires autonomes pour y recueillir les précieux billets, acclamés dans chaque ville par une foule qui se pressait sur la grande place – généralement baptisée place du Maréchal Tito. Le jour de l'anniversaire de Tito, cent mille personnes s'entassaient dans le Stade des partisans de Belgrade, où des troupes de danseurs et d'athlètes, habillés aux couleurs du drapeau, formaient en lettres géantes le DRUZE TITO MI TE VOLIMO (Camarade Tito, nous t'aimons). Les filles levaient la jambe bien haut, comme des meneuses de claque – quoiqu'avec plus de discipline que d'enthousiasme. Puis des garçonnets et des fillettes rougissants, dressés sur la pointe des pieds pour atteindre le micro, lisaient près d'une centaine de lettres au président, qui buvait leurs paroles, stoïque. Le grand homme prononçait ensuite un discours dans une langue que personne n'aurait pu identifier à coup sûr : du croate avec un accent russe? Du slovène pimenté de serbe? Ou de l'ukrainien mâtiné de serbo-croate? Aucun groupe national (slave) ne se sentait négligé. Cette rhétorique si propre à Tito suscitait bien des rumeurs : il aurait été un Russe se faisant passer pour un Croate; une actrice ukrainienne, maîtresse de Staline; ou encore un robot conçu par les ingénieurs de l'aérospatiale soviétique.

Le maréchal Josip Broz Tito parlait lentement, entrecoupant son discours de silences, comme s'il pesait chacun de ses mots; jamais il ne se laissait aller à provoquer l'hystérie collective – que les Yosif, Joseph et autres variations de son prénom auraient sûrement suscitée. Malgré cette réserve, la frénésie gagnait invariablement la foule parce que les gens n'en revenaient pas de pouvoir approcher de si près le président, honneur plus grand encore que de se rendre à La Mecque pour un musulman.

Ivan dévorait les histoires vantant l'héroïsme de Tito : pendant la Seconde Guerre mondiale, Tito vécut dans une immense grotte où les Allemands n'arrivaient pas à le trouver. Lorsqu'ils y parvinrent, des milliers de soldats se sacrifièrent pour couvrir sa fuite. Déguisé, il navigua jusque dans l'île la plus reculée de l'Adriatique, l'île de Vis, d'où il orchestra les campagnes militaires qui menèrent à la victoire tout en cultivant un vignoble si prospère qu'il y venait des raisins gros comme des œufs.

Tout cela inspira Ivan pour écrire la meilleure lettre.

Après tout, n'était-il pas rompu à la liturgie de l'église calviniste où sa mère le traînait tous les dimanches matin, et dont le fondement consistait à louer le Seigneur dans les termes les plus flatteurs? Il jeta sur la classe un regard dédaigneux et se mit à écrire, sûr de son triomphe.

Ô Très-Haut Président,

Que Ton nom soit sanctifié, que Ta volonté soit faite à l'étranger comme ici, donne-nous aujourd'hui notre pain quotidien et nos ballons de foot.

Ô Très-Haut, omnipotent, omniprésent et omniscient Président, nous Te vénérons au-delà de toute raison. Nous sommes honorés, humbles vers de terre, de pouvoir ramper sur la route poussiéreuse du socialisme. Nous adorons prononcer Ton nom tout en sachant que Tu pourrais nous réduire en poussière, comme le sel fait fondre la neige, de Ton seul petit doigt – même ce petit doigt en impose. Tu as mené les troupes de partisans héroïques, forts et braves contre les hordes païennes d'automates sans âme, ces capitalistes allemands qui, aujourd'hui encore, leurrent notre peuple pour l'amener à travailler dans leurs usines. Tu nous as offert l'égalité absolue, versant Ton sang dans d'innombrables batailles, et Tu as si vaillamment combattu les troupes allemandes qu'elles n'ont jamais réussi à Te capturer – afin que pas un de nous ne périsse et que nous puissions vivre dans la grâce merveilleuse, magnifique, admirable, prodigieuse de chanter Tes louanges à jamais, ou aussi longtemps que nous le permettront nos cordes vocales.

Merci infiniment. Sois glorifié de cette gloire qui surpasse toute raison, humaine ou divine.

Mort au fascisme et liberté pour le peuple.

Ton dévoué camarade,

Ivan Dolimar.

Triomphant, il tendit la lettre à l'enseignante, qui la lut sur-le-champ. Son visage s'empourpra : « Viens ici, fripouille ! hurla-t-elle. Comment oses-tu écrire une lettre si ridicule ? Quel cynisme ! Comment un enfant peut-il commettre une monstruosité pareille ?

— Mais je suis sûr que c'est la meilleure lettre de toute la République socialiste de Croatie, se défendit-il. Le président l'adorera. »

L'enseignante déchira la lettre et envoya le coupable s'agenouiller dans le coin sur des grains de maïs, pendant que les autres élèves s'exerçaient à réduire des fractions. Elle écrivit une nouvelle lettre à la mère d'Ivan, mais, cette fois, il la signa lui-même. Sur le chemin de la maison, échoppes, banques, bains turcs et bistrots se succédaient et, partout, les photos de Tito le fixaient d'un œil sévère tandis que les policiers flânaient, traînant derrière eux une odeur de tabac.

CHAPITRE 4

Où Ivan découvre que le monde est un vaste camp de travail

Échaudé par la cruauté du monde des adultes, Ivan trouva refuge dans celui des arbres. Il mit son courage à l'épreuve en sautant de branche en branche, puis d'arbre en arbre. Il marchait dans le parc municipal en prenant de profondes respirations, emplissant ses poumons d'air saturé d'humidité et tout frais photosynthétisé. Il gambadait dans la verte et joyeuse tranquillité des arbres, près du monument des Partisans – partisans au nez pointu, aux lèvres minces, à la pommette haute et aux mains larges et noueuses. Tout en eux était anguleux, un mélange de réalisme socialiste et d'art populaire. On trouvait des sculptures de ce type dans la plupart des villes d'Europe de l'Est : plus grande était la ville, plus imposant était le monument. Mais celui de Nizograd se démarquait par son côté féroce, par ses visages affichant une haine débordante d'enthousiasme. Ivan trouvait ces sculptures hideuses, mais admirait la puissance qui en émanait. Il pouvait parfois scruter les muscles de bronze pendant des dizaines de minutes, se demandant s'il parviendrait un jour à se doter d'une musculature aussi impressionnante et bien dessinée.

Le monument était l'œuvre de Marko Kovacevic, sculpteur formé à l'Académie des beaux-arts de Moscou et inscrit au Parti avant la Seconde Guerre mondiale, à une époque où il était dangereux de l'être. Durant la guerre, il combattit les Allemands et fut plusieurs fois décoré. Après l'armistice, le Parti lui avait commandé ce monument à la mémoire des braves tombés au front. Le cachet était si modeste qu'il couvrait à peine ses frais.

Quand les communistes d'une ville voisine voulurent une copie exacte du monument, Marko leur demanda d'être payé à l'avance, ce qui fut fait. Le maire dévoila le monument, et la foule, réunie pour l'occasion, hua le sculpteur quand elle découvrit des partisans dénudés pas plus grands que des poupées. Sans se démonter, Marko répondit : « Camarades : petite paye, petits partisans ! » Puis il s'autoexcommunia du Parti communiste et flanqua à la poubelle le petit livre rouge que possédaient tous les membres.

Comme personne dans une société socialiste ne peut se payer de sculptures, à l'exception du gouvernement communiste, Marko dut trouver d'autres moyens de subsistance. Il fabriqua donc des pierres tombales pour les membres du Parti – morts, ils ne le dérangeaient pas.

Marko enseignait aussi l'art dans la classe d'Ivan. L'homme était grand, solidement charpenté, doté d'un fort nez crochu à la Rodin et de sourcils cornus à la Brejnev. Ses cheveux argentés, coupés en brosse plusieurs fois l'an, évoquaient le pelage du hérisson. Ils repoussaient vite, en tous sens, formant une tignasse bouclée. Mais quelle que soit la longueur de ses cheveux, ses oreilles en dépassaient et possédaient leur propre système pileux.

Quand il pénétrait dans la salle de classe éclairée par des lustres, au plancher d'érable ciré, aux murs épais et au plafond haut, il hurlait ses directives : dessinez un arbre dont les branches agitées par le vent fouettent les vitres. Ceux qui ne voulaient pas se plier à cet exercice devaient s'appliquer à imprimer des inscriptions disant : ICI REPOSE EN PAIX… Il reproduisait sur ses pierres tombales celles qui lui plaisaient le mieux.

Aussitôt ces consignes données, il alignait quatre chaises, retirait ses bottes et, très vite, faisait vibrer la pièce de ses ronflements. Les élèves se faufilaient hors de la classe sur la pointe des pieds et couraient dans le parc pour grimper aux arbres ou, à l'aide de branches, fouiller le sol à la recherche de pièces de monnaie romaines, byzantines, turques, hongroises, croates, yougoslaves, ou de la maison des Habsbourg. Lorsqu'il se réveillait, une demi-heure plus tard, Kovacevic passait la tête par la fenêtre et criait aux enfants de regagner leur place.

Avant que le cours de deux heures ne prenne fin, il sillonnait les allées, observant chaque dessin.

« Qu'est-ce que c'est ? demanda Marko à Ivan, avachi sur son pupitre.

— Un arbre, répondit fièrement celui-ci. » Il avait porté à chaque détail un soin minutieux.

« Je ne vois pas d'arbre. Un arbre vit, un arbre a une âme. Le tien n'est qu'un gribouillis. »

Il saisit un crayon et traça une ligne le long du tronc. La mine de graphite cassa et alla frapper la fenêtre. Imperturbable, Marko prolongea le trait jusqu'à ce qu'il fasse de l'arbre ce qu'il aurait dû être : un arbre authentique, inébranlable, prêt à affronter les pires tempêtes.

« Tu vois, tu le fais vivre. On n'est pas dans un salon de beauté. D'abord, tu dessines un arbre, et tout ce qui vient ensuite, rouge à lèvres ou faux cils, c'est secondaire. Mais fais-le d'abord se tenir debout, pour l'amour du ciel ! »

Il avait donné à l'arbre un trait de sa propre personnalité : grandeur dans la simplicité. Ivan se demanda comment apprendre à donner du caractère d'un seul coup de crayon. Peut-être était-ce impossible à moins d'être soi-même doté d'une forte personnalité. Et comment en arrivait-on là ?

Marko fit quelques pas puis se perdit dans la contemplation de la fenêtre, laissant les enfants chahuter jusqu'à ce que, vers la fin du cours, il vît une fillette pleurer et lui demandât ce qui se passait. « Il m'a giflée », dit-elle, pointant Ivan du doigt.

« Camarade, se défendit Ivan, elle a renversé de la limonade sur mon aquarelle ! »

Marko sauta par-dessus la table et empoigna Ivan par les cheveux. « Tu appelles ça une aquarelle ? hurla-t-il. Et même si c'en était… » Et il abattit son poing. Ivan entendit le tonnerre et vit les éclairs, même si ses mains bouchaient ses oreilles et que ses yeux étaient fermés.

« Je vais t'apprendre. C'est une bête que je bats. Bien sûr, tu n'es pas un animal, tu es un gentil garçon. Mais il y a de la bête en toi. Et le seul moyen de l'atteindre, c'est à travers la couenne. Espérons qu'un peu de cette douleur parviendra jusqu'à elle. Rien ne sert à rien, dans cette vie… Je sais. Tant d'énergie et de douleur gaspillées, mais… » Et il frappa Ivan de nouveau. « Maintenant, répète après moi : une fille, ça se caresse.

— Une fille, ça s'agresse », reprit Ivan. Marko lui décocha un retentissant coup de pied de ses bottes en cuir de bœuf. Le gamin valsa dans l'allée avant de s'écraser sur le sol, petite masse inerte.

Pendant ce temps, un ami d'Ivan, Nenad, tira avec son lance-pierre par la fenêtre et fit exploser l'ampoule d'un lampadaire.

« Viens ici, sale bête, vociféra Marko.

— C'est pas moi, camarade.

— Viens ici, que je te présente devant ton Créateur ! »

Le garnement bondit pour s'échapper, renversant plusieurs chaises sur son passage. Marko saisit alors une pelle et la lança. L'arme ébrécha le mur dix centimètres au-dessus de la tête de Nenad, qui se rua vers la porte et disparut.

Mais, la plupart du temps, Marko était d'un naturel pacifique, ignorant les enfants comme le bœuf ignore les mouches – même si, à l'occasion, la queue du bœuf balaie l'insecte. À la fin du cours, Marko réclama le silence et se hissa sur une table. Là, dans la position du partisan sur son piédestal condamné à brandir son fusil jusqu'à ce que le bronze se désintègre – ou jusqu'au prochain changement de régime –, il retira ses dents de devant et les présenta à la classe médusée. « Camarades, je suis un homme nouveau. J'ai de nouvelles dents. Elles ne me feront plus jamais souffrir. Quand j'en ai marre, je les plonge dans un verre d'eau. Quand j'ai besoin de mâcher ou de parler, je les remets. Le progrès. Voilà ce qu'on appelle le progrès ! »

Il les remit ensuite dans sa bouche et sourit, faisant miroiter le rose et le blanc. Puis il ferma la bouche et se mit à mastiquer, faisant saillir ses muscles et claquer ses mâchoires. Des dizaines de paires d'yeux écarquillés l'observaient en silence.

Marko mordit dans une pomme rouge et fit aller ses mandibules horizontalement, tel un bœuf qui rumine, penchant la tête un petit coup à gauche, un petit coup à droite. « C'est de l'art, mes enfants. Ça rend la vie meilleure, et c'est ce que l'art doit faire. Maintenant, rentrez chez vous, vous en avez assez appris pour aujourd'hui. »

Puis il désigna les trois garçons les plus costauds de la classe, dont Ivan faisait partie. « Vous, vous filez chez le ferrailleur, vous demandez la charrette à Marko et vous la rapportez chez moi. Il est temps de vous frotter un peu à la réalité. »

Alors que les trois gamins tiraient la lourde charrette, ils entendirent les cris perçants des gorets qu'on égorgeait à l'abattoir voisin. La charrette couinait sous le poids des chaînes, des pièces de moteur et des essieux (ossements de vieux autobus scolaires, dont les corps bleus rongés de rouille reposaient un peu plus loin, pareils à des éléphants harassés). À bout de souffle, les garçons traînèrent péniblement le métal à travers la ville, puis au-delà, quand le parc devient forêt, et jusqu'à la maison de Marko.

La brique rouge du bâtiment jurait sur le rideau vert de la forêt. L'immense demeure projetait une ombre sur tout le jardin, qui disparaissait dans la noirceur du sous-bois. Ce qui se cachait dans la pénombre attirait tellement l'œil que la maison aux couleurs pourtant vives en était éclipsée, et que les objets obscurs entassés dans la cour – planches de bois hérissées de clous tordus, roues de train rouillées, chats au pelage gras, boîtes de fer-blanc, pneus, téléphones d'une autre époque – se mettaient à étinceler. Le haut de la maison était achevé tandis que le bas, plus proche du bunker, présen-tait des murs de ciment dénudés hérissés de tiges d'acier rouillées. Une porte s'entrouvrit sur le côté et une femme à l'air épuisé jeta un coup d'œil. Elle portait du noir comme si Marko, son mari, était mort.

Ivan, qui se demandait pourquoi accumuler tant de camelote rouillée, comprit enfin : Marko avait érigé deux colonnes pour soutenir une poutre d'acier à laquelle était suspendu un balancier qui, connecté à un moteur par des chaînes et des rouages, crachait de la fumée. Ivan pensa qu'il s'agissait d'une sorte de sculpture moderne, un truc que Marko aurait appris en Russie.

Mais le sculpteur plaça sous le balancier une grosse pierre couleur crème et, armé d'un ciseau, y ouvrit une saignée dans laquelle il introduisit la lame. Puis il fit démarrer le moteur.

La lame rugit sur la pierre qu'il arrosait de temps en temps, comme s'il la baptisait. Mais il était trop tard pour parler de baptême : Marko taillait des pierres tombales. Ses chats s'enfuirent dans la forêt, puis revinrent, métamorphosés en hérissons, pour observer le monstre mangeur de pierre.

Ivan resta après le départ de ses deux compagnons. « Tu veux verser de l'eau sur la pierre toutes les trois minutes ? » lui demanda Marko en lui tendant une tasse d'aluminium et un seau.

« Que pensez-vous des idées de Platon ? » Ivan avait prononcé le nom du philosophe parce qu'il voulait jouer les affranchis, maintenant qu'il avait douze ans. Marko fit asseoir Ivan sur un tas de bûches, puis s'assit à son tour, et dit : « Sais-tu pourquoi Socrate est mort ? Parce qu'il s'est opposé à la tyrannie. Ça marchait comme ça à l'époque, ça marche comme ça maintenant. Rien n'a changé. Notre gouvernement n'est composé que d'une bande de voyous tyranniques.

— Mais Platon, c'est plus que ça…

— Platon, c'est moins que ça, rétorqua Marko. Il a écrit entouré de tyrans. Tu dois apprendre à le lire : c'est de la politique, pas de la philosophie. »

Marko avait parlé si fort qu'Ivan jeta un coup d'œil derrière lui, certain qu'on allait les jeter en prison.

« Mais vous pouvez parler librement, et vous n'êtes pas derrière les barreaux.

— J'ai failli être nommé ministre de la Culture, mais je me suis élevé contre leurs Mercedes et leur champagne. Et comme j'avais des liens en URSS, ils m'ont traité comme un indic. Ils m'ont envoyé ici, à l'insu de Dieu. C'est ma Sibérie. Mais assez parlé, on a du travail. Je dois nourrir la vieille sorcière et son petit sorcier. » Il avait parlé d'un ton acerbe, de toute son amertume serbe.

Ivan se dit que le poste de ministre de la Contreculture, s'il existait, lui aurait mieux convenu.

Marko alla vers une pierre et abattit son lourd marteau sur la tête aplatie du ciseau, encore et encore, arrachant au métal un écho monotone, presque hypnotique. Le métal bleuté tranchait la pierre bleu-gris, la poussière de pierre volait partout. Avec ses cheveux gris aux reflets bleus, ses joues mal rasées, le sculpteur se fondit au grain de la pierre, et tout ce qu'Ivan vit au bout d'un moment, c'est un roc surmonté d'une paire de sourcils pointant vers le haut. Ivan contempla cette stèle destinée à un homme sans nom, tête de pierre avec des sourcils. Pas de nez, pas d'yeux, pas d'oreilles.

« Y a-t-il une vie éternelle ? » cria Ivan. Une question fort importante, à laquelle il n'avait toujours pas trouvé de réponse. Il assistait aux offices calvinistes dont l'orgue le terrifiait depuis la petite enfance. Une Allemande desséchée malmenait les tuyaux, l'œil empli de terreur, comme si elle craignait à chaque note de tomber dans une embuscade des partisans – craintes justifiées compte tenu des sons qu'elle arrachait à son instrument. Aller à l'église plongeait Ivan dans la honte. La rumeur courait en ville que les calvinistes se livraient à des orgies. L'histoire attira quelques hommes d'âge mûr qui, déçus de ne rien trouver de tel, répandirent à leur tour une autre rumeur : les calvinistes forniquaient avec des moutons. À l'école, beaucoup d'enfants traitaient Ivan de « baiseur de mouton ». Mais plus forte encore que la honte planait la menace de la damnation éternelle. Le révérend jurait que le Christ reviendrait un jour, et il tirait de la Bible ces paroles tonitruantes : *Il y eut alors de la grêle et du feu mêlés de sang qui furent jetés sur la terre : et le tiers de la terre fut consumé, et le tiers des arbres fut consumé, et toute herbe verte fut consumée... et le tiers de la mer devint du sang... alors il se fit un violent tremblement de terre, et le soleil devint noir*

comme une étoffe de crin, et la lune devint tout entière comme
du sang; et les astres du ciel s'abattirent sur la terre comme les
figues avortées que projette un figuier tordu par la tempête. Et
le ciel disparut comme un livre qu'on roule. Ceux qui ne
seraient pas sauvés seraient condamnés à vivre sur une terre
de sang et de cendres, dans un froid où plus jamais le soleil ne
brillerait, ils appelleraient la mort de leurs vœux, mais
ne pourraient même pas mourir.

« Y a-t-il une vie éternelle? » répéta Ivan. Marko se
retourna et le regarda comme si quelque chose lui avait totalement échappé.

« Pourquoi travaillez-vous tout le temps? demanda Ivan,
pensant que Marko n'avait pas entendu.

— Dieu travaille six jours par semaine, comment pourrais-je faire moins? La création entière trime, se crève à la
tâche, alors moi aussi!

— Mais le travail est une punition. On ne peut pas y
échapper?

— Si tu ne travailles pas, tu deviens faible, paresseux, et
un millier de vices et de vipères t'empoisonnent le sang…

— Mais ne pouvez-vous pas vous élever au-dessus de
cela?

— Pas moyen! Personne ne peut s'élever au-dessus
du Tout-Puissant. À la sueur de ton front… voilà comment
tu dois vivre. Si tu n'acceptes pas le châtiment, Dieu te
détruira. » On aurait dit un juge impitoyable condamnant
un prisonnier à finir ses jours dans un camp sibérien.

Il agrippa une pelle et contracta les mâchoires. Ivan sentit le vide se faire en lui. « Mais Dieu n'est-il pas amour?

— C'est vrai. Il veut nous éloigner du mal, et c'est par
le travail qu'on y parvient. Le travail est amour, pas l'oisi-
veté. »

Ivan fut accablé par le même sentiment d'abattement

qu'éprouva le jeune homme riche qui voulait savoir ce qu'il pourrait faire de plus pour être sauvé, et à qui Jésus avait conseillé de distribuer sa fortune aux pauvres.

« Y a-t-il un paradis ? Un enfer ? C'est pour ça que vous travaillez ?

— Dieu ne te fera pas griller comme des Français le feraient avec des grenouilles. Dieu n'est pas un cuisinier français. Il n'y a pas d'enfer. Pas plus qu'il n'y a de paradis.

— Pas de vie éternelle ?

— Le Créateur apprend de ce qu'Il crée et de ce que Sa création crée. Plus tu travailles et plus tu crées, plus Il apprend de toi. Ton éternité existe dans la connaissance qu'Il a de ta création, qui survit en Dieu. Tu continues à vivre comme une partie de Lui. Mais tu ne continues pas à vivre seul, de même que tu ne vis pas seul en ce moment, avec tes propres forces de vie. Tout cela t'est prêté par Dieu, et, en fait, nous n'existons même pas en tant qu'individus.

— Vous voulez dire que nous sommes morts ?

— Non, nous ne sommes pas capables de ça non plus. »

Marko fit voler quelques éclats de pierre brute à coups de ciseau. Ses ongles étaient bleus ; peut-être un coup de marteau ? Les tendons de ses doigts saillaient. Pareilles à des serpents bleus, ses veines s'entrelaçaient autour de ses doigts, formant une sorte de caducée. La paume de ses mains ressemblait à la plante des pieds d'Ivan à la fin d'un été passé à marcher pieds nus. Des couches et des couches de cloques, entassées, les unes enterrant les autres, la mort enterrant la mort. Les cals faisaient office de pierres tombales à cette peau qui avait cessé de vivre. On pouvait lire dans ses paumes sa biographie de travailleur. Ciseler la pierre, c'était pour Marko une lutte contre le temps dans l'espoir d'y laisser sa marque, de le capturer. Mais le temps se dérobait grâce à des ruses dignes des arts martiaux, piégeait Marko pour qu'il continue de tailler dans les os de la terre, dans le roc. Le temps le laissait s'épuiser. Marko s'épuisait en créant des épitaphes. Des veuves toutes grises les déchiffreraient pour y trouver le fantôme de leur bien-aimé dans la froideur de la pierre trônant au-dessus des cierges, espérant apercevoir dans le roc une petite étincelle de vie.

L'idée du travail perturbait Ivan encore plus que l'idée de la mort. « Vous ne prenez donc jamais le temps de vous détendre, de vous amuser ?

— Bien sûr. » Marko attrapa ses dents, les retira, les rinça dans le seau d'eau en aluminium, et les remit dans sa bouche.

« Voilà, je viens juste de m'amuser.

— À quoi bon vivre si on ne fait que travailler ?

— À ceci : travailler, bouffer des fayots, baiser, se tourner contre le mur, péter et ronfler ; travailler, bouffer des fayots, baiser, se tourner contre le mur, péter et ronfler… C'est le logarithme de la vie.

— Et la musique, l'art, la littérature ?

— Un violon ne sert à rien dans une usine. Cette musique-là me suffit, dit-il en pointant la scie à couper la pierre.

— Mais vous aimez peindre.

— Barbouillage : une perte de temps. Littérature : mots dénaturés alignés par des tire-au-flanc pour échapper au travail. »

Même chose pour la radio, la télévision et les journaux, ajouta-t-il : des machines à laver le cerveau !

« Comment vous tenez-vous au courant, alors ?

— Je lis l'histoire. Il n'y a rien de nouveau sous le soleil. Tu peux savoir ce qui se passe en lisant ce qui s'est passé il y a mille ans.

— Et si une guerre éclate ?

— Rien de neuf là-dedans.

— Mais vous pourriez l'apprendre trop tard pour fuir dans les montagnes.

— On n'échappe pas à la guerre. Et, de toute façon, ce serait bon pour les affaires. Grosse demande pour les pierres tombales.»

Puis il reprit son travail. Ivan s'éloigna, pensif.

CHAPITRE 5

Où Ivan transcende sa peur de la mort des autres grâce au formol

À dix-neuf ans, Ivan voulut devenir médecin. N'étant pas particulièrement doué pour l'uniforme, la politique, les arts ou le sport, il ne voyait que ce moyen pour réaliser son ambition d'obtenir pouvoir et renommée – le médecin n'est-il pas un maître des cœurs, des organes génitaux et des cerveaux? Durant tout l'été, il avala des livres de chimie et de biologie élémentaires, mais, le jour des examens d'admission à l'université de Zagreb, il fut pris de terreur à l'idée que ses concitoyens, fort nombreux dans la capitale, prissent connaissance de son échec aux examens en consultant le tableau d'affichage de l'école de médecine. Il passa donc et réussit ses examens à Novi Sad, dans la province autonome de Voïvodine, dans le nord de la Serbie.

En chemin pour Novi Sad, Ivan se rendit dans les toilettes du train, scruta ses yeux marron profondément enfoncés, se rasa, arracha les poils qui dépassaient de ses narines étroites, et se trouva l'air d'un adulte fort intelligent. Il alla dormir sur un banc de bois, couché sur le côté, vêtu de son pull et de son manteau. Le jeune homme se réveilla avec un torticolis, et les sillons que le tricot avait imprimés sur son visage le démangeaient. Il regarda par la fenêtre, appuya le front contre la vitre qui vibrait, et la buée qui sortait de sa bouche couvrit d'un voile les champs boueux et les eaux brunes du Danube. Des maisons longues et basses croulaient sous le poids des toits de tuiles rouges envahies de mousse. Le mortier des façades se fissurait; les briques s'érodaient sous la pluie; des oies nageaient dans les fossés; des paysans, assis sur des bancs devant leur maison, avalaient des rasades de gnôle en guise de petit-déjeuner. Puis les rues s'élargirent, bordées de grands immeubles ternes et solitaires. Du linge blanc et rose séchait sur les balcons exigus, comme des drapeaux de reddition qu'aucun vent n'agitait. Déprimé par tant de désolation, Ivan se jura de quitter Novi Sad aussi vite que possible.

À la gare, qui empestait le diesel et le porc aux oignons, les gens avaient l'air triste à mourir. Ivan se dirigea vers les salles de bain, mais la «madame-pipi» exigea de lui cinq dinars. N'ayant rien de plus petit, il lui tendit un billet de mille. Elle n'avait pas de monnaie.

«Vous ne pouvez pas me laisser entrer quand même?

— Non, le règlement, c'est le règlement. Cinq dinars!

— Ne me parlez pas de règlement si vous n'avez pas de monnaie.

— Allez acheter un journal, et vous aurez de la monnaie.»

Ils s'engueulèrent jusqu'à ce qu'il cède et aille acheter un journal sportif. Dans les toilettes chichement éclairées, Ivan analysa les problèmes d'échecs de la dernière page. La puanteur du savon industriel et de l'azote lui écorchait les narines. En sortant, il eut honte: Comment peux-tu être grossier au point de t'en prendre à cette femme si désespérée qu'elle doit nettoyer des chiottes?

Ivan arriva trop tard aux bureaux de l'université pour obtenir une chambre et une clé. Le lendemain, après une nuit passée à claquer des dents sur un banc public, il observa non sans une certaine crainte son futur dortoir. Les briques saillaient du mortier comme les genoux d'un miséreux à travers l'étoffe de son pantalon. Des papiers s'envolaient des fenêtres, zigzagant dans l'air, tels des tracts largués par les avions d'une puissance conquérante.

« Où vas-tu, camarade ? » cria quelqu'un.

Ivan, qui se tenait entre deux longs bâtiments parallèles, pareils à des boîtes d'allumettes géantes, se retourna et se demanda quel écho l'avait trompé. Soudain, deux mains se plaquèrent sur ses yeux. « Devine qui c'est ? » dit une voix.

Ivan virevolta et se retrouva face à un étranger rougeaud vêtu d'une chemise blanche et propre.

« Mais je ne te connais pas !

— Et alors, qu'est-ce que ça peut faire ? Je m'appelle Aldo. Tu veux un café ? Entre par la fenêtre ! »

Ivan s'exécuta et se retrouva dans une petite pièce avec trois lits, un plancher de parquet et un tapis gris en lambeaux.

« Je ne bois pas de café.

— Faut vraiment être bizarre pour ne pas boire de café. Qu'est-ce que tu étudies ? Si tu veux apprendre, il faut que tu fumes et que tu boives du café.

— Ridicule ! Pourquoi est-ce que je me bousillerais la santé avec ces substances banales qui ne sont que des instruments du conformisme : tout le monde imite tout le monde, fumant les mêmes cigarettes, avec les mêmes gestes, buvant le même type de café, de la même manière.

— T'es un drôle d'oiseau, toi. Mais que dis-tu de cette étrange coïncidence : l'humanité végétait dans les bas-fonds du Moyen Âge jusqu'à ce que les gens commencent à fumer. Fumer les a aidés à penser. Et ce n'est qu'avec l'arrivée du café qu'ils se sont vraiment mis à réfléchir et qu'ils ont commencé à inventer des trucs un peu partout. Avant, la journée commençait à la bière ou au vin, et c'est le café qui a mis fin à cette vilaine habitude matinale, lui aussi qui donne aux gens un coup de fouet pour la journée en leur électrisant les neurones. Essaie seulement d'imaginer ce que nous serons capables de faire le jour où nous disposerons de drogues encore plus performantes.

— C'est ta théorie?

— C'est mon prof d'économie qui nous a dit ça. Tu vois, on apprend toutes sortes de choses à l'université. Tu vas bien t'amuser, mais au nom de l'amitié, promets-moi d'abord une chose : de prendre un café turc avec moi maintenant.»

Cette théorie caféinée de la révolution industrielle incita Ivan à prendre l'inconnu plus au sérieux qu'il ne l'aurait voulu. Après le café, qu'il trouva épais, brûlé et à la fois sucré et amer, Ivan tombait de sommeil. Il s'allongea sur le lit le plus défoncé et s'enroula, comme un embryon dans un œuf coupé en deux, la bouche entrouverte, les yeux à demi fermés.

Arrivé parmi les derniers, Ivan hérita d'un dortoir minable. Le lendemain matin, il contemplait, l'air abattu, cette pièce encombrée de quatre lits et de deux grands placards, quand on frappa à la porte. Il ouvrit à un grand type efflanqué au teint jaune pâle. «Ha, un lit à moi, s'exclamat-il. Tu ne peux pas savoir ce que ça veut dire pour moi. Quel lit prends-tu?

— Ça m'est égal, ils sont tous aussi moches!»

«Jaunas» s'effondra sur un lit de coin et s'endormit instantanément.

En traversant les narines de Jaunas, l'air vibrait doucement, délicatement, comme le ronron d'un chat. Puis sa respiration cessa. Voyant que sa poitrine ne se soulevait plus, Ivan allait prendre son pouls quand il eut l'impression qu'une bombe venait d'éclater. Jaunas aspira l'air si désespérément qu'il parvint à fusionner dans un même son le rugissement du lion affamé et le couinement d'agonie du zèbre.

On cogna de nouveau à la porte. Ivan ouvrit avec mille précautions, comme s'il s'agissait d'un grimoire millénaire lui permettant d'entrevoir l'avenir. Celui qui frappait allait partager sa vie nuit et jour pendant neuf mois. Un solide gaillard nommé Jovo entra, le sourcil broussailleux, les joues mal rasées et la mâchoire carrée. Ils échangèrent quelques formules de présentations, puis Ivan dit, pointant Jaunas :
« Il ronfle !

— Et alors ? Même les belles femmes ronflent ! »

Soudain, le dormeur émit un autre de ses glapissements assassins.

« Aïe ! dit Jovo, l'année va être rude ! Sais-tu que l'an dernier, soixante pour cent des étudiants de première année ont échoué à leur examen d'anatomie ? »

Aldo se porta volontaire pour occuper le quatrième lit. Vêtus de leurs blouses blanches, Aldo et Ivan traversèrent le hall de la foire internationale de l'alimentation, Novosadski Sajam, et volèrent une grosse caisse de pommes qu'ils sortirent au nez et à la barbe de la police. Ivan voulait impressionner ses nouveaux amis en leur montrant qu'il ne reculait devant rien. Ils répétèrent leur méfait jusqu'à ce que leur armoire soit remplie de pommes.

« On pourrait tenir jusqu'à Noël, dit Ivan.

— On pourrait », approuva Aldo.

Ils donnèrent des pommes à leurs compagnons de chambrée, puis à leurs voisins, hélas bien plus nombreux qu'ils ne l'avaient cru. En vingt minutes, leur réserve d'automne fut épuisée – tout le contraire de Jésus qui, dans les Évangiles, parvint à nourrir les multitudes avec cinq pains et deux poissons. Dans leur cas, une montagne de nourriture se volatilisa tandis qu'une foule d'affamés de confessions diverses se bousculaient dans un tel vacarme qu'il eût été impossible d'entendre le moindre prêche.

Aldo et Ivan volèrent ensuite un chapelet de saucisses assez long pour faire le tour du dortoir. Ivan aimait ce sentiment de camaraderie et de courage qui grandissait au rythme de leurs larcins. « C'est ça le communisme, disait Aldo. Je ne reçois pas assez d'aide financière, bien que je sois un membre du Parti et un vétéran. Alors je compense. Il faut compenser les lacunes de la bureaucratie. »

Tard dans la nuit, après avoir mangé une saucisse volée et comblé ainsi les appétits de son nerf vague, Jovo ouvrit la porte et envoya dans le couloir désert un pet si retentissant que les fenêtres en tremblèrent. Peu après, une porte s'ouvrit en grinçant à l'autre bout du long corridor et une réponse fusa, un peu étouffée, mais tout de même assez forte. On eût dit un écho au pet de Jovo. « Hé, bonne nuit, mon frère ! »

Les deux compatriotes sortirent dans le couloir en sous-vêtements, se serrèrent la main, et prirent rendez-vous pour aller se régaler d'un plat de haricots et de lard. Ils avaient découvert qu'ils venaient du même coin, un village serbe près de Bihać, en Bosnie.

Le matin, Ivan assistait aux séances d'anatomie. Les étudiants découpaient graduellement un être humain en rondelles, jetant dans des seaux d'aluminium qui trônaient à côté de la table de marbre de gros morceaux de peau et de graisse jaune sous-cutanée. Ils disséquaient, muscle après muscle, organe après organe, et fourraient les viscères dans des contenants étiquetés en latin. Ils blanchissaient ensuite les squelettes à l'acide et les pendaient à un crochet ; les os, reliés par des fils, cliquetaient dans les courants d'air. Rien de ces gens n'irait à la tombe. Achille avait exterminé la moitié de Troie afin d'enterrer Patrocle ; comment pouvait-on abandonner ainsi un mort sans demeure ?

En fin d'après-midi, quand Ivan regagnait sa chambre, il devait chercher son lit, ne sachant jamais où Aldo l'avait mis ni dans quel sens il l'avait orienté. Aldo était obsédé de design intérieur et, aussi, par la recherche du lieu le moins sonore où placer le lit de Jaunas. Les lits tournaient autour de la table comme des planètes autour d'une étoile. Aldo n'était jamais à court de permutations, mais butait sur le problème de la qualité de l'air. Du coup, même quand la température tombait sous zéro, il exigeait que l'on gardât les fenêtres ouvertes. « On peut manger de la merde, disait-il. Mais pas en respirer. »

Les compagnons de chambre prirent l'habitude du froid. Par la fenêtre orientée au nord-est, les vents soufflaient directement de Pologne et de Hongrie.

À la fin de sa journée d'étude, Ivan voulait se plonger dans le noir absolu, certain que le moindre photon transpercerait son cerveau après s'être frayé un passage le long de son nerf optique. Il se couvrait les yeux d'un t-shirt, somnolait vaguement, se demandant si la blancheur filandreuse des nerfs et la concavité pourpre des veines flottant autour de lui en formation arachnéenne étaient le produit de sa mémoire ou le fruit d'une hallucination.

Jaunas, qui de l'avis de chacun exprimait suffisamment son excentricité durant son sommeil, n'était pas exempt de toute bizarrerie le jour non plus. L'œil injecté de sang, la lèvre tremblotante, il récitait Baudelaire. Son visage se déformait sur les mots *langueur, convoitise, concupiscence* (il savait ce qui distinguait les trois), *souhaiter, désirer, espérer, craindre, désespérer*. Sa pomme d'Adam, affûtée comme une hache, voyageait dans son cou. Les déclamations de Jaunas faisaient bien rigoler ses camarades, qui tentaient d'étouffer leurs rires en plongeant la tête dans un oreiller fait du duvet d'un tas d'oiseaux assassinés. Ils écoutaient les *Fleurs du mal* en filtrant leurs rires dans la souffrance de canards saignés à mort. Et quand la beauté d'un vers les frappait particulièrement, ils répétaient celui-ci deux octaves au-dessus de la normale. Jaunas voyait bien qu'il donnait de la confiture à des cochons, mais ne s'en formalisait pas et riait avec eux, comme si, après tout, Baudelaire n'était rien d'autre qu'un poète comique.

Certains livres manquaient à la librairie de l'université. Ivan emprunta *L'Abdomen* à une étudiante de deuxième année, Selma, rencontrée à l'église calviniste. Il assistait à l'office tous les dimanches, attendant fébrilement la fin des sermons assommants pour lui parler. Elle parlait en chuchotant. Elle disait que tout être humain n'aimait que deux fois dans sa vie : la première, l'amour de jeunesse, était une répétition pour la deuxième, l'amour avec un grand A, auquel succombaient les femmes dans la trentaine. Elle était dans le milieu de la vingtaine et avait hâte de connaître cet amour véritable. Elle fréquentait un étudiant en médecine monténégrin qu'elle présenta à Ivan un matin qu'il passait chez elle. Ivan parla des vertus de la sublimation du désir sexuel. Inutilisée, l'énergie sexuelle brute se transforme en un subtil mélange d'imagination et de créativité. « Donc, si tu veux devenir un grand chirurgien, tu ne devrais avoir aucune activité sexuelle. »

Le Monténégrin lui répondit qu'il fallait être détendu pour pouvoir se concentrer et, se tournant vers Selma, échangea avec elle des regards mouillés. Elle s'assit avec légèreté, exhibant les courbes de sa taille, de ses hanches, de ses cuisses, toute de grâce et de séduction.

Ivan partit, au comble de la frustration.

Il continua néanmoins à la voir. Elle occupait une

chambre dans une petite maison orange d'où suintait l'odeur douceureuse de l'argile humide dans une rue fraîchement pavée. Des pavés si irréguliers qu'il fallait y regarder à deux fois avant de poser le pied. Ivan et Selma séchaient l'office et restaient à parler presque tous les dimanches matin. Elle raconta au jeune homme qu'elle avait été élevée comme une musulmane laïque à Tuzla, et que c'est le calvinisme qui l'avait amenée à la religion. Elle était allongée sur le canapé et regardait Ivan avec un mélange de séduisante sincérité et d'ironie espiègle et provocatrice. Puis, voyant qu'elle était trop directe, elle battit en retraite. « Tu vois, si je m'étends, ma tension artérielle chute. Tu sais, la pression dans les veines dépend en grande partie de la gravité. » Après l'avoir entretenu pendant une dizaine de minutes de la physiologie des vaisseaux sanguins, elle ajouta d'une voix rauque : « Il faut prendre soin de ses veines. » Puis, effleurant de l'ongle le dos de sa main, elle fit jurer à Ivan qu'il serait bon pour ses artères.

Selma lui offrit un énorme atlas d'anatomie russe en trois volumes et le pria de ne pas se gêner pour la consulter, elle qui adorait rafraîchir ses connaissances en anatomie. Lorsqu'ils furent sur le pas de la porte, alors que sa poitrine semblait l'inviter, elle se mit à se dandiner, comme pour danser. « Bouger raffermit les muscles, expliqua-t-elle. Les muscles massent les veines, les gardent bien serrées et les forcent à ne pas emmagasiner trop de sang. » Son désir de passer à l'acte, de la serrer dans ses bras et d'écraser ses seins contre son torse en fut instantanément refroidi. Ils se retrouvèrent dans cette situation à plusieurs reprises, maladroits, à la limite du baiser, mais dès qu'Ivan était sur le point de surmonter les craintes que lui inspirait son imposante féminité, Selma se défilait, et il rentrait chez lui, maudissant sa faiblesse, sa gaucherie.

Les trois compagnons de chambrée étudiant en médecine disposaient maintenant de tous les livres dont ils avaient besoin en anatomie, le cours le plus important en première année. Les cours de physique et de chimie organique ne les intimidaient pas trop, contrairement au vaste corpus de descriptions anatomiques latinisées. Il faut dire que leur professeur était tout un personnage. Grand, mâchoire carrée, voix de stentor, et affublé d'un froncement de sourcils perpétuel. Quand il n'enseignait pas l'anatomie, il exerçait la chirurgie du cerveau. Il avait l'air de mépriser tous les étudiants.

C'était un Monténégrin. « Il va te couler, promit Jovo à Ivan. Je suis sûr qu'il est allergique aux Croates. À ta place, je travaillerais dur ! »

Une douzaine d'assistants dirigeaient les séances d'anatomie et les six examens oraux. Radulovic, le professeur, leur avait juré que réussir les six examens oraux leur assurait la note de passage à l'examen final.

Mais Ivan, qui en plus de n'avoir pu obtenir ses livres dès le début, avait passé beaucoup de temps avec Selma, ne se sentait pas prêt pour le premier oral. Une assistante d'anatomie le mit à l'épreuve devant une trentaine de ses camarades. Elle prit place sur une chaise en face de lui, croisa ses superbes jambes bronzées, ce qui fit remonter sa jupe, et lui posa une question presque entièrement en latin. Pour illustrer son propos, elle attrapa la main d'Ivan dans la sienne, la plaça paume vers le haut sur son genou nu, et la fit glisser vers sa jupe sur le duvet de sa cuisse ; elle planta un ongle manucuré dans les tendons de son poignet et indiqua ensuite du bout des doigts les différents groupes musculaires de la paume. L'assistante laissa la main d'Ivan traîner sur sa cuisse même quand elle lui posa une question sur le coude. La jupe remonta encore un peu plus haut. Elle le contemplait calmement dans les yeux, attendant sa réponse. Mais Ivan hésitait, incapable de se souvenir des termes latins, et elle continuait à le sonder de son regard bleu. Il avait beau fouiller dans sa mémoire, les mots ne revenaient pas. Il se pencha pour camoufler son érection. Un sourire espiègle relevait le coin des lèvres de la jeune femme. La main d'Ivan se contracta dans la sienne, et il s'empourpra. Elle lui donna un F, plutôt froidement, sans même attendre qu'il recouvre ses esprits.

Il avait raté sa chance de réussir son cours d'anatomie sans coup férir. Il n'en parla pas à ses compagnons de chambrée, qui, eux, avaient réussi le premier examen.

La nuit, quand Jaunas ronflait, Jovo lui envoyait dans les côtes *Le Bras,* le plus léger des livres d'anatomie. Quelques décibels de plus, et il avait droit à *La Défense du Peuple* – ils suivaient un cours de formation militaire. Dans les cas plus graves encore, il lui catapultait *La Tête.* Mais si aucun de ces bouquins ne parvenait à enrayer ses ronflements, alors Jovo lui balançait l'atlas d'anatomie russe, quinze kilos de papier enveloppés d'une couverture rigide, très rigide, comme si l'information qu'il contenait devait être protégée par le Rideau de fer. Quand l'énorme ouvrage percutait Jaunas, celui-ci voyait sûrement toutes les couleurs que son foie était capable de secréter, rayonnantes comme dans un planétarium. Son corps se soulevait au-dessus du lit et flottait, comme par magie. Il restait en suspension dans l'air, posé sur le tapis volant de sa douleur, l'œil grand ouvert et translucide. Une fois retombé sur le lit, il ne ronflait plus, n'émettait même plus un grognement.

Un jour, armé d'un manche à balai, Aldo tisonna les côtes de Jaunas, comme s'il s'agissait de vulgaires braises. « Mon Dieu, dit-il. Je serais bien capable de faire cinq ans de médecine juste pour savoir ce qui ne va pas chez lui. » Et, Jaunas étant désormais bien réveillé, Aldo demanda à ses camarades pourquoi ils étudiaient la médecine. Jaunas voulait apaiser les misères du monde en se faisant anesthésiste. Jovo, lui, voulait devenir riche. Les motifs d'Ivan étaient plus philosophiques, ou du moins les exprima-t-il en des termes si compliqués que personne ne les comprit vraiment. Aldo soutint qu'ils étudiaient la médecine parce que c'étaient des obsédés sexuels. « Je ne suis pas trop vieux pour étudier la médecine. Mais vingt-sept ans, c'est trop vieux ! » Il montra du doigt son front dégarni. « Et puis, un gynécologue chauve, ça aurait l'air obscène. Autant devenir économiste. »

« Si seulement je pouvais voir ma mère maintenant ! » Aldo se mit à geindre dès qu'il ouvrit ses livres d'économie le lendemain soir. « Je donnerais tout pour la prendre dans mes bras et boire de l'eau de source fraîche ! J'en peux plus ! » Il s'agrippa les cheveux comme pour se les arracher, mais se souvint juste à temps qu'il n'en avait pas de trop. Alors, passant du désespoir à l'allégresse, il sauta sur ses pieds. « Je peux encore attraper le train de minuit. Et tant pis si je n'ai pas d'argent. Je voyagerai dans les toilettes ! » Et il partit en courant vers la gare.

« La vie est belle, dit-il en rentrant deux jours plus tard. J'ai vu ma mère. Je me sens revivre. » Et il tira de son sac un morceau de lard frais. « Tiens, régalons-nous !

— Je ne peux pas manger ça, déclara Ivan. C'est bourré de cholestérol et de gras saturés.

— Arrête ! N'écoute pas tout ce que disent les docteurs. Tu n'as rien à craindre pour ton cœur.

— Comment le sais-tu ?

— C'est un cœur solide. Fais-moi confiance. »

Aldo trancha des morceaux plus maigres pour Ivan, et ils mangèrent le lard avec des oignons et du pain noir. Ces deux-là s'entendaient comme larrons en foire et, dans les moments difficiles, Aldo se tournait toujours vers Ivan.

Une fois, par exemple, Aldo était rentré très tard et s'était aussitôt mis à crier dans la chambre obscure où Ivan dormait seul, les autres étant rentrés chez eux.

« Ivan, j'espère que personne ne m'a suivi. J'ai couru tellement vite que je n'ai pas pu me retourner.

— Mais que se passe-t-il?

— Écoute. Aujourd'hui, j'ai rencontré une femme dans le bus et j'ai pris rendez-vous pour la retrouver dans son appartement. Je sonne, j'attends un bon moment, rien! Quand elle ouvre enfin la porte, elle est tout essoufflée et me dit qu'elle est seule, alors que je ne lui ai rien demandé. Aussitôt qu'on est entrés, elle revient vers la porte, tourne la clé et la met dans la poche de sa jupe. On bavarde un peu, mais c'est tendu. La pièce est sombre et sent la cire. J'entends un craquement dans l'armoire, je l'ouvre, et là, je vois une jambe d'un rouge pâle. Je serais bien incapable de dire s'il s'agissait d'une jambe morte ou vivante, si elle avait été sectionnée d'un corps ou bien si l'homme était là tout entier.

— Mais tu as entendu un craquement. L'homme devait être vivant.

— Le corps a pu perdre l'équilibre. Rien n'a bougé quand j'ai ouvert l'armoire. J'ai pris le bras de la fille, le lui ai tordu, j'ai arraché la clé de sa jupe et je l'ai poussée sur le sol où elle s'est écrasée sans un bruit. Puis j'ai ouvert la porte, dévalé une volée de marches, puis une autre, et j'ai couru. »

La chambre était toujours plongée dans le noir et l'histoire prit plus de poids encore dans l'obscurité et le silence qui suivit.

« J'ai vu un truc louche dans la cour, un chemin qui menait à une petite maison, mais il y avait un mur à la place de la porte, et ça sentait le ciment frais. Pourquoi une maison ne serait-elle faite que de murs, sans aucune fenêtre ? C'est peut-être une salle de torture. Peut-être qu'ils tuent des gens pour en faire des saucisses.

— T'es parano !

— J'ai entendu parler d'une histoire de ce genre la semaine dernière, à Tuzla. Un couple a assassiné un homme, l'a dépecé, et l'a mis au congélateur dans la cave. Les humains ne connaissent pas le goût de leur propre chair. On pourrait mélanger de la chair humaine avec de la viande de cheval et vendre ça pour du gibier.

— Mais on ne doit pas tirer beaucoup de viande d'un corps de soixante-dix kilos.

— Il faut que j'achète un pistolet. Tu as un pistolet ?

— Non.

— C'est imprudent et naïf de ta part. Et de la mienne. Tu ne sais donc pas que presque tout le monde a une arme ? Et nous, on se promène comme des agneaux dans la forêt. Tout ce qu'on a, c'est notre queue, et elle nous cause bien des soucis. »

CHAPITRE 6

Où Ivan teste sa connaissance
du système nerveux

Ivan se régalait des excentricités d'Aldo, des libertés qu'il s'accordait. Aldo rêvait de pouvoir – il était membre du Parti et planifiait de travailler pour le gouvernement. Mais la chasse aux femmes constituait un sérieux obstacle à ses plans de carrière. Il ne cessait de se vanter de ses conquêtes amoureuses, les classant par nationalités (Macédonienne, Albanaise, Tunisienne, Slovène) et par marquage topographique – sous un pont, sur un pont, dans la cave à vin du maire, sur les berges de telle rivière, en glissant sur le Danube, dans un train de marchandises sur un tas de piments forts. Mais, à côté de son frère, avouait-il, il n'était qu'un amateur.

Un jour, Aldo annonça la visite de son séducteur de frère. Il trancha si fin saucisses et fromages qu'on eût dit des petits morceaux de soie découpés en une infinie variété de formes géométriques. Une fois que tout fut disposé sur la table, on aurait pu croire que c'était Euclide en personne qui venait dîner.

Le plancher de la chambre était ciré. Les lits étaient parfaitement faits, les fenêtres lavées. Même l'armoire brinquebalante avait l'air en pleine forme. Le ciel était sans nuages, comme si le balai d'Aldo portait jusque-là. Le jeune homme venait à peine d'apporter les derniers soins à son décor alimentaire qu'une main autoritaire cogna trois coups à la porte. Un homme corpulent vêtu d'un costume bleu salua les étudiants d'un léger signe de tête, tendit à Aldo son manteau et son chapeau, et se mit à manger avec appétit, l'œil larmoyant. Il suffisait à Grand Frère de tendre la main gauche pour qu'Aldo y verse aussitôt du poivre.

« Aldo m'a parlé de vous, dit-il. La vie étudiante, toute cette liberté, toute cette naïveté! Enfin, à l'arrêt du bus, j'ai rencontré une jolie fille. J'aurais dû l'emmener ici. On se serait bien amusés. »

Aldo, Jovo et Ivan le regardèrent avec gratitude, comme s'il leur avait fait un véritable cadeau.

« On aurait ensuite été plus détendus pour parler de choses sérieuses. Mais maintenant qu'on bande, ça va pas être facile, n'est-ce pas, mes frères? »

Grand Frère mit plusieurs minutes à se lever et à s'étirer en tous sens. Il trouva enfin la bonne position pour recevoir le manteau qu'Aldo tenait entre le pouce et l'index, comme s'il avait peur de le souiller. Sa bedaine, débordant par-dessus sa ceinture, renforçait son image de politicien belgradois. Aldo attrapa dans un pot d'eau fraîche une rondelle de beurre qui flottait là au milieu des feuilles de vigne, petit hippopotame albinos parmi les nénuphars, et en astiqua les chaussures noires de Grand Frère jusqu'à ce qu'elles brillent comme la lune sur un lac gelé. À quatre pattes, Aldo lustrait avec bonheur, comme un chien devant son maître se préparant à partir pour la chasse. Il aurait remué la queue s'il avait été un chien.

Grand Frère traversa le couloir en faisant retentir chacune de ses grandes enjambées tandis qu'Aldo, trottant à ses côtés, marchait à petits pas vifs. On aurait cru entendre une grosse caisse et un petit tambour. Grosse caisse gardait le rythme tandis que petit tambour improvisait, remplissant avec inventivité chaque mesure d'accents syncopés et d'accélérations. Durant cette brève marche, Aldo réussit à couvrir trois fois plus de distance que Grand Frère. Il courait littéralement autour de lui, à gauche, puis à droite, puis derrière, puis devant, comme un guide touristique ou un garde du corps, mais il avait surtout l'air d'un fils aux côtés de son père et qui, comme un serviteur, court lui acheter journaux, cigares, allumettes et cure-dents.

Après les avoir suivis, fasciné, pendant quelques minutes, Ivan retourna au dortoir. Jovo et lui ouvrirent leur atlas d'anatomie russe et parcoururent les collines, vallées, rivières, forêts, lacs, icebergs, rochers, falaises et tourbières du corps humain. Ils ne trouvèrent là aucun enseignement charnel. Vers minuit, Grand Frère et Aldo regagnèrent la chambre en compagnie d'une fille au corps frêle.

« Camarades, voici la jeune fille dont je vous ai parlé. J'ai eu la chance de la croiser sur la promenade, près de l'hôtel Palace. »

La fille disparut dans le lit avec Grand Frère. Seuls quelques plis dans la couverture témoignaient de la présence de quelque chose là-dessous. Aldo éteignit la lumière et Ivan écouta le bruit que produisait cette connaissance mystique du corps humain qu'il n'avait pu trouver dans aucun de ses livres. À en juger par les grincements que produisait chacun des lits, personne n'avait réussi à trouver le sommeil. Des halètements montèrent du lit du politicien, une basse profonde surmontée d'un gazouillis. Plus tard, on entendit le chant de plus grands oiseaux.

Au petit matin, la fille était toujours dans le lit du politicien. Ivan se demanda où était passée la promesse – ou, plutôt, la menace – de partager. Aldo ne disait rien et, pour une fois, ne fit pas sa gymnastique au saut du lit.

Ivan s'estimait heureux de n'avoir pas été initié aux plaisirs de la chair dans un contexte aussi sordide.

« Et ton frère est politicien ? Est-ce qu'ils sont tous comme ça ?

— Plus ou moins, répondit Aldo. Il faut avoir beaucoup de testostérone pour être en politique. Et si t'en as, c'est ce que tu fais. Tu t'envoies en l'air partout.

— Pas la peine de se demander pourquoi tout fout le camp dans ce pays. Comment veux-tu que les choses avancent si t'as du sperme à la place de la matière grise ?

— Ce n'est pas le cas de tous les cerveaux ?

— Pas le mien. Je dois être discipliné si je veux devenir docteur. »

La semaine suivante, Ivan ne parvint pas à se concentrer. Chaque fois qu'une jolie fille passait, il déprimait : pourquoi la beauté féminine le distrayait-elle ? Que pouvait lui apporter de bon le sexe, cette chose inaccessible mais qui avait pourtant sur lui une emprise totale ? Il décida de reprendre le dessus et de retrouver toute sa concentration pour étudier. Il alla au parc s'oxygéner le cerveau et lire sur l'anatomie du système nerveux. Il s'intéressait tout particulièrement aux différentes interconnexions nerveuses, par exemple celles reliant la région pubienne et l'intérieur de la cuisse. La liaison entre les deux semblait manifeste et, si on touchait l'intérieur de la cuisse d'une femme, son sexe recevait immédiatement une partie de ce stimulus sans que l'impulsion ait à passer par la moelle épinière avant de revenir vers la région pubienne. Par conséquent, l'intérieur de la cuisse était sans doute l'une des zones les plus érogènes qui soient. Il était impatient d'étayer cette théorie, mais, n'ayant pas de petite amie, il ne pouvait se résigner à aborder une femme et à lui demander de bien vouloir participer à cette expérience plutôt agréable. Bien sûr, il y avait Selma. Après tout, elle avait la fibre scientifique et ne verrait pas d'inconvénient à éprouver du plaisir pour la gloire de la science. Non, Selma était bien trop respectable, il ne pourrait jamais lui demander une chose pareille – quoique, à bien y penser…

Il marcha dans le parc, essayant de tirer du plaisir de la contemplation des chênes immenses. Il aimait la nature et adorait encore plus l'idée qu'il aimait la nature, alors que, en réalité, regarder les arbres était un peu trop lénifiant et même, après un moment, carrément ennuyeux – même en cette saison, alors qu'ils étaient parés de leur magnifique robe de rouille. Quand il voulut s'asseoir, il ne trouva aucun banc libre, mais ils étaient si longs que si quelqu'un s'asseyait au milieu il restait assez de place aux extrémités pour s'installer confortablement à un bon mètre de son voisin. Plusieurs possibilités s'offraient à lui : partager le banc d'un héros de guerre dûment médaillé et qui ronflait, d'un soldat au long nez absorbé dans les pages sport d'un quotidien, ou d'une jeune femme habillée dans les tons pastel en train de se faire bronzer le visage. Elle avait penché la tête vers l'arrière, laissant sa longue chevelure pendre dans son dos, et fermé les yeux, offrant son visage au soleil. Sa peau, d'une complexion parfaite, rayonnait. Sa bouche était d'un beau carmin, mais il ne savait pas si c'était là sa couleur naturelle ou si un rouge à lèvres était responsable de cette fraîcheur. Il s'assit près d'elle et se replongea dans son livre d'anatomie : à quel endroit les nerfs faciaux étaient-ils le plus proches de la peau ? Il y a deux nerfs faciaux, passant de chaque côté du menton, dans une petite cavité, le trou mentonnier, d'où émerge un groupe de nerfs. Si vous appuyez dessus, précisait une note en bas de page, vous éprouverez de la douleur. Même chose si vous exercez une pression près de la protubérance de l'os zygomatique et un peu à l'intérieur de celle-ci – le trou sous-orbitaire –, où il est possible de pincer un nerf sous la surface de la peau. Et même chose encore juste en dessous de vos sourcils, dans la région sus-orbitaire.

Il jeta un coup d'œil par-dessus son épaule. La jeune femme avait ouvert son sac et fouillait dedans.

« Exposer votre visage au soleil vous a-t-il donné du plaisir?

— Bien, oui, répondit-elle. Pourquoi cette question?

— Ça me paraît logique. Les nerfs faciaux sont capables de ressentir plus de douleur que n'importe quel autre groupe de nerfs du corps humain – pensez simplement aux dents –, alors ils devraient être tout aussi capables de transmettre le plaisir, mais qui penserait à dire que ses dents lui ont procuré du plaisir? Ou son visage?

— Je pense que vous oubliez le baiser. Les lèvres font partie du visage, et il n'y a pas de plaisir plus délicieux que le baiser.

— Je l'avais en effet complètement oublié. »

Et Ivan lui parla des trois points de douleur.

« Puis-je voir votre livre? »

Ivan le lui tendit.

« Comment pouvez-vous lire ça sans tomber endormi après la première page?

— On trouve toujours quelque chose d'intéressant dans les notes en bas de page, comme les points de douleur, par exemple. Voulez-vous que je vous les montre?

— Allez-y. Que dois-je faire?

— Levons-nous et mettons-nous face à face, et j'exercerai une légère pression avec mon petit doigt.

— D'accord. » Ils se firent face et, confiante, elle ferma les yeux. Elle rejeta la tête en arrière, laissant ses cheveux cascader librement le long de son dos, et son visage rayonna de nouveau. Ses lèvres s'incurvaient en un sourire plein d'attente malicieuse.

Ivan palpa doucement le menton jusqu'à ce qu'il trouve la légère indentation. Il appuya alors avec retenue, ni trop fort ni trop doucement.

« Aïe ! ça fait mal !

— Je vous l'avais dit.

— Oui, mais je ne vous croyais pas.

— À quoi vous attendiez-vous ? À ce que je vous mente ?

— Je pensais que vous alliez m'embrasser. »

Ivan fut surpris. Avait-il bien entendu ? Elle l'invitait à l'embrasser ? Il rougit. Elle rit et toucha la main d'Ivan.

« Si vous voulez vraiment me montrer les autres points, allez-y. Mais n'appuyez pas trop fort. »

Elle ferma de nouveau les yeux. Ivan prit son visage dans ses mains, descendit ses lèvres vers les siennes, et ils s'embrassèrent. Lentement. Elle ouvrit les yeux. La douceur de ses lèvres donnait des fourmillements à celles d'Ivan.

Soudain, elle recula. « Une minute, je ne sais même pas comment vous vous appelez.

— Le faut-il vraiment ?

— Bien sûr, idiot, si nous devons continuer à nous embrasser.

— Ivan. » Il remarqua que ses lèvres étaient encore plus rouges qu'avant. Ce n'était donc pas du rouge à lèvres, mais une excellente circulation sanguine qui leur donnait ce vermeil.

« Moi, c'est Silvia. »

Ils marchèrent jusqu'à un casse-croûte où ils mangèrent du burek (du fromage cuit dans de fines couches de pâte au levain). À la nuit tombante, ils étaient de retour dans le parc. « J'aime les médecins, dit-elle. J'ai vu le mien pour mon bilan de santé hier, et il m'a dit que j'avais un corps superbe.

— Je n'ai aucun doute là-dessus.

— Tu veux le voir ? » Elle se leva et se déshabilla rapidement. C'était nuit de pleine lune et il pouvait parfaitement voir les contours de sa silhouette. Elle se retourna, exhibant sa taille souple et ses seins pointus. Il était charmant de voir à quel point elle était fière de son corps, et il est vrai qu'il était rudement bien fait. Il caressa l'intérieur de ses cuisses aussi délicatement qu'il le pouvait avec le bout de ses doigts. La jeune femme respirait bruyamment, et il y vit la confirmation de sa théorie. Pour la première fois de sa vie, il eut la sensation de maîtriser parfaitement l'océan tourmenté des sens.

Ils ne firent pas l'amour, mais leurs mains, oui, pour ainsi dire.

De retour dans le dortoir, il raconta sa soirée à Aldo.

« Je ne te crois pas. OK, fais-moi sentir tes mains, et je saurai si tu dis la vérité. Non, tu ne mens pas. C'est formidable. Pourquoi ne l'as-tu pas amenée ici ? »

Quand il raconta, tout fier, son aventure à Selma, elle lui fit observer qu'il s'était comporté comme un goujat en jouant sur les émotions de Silvia. Qu'il n'avait aucun droit de faire une chose pareille à moins de l'aimer.

« Je ne manipulais pas ses émotions, mais ses sensations, et du même coup les miennes. C'était une rencontre neurologique.

— Comment traces-tu la frontière entre émotions et sensations ?

— Ce sont des phénomènes radicalement différents.

— Tu ne penses pas du tout comme un médecin. Tu ne crois pas à l'unité du corps et de l'esprit ?

— Je ne sais pas ce que je crois. Je sais seulement que tout le monde fait l'amour, même toi et le Monténégrin le faites, alors pourquoi pas moi ?

— C'est différent. Nous sommes amoureux.

— L'amour justifie tout ?

— Oui, dit-elle.

— Alors l'absence d'amour aussi », rétorqua-t-il.

Elle ne répondit rien à cela, mais le bouda pendant des mois.

CHAPITRE 7

Où Ivan laisse ses empreintes
sur le cerveau d'un mort

Vers le milieu de l'hiver, Ivan abandonna l'idée de faire à pied les trois kilomètres qui le séparaient du réfectoire et s'enferma dans sa chambre. Il cessa aussi d'aller à l'église et ne se nourrit plus que d'œufs, de lait et de pain. Non pas qu'il appréciât particulièrement de vivre dans le dortoir des hommes, mais il aimait encore moins la kochava, le terrible vent du nord. Il détestait les salles de bain du dortoir. Si les toilettes disposaient souvent d'une porte, la plupart des douches étaient dépourvues de rideaux. Après une rude journée, une porte pouvait être fracassée et jetée en morceaux par la fenêtre, ou simplement arrachée et abandonnée dans le couloir. L'eau ne coulait qu'entre sept heures et sept heures trente. Des hordes de jeunes hommes, certains en complet-veston, d'autres nus comme des vers, envahissaient alors les douches, poussant, criant, sifflant, chantant. Quelques-uns se tenaient là, altruistes, indiquant qu'ils passaient leur tour. On trouvait louche cette gentillesse, dans une pièce où tant de garçons se promenaient nus.

Dans le premier cercle des enfers se trouvait une antichambre au sol de ciment mouillé. On y laissait ses vêtements. Dans le second, vous mettiez si vous l'osiez un pied dans la douche. Le troisième cercle, un long lavabo avec l'eau courante où les étudiants se gargarisaient, crachaient de la pâte dentifrice sous forme d'écume et, à l'occasion, du sang et des dents, conduisait au quatrième cercle, les pissotières aux murs couverts de moisissures, qui menaient au neuvième cercle, les toilettes sans porte. Durant la semaine, le concierge en assurait la propreté, mais les fins de semaine…

C'étaient des cabinets à la turque. On s'y tenait dans la position du skieur, et on y lisait journaux, romans et autres manuels scolaires. Parfois, vous étiez forcé de laisser quelques commentaires sur les murs – surtout quand il n'y avait pas de papier toilette –, puis de jeter au trou le journal que vous veniez de lire. Quelques étudiants, peu doués pour le ski, perdaient pied et se rattrapaient à la chaîne de la chasse d'eau qui pendait le long du mur, la cassant net. Ceux qui n'étaient pas assez grands se voyaient ainsi condamnés à ne plus pouvoir tirer la chasse. Des piles de papiers verts, bruns, jaunes, rouges – assez de couleurs pour composer le drapeau de plusieurs pays – obstruaient les conduits. Les étudiants musulmans se rendaient aux toilettes avec une bouteille d'eau. Des lignes parallèles, chacune de la grosseur d'un doigt, couraient le long des murs en demi-cercles, en formations de trois ou quatre. Quand ils manquaient d'eau, les étudiants ivres utilisaient le mur – quoique, avec la pénurie de papier toilette et l'abondance d'alcool, ils étaient nombreux ceux qui, peu importe leur confession, faisaient eux aussi usage du mur. Le moindre espace libre parmi ces fresques byzantines de couleur brune était couvert de graffiti d'inspiration occidentale, comme des notes sur une portée. Même au milieu de l'hiver, les mouches bourdonnaient et arpentaient les murs. Dans les toilettes sans porte, où tout gelait, on entendait parfois un étudiant hurler les voyelles d'une chanson de son folklore national dont l'écho voyageait à travers le labyrinthe des couloirs et des groupes ethniques. Parfois, Ivan marchait jusqu'à un restaurant hongrois pour utiliser des toilettes propres.

Le dortoir affichait sans retenue son humeur tapageuse. On entendait braillements, rires, prières musulmanes, chants montagnards monténégrins, marches partisanes, exercices de violon et disputes deux cents mètres à la ronde. D'infâmes tourne-disques hurlaient à tue-tête, massacrant indifféremment tous les styles de musique. Les vinyles rayés volaient par les fenêtres et allaient retrouver journaux, magazines érotiques, vieux manuels, chaussures sans semelles, bouteilles de bière et pots de yaourt. Plus vous approchiez du dortoir, plus dense était le dépotoir. On savait qu'on arrivait dans une tanière d'intellectuels, un lieu où les étudiants pauvres – il en coûtait seulement seize marks par mois pour vivre là – vivaient comme des prisonniers, incapables de payer la caution qui leur aurait rendu la liberté.

Les courants d'air emportaient les papiers. Les myopes passaient la tête par la fenêtre pour essayer de voir où leurs notes allaient atterrir. La région était plate et le Danube coulait à quelques centaines de mètres de là. Le temps que l'étudiant arrive en bas, le vent avait emporté au loin les précieuses notes dont dépendaient son examen... et son avenir d'ingénieur.

On comptait dans le dortoir presque deux fois plus d'occupants que de lits. Certaines chambres de trois lits accueillaient huit étudiants, trois réguliers et cinq illégaux. Dans la chambre attenante à celle d'Ivan, six étudiants, la plupart en psycho, se partageaient trois couches. Adeptes d'un style de vie bohème, ils jetaient les ordures dans un coin et les laissaient s'amonceler. Le tas de détritus grossissait et finissait par envahir la moitié de la chambre et par repousser les occupants vers la porte, et ceux-ci se résignaient alors à tout jeter par la fenêtre.

À l'approche du 1er Mai, jour des travailleurs, les experts sanitaires du gouvernement vinrent inspecter le dortoir, et des hommes en bleus de travail ramassèrent les ordures. On parla de fermer le dortoir. La plupart des étudiants rêvaient de se retrouver à Liman, la partie la plus récente du campus, avec ses luxueux dortoirs aux larges fenêtres, ses chambres à un ou deux lits, et ses jolies filles. Là-bas, les étudiants étaient mieux habillés, plus sérieux, plus dignes, propres, intelligents, studieux. Du moins, c'est comme ça qu'on les percevait, à cause de la présence de toutes ces jeunes femmes. Ivan en conclut que la culture n'était rien d'autre qu'une parade nuptiale.

Jovo et Ivan passèrent une nuit blanche à potasser l'épreuve finale d'anatomie. Claquant des dents, ils se rendirent à la salle d'examen par un matin glacé. Comme c'était la première journée d'une période d'examens qui allait s'étaler sur un mois, une cinquantaine d'étudiants se pressaient dans l'amphithéâtre pour avoir un avant-goût de ce qui les attendait. Une femme, épuisée d'avoir étudié nuit et jour, se présenta la première. Elle fut si terrifiée par la froideur et la rigueur de l'examinateur qu'elle s'évanouit après avoir bloqué sur la première question, entrée en matière pourtant toute simple : nommer les branches de l'aorte. On la porta hors de la salle et on l'aspergea avec de l'eau, pendant que le professeur y allait de quelques commentaires. « Il vaut mieux qu'elle échoue avant de tuer des patients. On n'a pas sa place en médecine quand on a les nerfs si fragiles. »

Jovo fut le suivant. Une fois l'épreuve en laboratoire terminée, il répondit rapidement aux questions, non sans écorcher au passage la prononciation de certains mots latins.

Radulovic l'arrêta. « Ne t'emballe pas. Répète lentement. »
Jovo perdit alors le rythme et se mit à bégayer.
« Tu as fait du latin à l'école ?
— Pendant quatre ans.
— Pourquoi n'as-tu pas étudié ? Que faisais-tu à l'école ? »
Question après question, Radulovic s'évertua à saper la confiance de Jovo.
« Je constate que tu ne penses pas ! Tu apprends par cœur. Que feras-tu de toute cette information ? » Et le professeur décrivit une dislocation de l'épaule. « Si un patient vient te voir avec une épaule dans cet état, que feras-tu ?
— Je le consolerai, répondit Jovo après quelques secondes de réflexion.
— J'ai bien envie de te recaler, même si j'ai promis que tous ceux qui ont réussi les examens intermédiaires passeraient. Mais tu ne vaux pas la peine que je revienne sur ma parole, tu passes de justesse. D. Maintenant, disparais de ma vue ! »
Radulovic reporta la cote dans le carnet de notes, le signa, et le jeta par la porte. Le carnet glissa sur presque la moitié du couloir. Jovo courut après, se pencha et le ramassa.
Ce fut ensuite le tour d'Ivan. N'ayant pas réussi tous ses examens intermédiaires, Ivan était sur la corde raide. Et en plus, il parlait croate, ce qui risquait de déplaire à Radulovic.
Parmi plusieurs corps allongés sur le dos, l'un dont les jambes avaient été nettoyées de tous les muscles, un autre dont on avait pelé la peau, ou un troisième au crâne éclaté, Radulovic choisit pour l'examen pratique de guider Ivan vers un cerveau posé sur un plateau d'aluminium, tout frais, dégageant une odeur de pomme bien mûre. « Prends-le », lui dit-il.
Pour que le professeur ne voie pas ses mains trembler de

trac, Ivan voulut jouer l'assurance et saisit fermement le cerveau. Il était frais comme de l'argile et, comme dans de l'argile, ses doigts s'enfoncèrent légèrement.

« Tout doux ! Sois délicat. »

L'intervention prit Ivan au dépourvu : la brute géante lui demandait de faire preuve de délicatesse.

« Regarde ce que tu as fait ! On voit tes empreintes. Regarde ! »

Ivan se pencha et vit la marque de deux de ses doigts. Ça commençait bien ! Mais malgré ce début peu prometteur, il répondit posément et avec précision d'une voix à peine hésitante à toutes les questions du professeur, aussi difficiles fussent-elles. Dans la partie théorique, Radulovic demanda à Ivan de décrire les vaisseaux du foie et le *nervus ischiadicus* – le nerf sciatique. « Si ce cerveau était ouvert verticalement dans l'axe de l'orifice de l'oreille, que verrais-tu ? » Ivan se prépara mentalement pendant une dizaine de minutes, puis commença à débiter sa réponse, lentement, luttant contre les trous de mémoire, regardant la pluie par la fenêtre. La pluie l'apaisait, il était de plus en plus calme, et il se rendit compte que Radulovic n'avait formulé aucun commentaire assassin.

« Tu veux un point de bonus ou tu te contentes d'un B ?

— Et si je réponds mal à la question ?

— Tu auras un C.

— D'accord, répondit Ivan après un moment de réflexion. Allons-y pour le point de bonus.

— Voici la question que m'a posée mon professeur d'anatomie il y a vingt-cinq ans : décris l'anatomie de l'oreille interne de manière aussi détaillée que possible. »

Ivan trouva cela de bon augure : le professeur faisait appel aux souvenirs de ses débuts en médecine. Ivan étira longuement sa réponse, prenant bien garde de ne commettre aucun faux pas.

« C'est excellent. Tu as le tempérament d'un docteur. » Quand Ivan en eut terminé avec l'oreille, Radulovic lui demanda : « Bien que tu n'aies pas encore eu de cours de pathologie et de physiologie, où situerais-tu la tumeur d'un patient présentant ces symptômes : le sujet chuchote, il a perdu ses fonctions motrices dans le bras droit, mais ses fonctions sensorielles sont intactes. »

Ivan demanda un moment pour réfléchir. Le larynx se situait assez haut, alors le nerf devait être endommagé soit plus haut encore – dans le cerveau ? –, soit dans le larynx ou près de celui-ci. Il traça en pensée les nerfs du larynx et ceux du bras. La tumeur ne peut pas se trouver dans la moelle épinière parce que le bras a conservé toutes ses sensations. Alors elle doit se trouver près de la surface. Où les voies nerveuses se croisent-elles ? « La tumeur se situerait dans la partie supérieure du cou. » Et Ivan pointa du doigt la région du cou affectée.

« Magnifique. Tu feras un excellent docteur. » Radulovic contourna la table et gratifia Ivan d'une accolade à lui faire craquer tous les os. « L'an prochain, si tu as besoin de quelques sous, je m'arrangerai pour que tu travailles comme assistant en anatomie. Normalement, seuls ceux qui ont déjà leur doctorat peuvent accéder à ces postes, mais je m'assurerai que l'on fasse une exception pour toi. »

De toute évidence, la nationalité d'Ivan n'avait eu aucune incidence.

L'assemblée applaudit. Ivan était persuadé de n'avoir rien accompli d'exceptionnel, mais la tension était telle que, après qu'une étudiante se fut évanouie et que Jovo eut été malmené, ce A lui procura un grand soulagement.

Ivan quitta l'école d'un pas joyeux. L'an prochain, il occuperait un poste d'assistant pour les nouveaux, pour toutes ces jeunes femmes à l'air hautain, mais qui, terrifiées par les cadavres, s'appuieraient sur son épaule pour ne pas défaillir. Tout était désormais possible. Il pourrait devenir neurochirurgien, s'installer en Serbie et quitter Novi Sad. Il pourrait travailler pour le KGB, la CIA, voire les deux. Il pourrait même devenir alcoolique. Il était totalement libre.

Sur le chemin de la gare, alors qu'il sentait monter l'odeur du charbon des locomotives à vapeur, Ivan fut pris de mélancolie, comme s'il était déjà parti, laissant derrière lui la ville, Selma et ses amis. Il tomba sur une grande foule massée le long de la rue et, pendant un instant, ivre de vanité, crut que ces gens l'attendaient. Aldo lui tapa sur l'épaule et l'invita dans la chambre qu'il avait louée pour l'été dans un grenier, à environ deux cents mètres de la gare. Là, il sortit deux fusils. « Et si on l'assassinait, dit-il. Ce serait facile. » Et il montra à Ivan des trous dans les tuiles du toit. « Mets le fusil dans un trou.

— Assassiner qui ? s'inquiéta Ivan.

— Tito. On m'a encore une fois refusé la bourse d'études de Tito. Et je suis incapable de le joindre, que ce soit en personne ou au téléphone. Je me suis gelé pendant trois heures à l'attendre lors de sa dernière visite. Tito n'est plus mon dieu.

— Et si la police nous voit ?

— Ils ne nous verront pas. Ce sont des idiots. »

Aldo plaça le canon de son arme dans l'orifice. « On va entrer dans l'histoire. Tout ce dont on a besoin, c'est d'une légère pression du doigt.

— Tu es dément !

— Je le hais. »

Ivan grimaça. Tito et lui, ce n'était plus le grand amour, mais tant de haine à son égard lui paraissait sacrilège. « Je ne le hais pas.

— Comment le sais-tu ? Tu n'as simplement pas le courage de penser librement. »

Quinze minutes plus tard, Ivan et Aldo se tenaient au milieu de la foule.

« Mon Dieu, j'ai oublié mon fusil », pesta Aldo. Deux policiers le regardèrent et mirent la main sur leur pistolet. « Tu vois ? Qu'est-ce qu'on s'amuse ! » ajouta Aldo. La longue Mercedes noire aux vitres teintées approchait. Des enfants poussaient des cris perçants tout en jetant des fleurs et des drapeaux de papier devant la voiture.

« Regarde, le toit est ouvert. Comme Kennedy à Dallas, s'exclama Aldo. Qu'est-ce qu'on attend ? »

Le visage de marbre de Tito glissa devant eux, insensible aux marques d'amour et d'adoration que lui hurlaient les gens. Au moment où Aldo mit la main à la poche, quatre policiers agrippèrent Aldo et Ivan, les menottèrent et les conduisirent au poste.

Comme les deux jeunes hommes n'avaient pas d'arme sur eux, on allait les relâcher avec une simple réprimande, quand le policier qui avait fouillé la chambre d'Aldo revint avec les deux fusils.

« Cela ne prouve rien, protesta Aldo. Tout ce que ça veut dire, c'est que, comme tout bon Yougoslave, nous aimons les armes. Si l'ennemi tente d'envahir le pays, nous serons prêts.

— Ces fusils ne m'appartiennent pas, se défendit Ivan. En réalité, je ne saurais même pas les charger.

— Hé, mon frère, dit Aldo. T'es en train de me laisser tomber ?

— Absolument, répondit Ivan. C'est à cause de ta stupidité que nous en sommes là.

— Silence, vous deux. On ne vous a rien demandé, leur lança un policier maigre et moustachu.

— Tout à fait, renchérit un autre policier. Les fusils ne prouvent pas que vous vouliez assassiner le camarade Tito. Mais vous avez parlé de l'assassiner, on a trouvé vos empreintes sur les fusils, et vous avez imaginé que vous tiriez sur notre camarade. Ne le niez pas!»

Ivan regarda la moustache parfaitement entretenue de l'homme : il ressemblait à Friedrich Nietzsche. Ivan, bien que terrifié, ne put réprimer un rire.

«Alors, Ivan Dolinar, tu es étudiant en méde-cynisme, heu, en médecine? demanda Nietzsche. Vous savez combien votre éducation coûte à notre peuple? Et pendant que nos travailleurs suent sang et eau dans les usines pour que vous puissiez étudier gratuitement, vous ne pensez qu'à propager vos fantasmes d'assassinat.

— Je ne propage rien du tout, c'était juste…

— Ne me dis pas que tu n'es pas le cerveau derrière tout ça! Nous savons tout des notes de ton camarade, et nous connaissons parfaitement son dossier.

— Je ne savais pas que j'avais un dossier, s'insurgea Aldo.

— Tu en auras bientôt un très long. On va vous envoyer à l'île Nue.

— Où est le juge? demanda Ivan.

— Lorsque la sécurité de l'État est en jeu, il n'y a aucun besoin de juge. On va vous mettre en quarantaine.

— Mais on ne faisait que plaisanter, se défendit Aldo.

— Si vous aviez été sérieux, on vous aurait fusillé sur place. Ou sinon, pas longtemps après.»

CHAPITRE 8

Où Ivan apprend à fumer le cigare
avec le gratin

Ivan et Aldo furent envoyés quatre ans dans le camp de travail de l'île Nue (Goli Otok), un gros caillou posé sur l'Adriatique. Dante avait inversé l'image traditionnelle de l'enfer, remplaçant le feu par la glace; la Yougoslavie avait inversé le climat des camps sibériens : le feu au lieu de la glace – en été, il régnait sur l'île une chaleur accablante. Ivan passait le plus clair de son temps à casser des cailloux à coups de pic. Cuit par le soleil, il n'arrivait pas à décider s'il était pire de travailler avec une chemise trempée et salée de sueur ou torse nu, la peau en feu et couverte de cloques qui s'infectaient. En de rares occasions, il pouvait s'abriter un court instant à l'ombre d'un rocher.

Ses gardiens le rouaient de coups de pied, lui crachaient dessus. Ils lui cassèrent le nez deux fois. Il devint encore plus maigre et plus nerveux qu'avant. Parfois, pendant des semaines, les prisonniers ne recevaient pour toute nourriture que des sardines au gros sel. Le sel assoiffait littéralement Ivan, qui ne réussissait jamais à boire assez d'eau durant les journées de travail. Il souffrait de migraines et voyait en esprit les lèvres brillantes de Selma chaque fois qu'il perdait connaissance en raison d'un coup de chaleur.

Ils mangeaient des céréales chaudes de blé entier – vraiment entier – et à peine cuites. Il aurait fallu des dents de cheval pour broyer tout ce grain, et Ivan n'avait même pas toutes ses molaires. Excédé par la lenteur des traitements de canal et par les visites répétées chez le dentiste, il s'était fait arracher deux molaires de la mâchoire inférieure. Rares étaient d'ailleurs les prisonniers à qui il ne manquait pas de dents. Et pendant les interrogatoires, la police en avait sans doute fait cracher quelques-unes à ceux qui les avaient toutes.

En Sibérie, on demandait parfois aux prisonniers nourris de ces céréales de blé entier de fendre à coups de hache les blocs de glace formés par leurs excréments afin de les recuire pour le repas suivant. Ayant appris la nouvelle, le directeur du camp décida d'imiter les Soviétiques, et estima que c'était là faire preuve d'un grand sens de l'humour. Un jour, Ivan et ses camarades durent laver leurs excréments à l'eau de mer et les passer au tamis. Ce qui resta fut cuit de nouveau. Ivan trouva singulier que ces petites astuces soviétiques soient copiées dans cette prison construite, au départ, pour torturer des activistes prosoviétiques.

Les chances de croiser ici une célébrité étaient pour ainsi dire nulles. Pourtant, un jour, Ivan leva les yeux du roc et vit Tito et Indira Gandhi entourés d'un tas de gardes armés de mitrailleuses. Grâce à un interprète, Tito expliquait à Indira Gandhi les vertus de la rééducation pour quelques-uns de ses citoyens rebelles.

« Je vous assure que cet homme sera transformé en un merveilleux citoyen après quelques années passées à se battre avec des cailloux. Il aura acquis d'excellentes méthodes de travail.

— Si je puis me permettre, il semble avoir terriblement chaud, lui confia Gandhi.

— C'est précisément le but.

— Il me fait pitié. Verriez-vous un inconvénient à ce que je lui donne mon éventail?

— Pas du tout », répondit le maréchal.

Aussitôt, un gardien apporta l'objet à Ivan, qui fut sommé de l'utiliser. Craignant d'être fusillé sur place, il obtempéra. L'éventail fit des merveilles et se révéla si efficace qu'Ivan claquait des dents – plus à cause de la peur que de l'éventail, il faut bien l'avouer, mais c'était tout de même beau à voir.

« Excellent dispositif, s'exclama Tito. Il a l'air d'avoir tout de suite moins chaud. Peut-être devriez-vous m'en offrir un, à moi aussi?

— Certainement, mon ami. Ce sera plus facile que de vous donner ces éléphants, que j'ai pourtant eu tant de plaisir à vous offrir.»

Tito se tourna vers les gardiens. « Assurez-vous que personne ne touche à son éventail, ordonna-t-il. C'est clair? Et quand il sortira du camp – dans une dizaine d'années? –, qu'il parte avec. Personne n'est autorisé à le lui prendre.

« Quelques bouffées de cigare cubain? proposa Tito. Un petit cadeau de notre ami Fidel Castro.»

Ivan présuma qu'il s'adressait à Gandhi.

« Alors, camarade, tu te décides? lui lança Tito.

— Avec plaisir, monsieur… camarade», répliqua Ivan, qui haïssait la cigarette, et plus encore le cigare. Seul le gruau à base de grains récupérés dans des excréments lui faisait davantage horreur.

Un gardien apporta le cigare à Ivan, en coupa l'extrémité avec un couteau suisse, et le lui offrit.

« Camarade Tito, j'aimerais beaucoup garder ce cigare en souvenir. Ce serait dommage de le laisser se consumer. Et je pourrais à jamais me souvenir…

— Contente-toi de fumer et de prendre du plaisir, mon

ami. On ne sait jamais le temps qui nous reste à vivre, mieux vaut ne pas trop compter sur les souvenirs. »

Ivan pâlit. Tito éclata de rire.

« Mes citoyens sont parfois si charmants. Vraiment, je les adore », confia-t-il à Gandhi. Puis, il se tourna vers Ivan. « Vas-y, fume ! »

Le gardien alluma le cigare, et Ivan se mit à le téter. Comme la flamme ne prenait pas, Ivan téta encore plus fort, jusqu'à ce que le gardien juge que le cigare était bien allumé. Maintenant, Tito aspirait des bouffées de son cigare, et Ivan aspirait des bouffées du sien et, pendant quelques instants, ils se regardèrent l'un l'autre comme des Indiens échangeant des signaux de fumée, sauf qu'Ivan n'avait pas la moindre idée de ce à quoi rimait tout cela. Il remarqua que Tito avait la peau toute rose avec des taches brunes et même noires par endroits. Ça ressemblait à un cancer – peut-être fumait-il trop ? Il se demanda de quoi avaient l'air ses yeux, mais le verre de ses lunettes était si foncé qu'il ne voyait rien, juste le reflet du ciel bleu où flottaient quelques nuages.

Ivan inhala profondément et apprécia la petite morsure sur sa langue. La fumée griffa ses poumons. Il inhala de nouveau, plus fort encore.

« Pourquoi ne libéreriez-vous pas cet homme ? demanda Gandhi. Regardez comme il est décharné, comme il a l'air tourmenté.

— J'étais justement en train d'y penser, voyez-vous ? Mais il tète trop fort. Regardez comme il aspire à fond. Trop goulûment à mon goût. Ne faites jamais confiance à un homme incapable d'aller au rythme de son cigare.

— Voilà un critère très intéressant, monsieur, répondit Gandhi. Je m'en souviendrai.

— Faites. Il est infaillible. Accorde une pause à cet homme, le temps qu'il fume son cigare, lança-t-il à un gardien du camp. Ça devrait lui prendre environ trois heures. Et ne laisse personne le lui prendre.

— Un petit conseil tout simple, mon ami, ajouta-t-il en s'adressant à Ivan. N'inhale pas toute cette fumée, sinon tu vas perdre connaissance d'ici quelques minutes. L'astuce, c'est de faire semblant. Fais croire que tu fumes et, de temps en temps, respire un peu la fumée. Le cigare est un sport de nez, pas une maladie du poumon.

— Merci, camarade président, lui répondit Ivan.

— Laisse-moi te montrer quelque chose. Garde la fumée dans ta bouche. Ne l'avale pas, recrache-la en deux fois. »

Ivan obtempéra.

« Maintenant, expire aussi fort que tu le peux et vois ce qui sort. »

Ivan obéit et vit de la fumée sortir de sa bouche.

« Tu vois, même si tu recraches la fumée, elle entrera dans tes poumons si tu ne fais pas attention. Il faut lutter pour que le poison ne s'infiltre pas dans tes veines. Souffle toujours trois fois avant d'inhaler. »

Tito recracha une nouvelle bouffée. La cendre de son cigare était immense. Celle d'Ivan encore plus. Il la fit tomber.

« Non, objecta Tito. Quand tu es dehors, laisse la cendre tomber toute seule. Plus elle est longue, plus elle dégage d'arôme.

— Merci pour le truc, camarade président.

— C'est quoi cet accent? demanda Tito. Slovaque? Morave?

— Non, monsieur… camarade. Slovénie occidentale.

— Et qu'est-ce qui t'a amené ici, sous notre beau soleil?

— Je ne le sais pas vraiment.

— Tu ne le sais pas, vraiment? Garde, dis-moi pourquoi il est condamné! »

Le directeur du camp, qui se tenait derrière eux, grillant

cigarette sur cigarette et crachant avec élégance, éleva la voix.
« Il se trouve que je le sais, camarade Tito. Mais c'est un peu
embarrassant à dire.

— Un sordide crime sexuel?

— Non, camarade, une tentative d'assassinat sur votre
personne, je le crains.

— Vous voyez, je vous l'avais dit, lâcha-t-il à l'endroit de
Gandhi. Ne jamais faire confiance à un homme qui tète si
fort son cigare. J'en avais immédiatement déduit qu'il avait
des tendances suicidaires.

— Suicidaires? C'est vous qu'il voulait tuer.

— Avec toutes mes sources de renseignements, une telle
entreprise a si peu de chances de réussir que cela revient à un
suicide.

— Tout à fait, tout à fait. J'ai moi aussi fait le nécessaire
pour qu'il leur soit impossible de m'atteindre, acquiesça-
t-elle.

— Il y a des tentatives de ce genre sans arrêt, et c'est à
peine si j'en entends parler. J'aime le savoir. Je trouve ça flat-
teur, c'est la preuve que les gens croient en ma puissance.

— Mais, camarade, je n'ai pas…, dit Ivan.

— J'aime les assassins. Ils ont cette fibre révolutionnaire
qui a permis à notre nation d'aller si loin. Je sais que beaucoup de choses vont mal dans notre pays, et je déclencherais
bien une autre révolution si j'étais jeune. Je connais encore
quelques personnes qui méritent d'être assassinées. Mais,
bien sûr, je n'aime pas l'idée de *mon* propre assassinat.

— Alors, qu'allez-vous faire de lui? demanda cette
femme qui guidait près d'un milliard d'âmes.

— J'ai plusieurs possibilités. L'exécution. Plus de problèmes avec lui. La libération. Il me vénérerait à jamais et
pourrait même travailler pour moi. Ou ne rien faire. Un dernier petit conseil, mon ami : allez-y doucement avec ce pic.

Prenez le rythme. Faites semblant de travailler. Vous ne voulez tout de même pas sortir d'ici perclus de rhumatismes, n'est-ce pas?

— Personnellement, je déteste les assassins, s'emporta Indira Gandhi. Je les ferais tous exécuter.

— Camarade Tito, coupa Ivan, laissez-moi vous expliquer. Je ne voulais pas vraiment vous… heu… vous assassiner. C'était une plaisanterie, et la police…

— Je n'approuve pas cet humour. Vous savez, Indira, j'ai passé des années dans des camps de prisonniers. C'est la meilleure chose qui puisse arriver à un homme. Ça vous forge le caractère. Combien d'années te reste-t-il à faire, camarade?»

Tito paraissait amical, tirant sur son cigare avec délicatesse et élégance. Il faut s'exercer pendant cinquante ans avant d'atteindre une telle aisance, songea Ivan en contemplant la sainte fumée qui nimbait le dictateur. Il se souvint comment le professeur d'anatomie avait vu resurgir sa jeunesse quand la réponse d'Ivan lui avait rappelé son propre passé. Cet épisode avait été le prélude à une magnifique note et à une belle amitié, brutalement anéanties à cause d'une mauvaise blague. Et voilà que Tito se comportait maintenant comme ce neurochirurgien. Peut-être va-t-il me pardonner? Dans la tête d'Ivan, toutes ces pensées se mêlaient à la fumée et aux vertiges de la nicotine. Il parvint tout de même à répondre à la question de Tito. «Deux ans, je crois.

— Bien, allons-y pour quatre. Et quand tu sortiras, viens me voir dans les îles Brioni. Nous boirons le vin de Sophia Loren. Elle sera peut-être là, et peut-être même qu'Indira sera de retour. Quoi qu'il en soit, arrive avec un tas de blagues et d'anecdotes. J'adore l'humour de prison. D'accord? Et maintenant, assieds-toi sur ton caillou préféré et régale-toi de ce cigare. Tu es libre aussi longtemps qu'il durera. Aucun gardien n'est autorisé à te déranger avant que tu aies terminé. *Zdravo!* »

Tito et Gandhi grimpèrent dans une Land Rover, et les gardes du corps les suivirent dans deux autres. Ivan s'assit sur une pierre et fixa l'horizon en fumant lentement, jusqu'au coucher du soleil. Sous le ciel pourpre, les eaux de l'Adriatique brillaient comme de l'argent fondu.

CHAPITRE 9

Où Ivan s'initie
aux vertus philosophiques du célibat

Ivan fut relâché un an plus tard, soit trois ans avant que sa nouvelle condamnation ne prenne fin. Peut-être les paroles de Tito n'avaient-elles été qu'une menace? Avaient-ils oublié, lui et le directeur? À moins que Tito ait finalement réduit sa sentence plutôt que de la rallonger. Il était possible aussi que sa libération fût attribuable au vent de libéralisation qui balayait le pays. Rankovic, le chef des services secrets, venait de se faire limoger pour avoir mis sur écoute la résidence de Tito. Une innovation du socialisme yougoslave, le système d'autogestion des travailleurs avait entraîné une décentralisation du pouvoir – en théorie, chaque « collectif ouvrier », dans les usines par exemple, fonctionnait indépendamment de Belgrade ou de toute autre autorité. Les crimes politiques furent quant à eux jugés de manière plus raisonnable, et bien des cas d'emprisonnements politiques, comme celui d'Ivan, bénéficièrent de la clémence du pouvoir. C'était le Printemps croate. Invoquant le droit constitutionnel de chaque république à l'autodétermination, les politiciens croates dénonçaient la fâcheuse manie qu'avait Belgrade de détourner des devises étrangères que rapportait le tourisme croate et menaçaient de sortir de la fédération. Les intellectuels prônaient un retour à la langue croate dans sa forme préyougoslave, mais aucun ne s'entendait sur la définition de cette forme ni sur le dialecte régional qu'elle devait représenter. On faisait librement la queue devant le consulat américain pour obtenir un visa.

Même s'il avait reçu d'excellentes notes, Ivan ne parvint pas à se réinscrire à l'école de médecine de Novi Sad, pas plus qu'il ne put obtenir d'équivalences à celle de Zagreb. Apparemment, son dossier politique traînait encore quelque part. Il écrivit une lettre à Tito, mais n'obtint pas de réponse.

Il fut admis au département de philosophie de Zagreb, où un passé politique douteux ne constituait pas un handicap. Au contraire, le fait d'avoir été emprisonné vous valait un certain prestige.

Le Printemps croate prit fin abruptement quand Tito envoya ses forces spéciales calmer les étudiants qui manifestaient à Zagreb pour exiger toutes sortes de libertés. La police, montée sur des chevaux de parade, chargea les manifestants à coups de matraque, brisant crânes et clavicules. Ivan regarda tout ça depuis le trottoir. Il n'avait aucune sympathie pour les nationalistes – comment pouvait-on être nationaliste ? Une nation est constituée d'un grand nombre d'individus, et tout groupe renferme son lot d'imbéciles. S'identifier au groupe, c'est devenir citoyen de l'Imbécilistan. Malgré tout, la vision de ce bain de sang le bouleversa. Les membres du gouvernement sécessionniste de Croatie furent jetés en prison et une nouvelle administration fut mise en place, uniquement constituée d'anciens agents secrets à la botte de Tito.

Ivan se plaisait en philo. À défaut de pouvoir faire ce qu'il voulait, il pouvait penser ce qu'il voulait – et qui l'en aurait empêché ? Pour Ivan, il s'agissait en quelque sorte d'une renaissance. Il se fit végétarien, se nourrissant presque exclusivement de ragoûts d'épinards et de pain noir. Il était encore très maigre. Comme s'il n'avait jamais quitté l'île Nue. Il vivait dans la solitude, mais affirmait ne pas vouloir se marier, car le mariage est mauvais pour la philosophie. Platon, Aristote, Descartes, Hume, Kant, Wittgenstein : aucun des grands penseurs n'avait convolé, et Ivan, en vrai philosophe, ne le ferait pas davantage.

Après les cours, Ivan allait discuter avec les autres étudiants dans une brasserie. Hegel avait été un grand amateur de bière, et tout bon philosophe doit aimer le mélange de ces deux poisons que sont les idées et l'alcool. Les Grecs arrosaient leurs symposiums de vin coupé d'eau qui, en fin de compte, contenait autant d'alcool que la bière allemande. La brasserie était si bruyante qu'Ivan ne parvenait à comprendre et à entendre que ses propres idées.

N'ayant pu obtenir aucune aide financière du gouvernement pour étudier, il parvenait à joindre les deux bouts grâce à son frère, Bruno, qui était ingénieur électricien. Il travaillait pour Volkswagen en Allemagne et touchait un excellent salaire. Il pouvait envoyer 500 marks à Ivan quatre fois par an sans sourciller.

Ivan ne souffrait pas de nostalgie, mais se rendit tout de même à Nizograd au milieu de l'été qui suivit la fin de sa première année, à un moment où des tensions nationalistes opposaient Serbes et Croates.

Dans une assemblée populaire, Ivan vit Marko, le tailleur de pierres tombales, interrompre le discours grandiloquent du maire. « Trêve de conneries, camarades. Nos chefs sont des hypocrites. Dieu nous a faits égaux. Devant lui, nous ne sommes que brindilles. Alors, pourquoi tant d'inepties ? Pourquoi certains d'entre vous crient-ils "Je suis croate" et d'autres "Je suis serbe" ? Mais, par tous les diables, quelle est la différence ? Qui est-ce que ça intéresse ? En tout cas, je peux vous le dire : pas Dieu !» Il prêchait à une foule d'athées et de communistes, mais personne ne l'arrêta. Selon la loi, la religion et le prosélytisme étaient strictement confinés dans les églises. La religion était perçue comme une maladie, une béquille pour ceux qui n'avaient pas le courage d'accepter la finalité de la vie. Quand il se rassit, il régnait un silence absolu que seuls quelques toussotements vinrent troubler. Un épais nuage de fumée bleue flottait au-dessus de l'assemblée, comme une couronne funéraire géante.

Ivan, qui était calviniste, avait vu beaucoup de croyants pourtant très courageux se taire lors de rassemblements. Et voilà qu'un communiste de la première heure, que l'on aurait pu penser athée, osait parler en toute franchise. La religiosité de Marko ne surprenait pas Ivan, qui se souvenait de cette conversation où le sculpteur lui avait juré obéir au commandement d'Adam : une vie de labeur. Mais là, l'auditoire paraissait abasourdi. Ivan éprouva de la fierté pour cette foi en Dieu que Marko et lui partageaient, car, en dépit de toute sa philosophie analytique, il était encore croyant, du moins cette semaine-là. Un frisson lui parcourut le corps jusque dans les chaussures.

Après l'assemblée, Ivan aperçut Marko à l'ombre d'un kiosque, au milieu des pièces pyrotechniques et de la foule qui, en ce 4 juillet, fêtait le jour de l'indépendance de la Yougoslavie. Il se tenait bras croisés, droit comme un i, et sa tignasse grise frappa Ivan ; on eût dit Jonas attendant la destruction de Ninive.

Au lieu de saluer Ivan, Marko s'exclama : «Sodome et Gomorrhe ! Toutes ces jeunes filles à demi nues, et les garçons n'y font même pas attention ! Mais où allons-nous ? T'as juste besoin de soulever un petit morceau de tissu pour la lui mettre ! Quelle immoralité ! Tas de mécréants !» Les paroles de Marko déconcertèrent Ivan, qui se souvenait d'avoir vu dans le grenier du sculpteur une statue de femme nue faite de ses mains.

Il y avait toutefois toujours eu une fibre puritaine chez Marko. Quand sa fille avait atteint l'adolescence, il avait pris l'habitude de l'enfermer pour la protéger des « chiens » de la ville. Elle avait fugué et, après avoir goûté à l'amour libre pendant six mois, elle fut abandonnée par son petit ami, enceinte. Marko, qui avait tout prévu, la sermonna, ce qui, en dépit de l'aide matérielle qu'il lui apportait, n'arrangea pas leurs relations. La promiscuité sexuelle de la jeune femme froissait son amour-propre. Après tout, il n'était qu'un vieil homme amer, un vieil homme qui ne riait jamais et dont le visage affichait la même tristesse que celle qu'on voit dans les portraits du Moyen Âge. Il s'affligeait de ce qu'étaient devenus le pays et la famille.

Quand les feux d'artifice éclatèrent et répandirent leur lumière multicolore, Ivan vit les traits de son visage, aussi expressifs que la ligne qu'il avait autrefois tracée sur son arbre pour lui donner vie. L'aspect avachi de Marko était saisissant, et le Marko d'autrefois, très présent dans les souvenirs d'Ivan, semblait bien plus fort. Comment sa faiblesse physique avait-elle fini par avoir le dessus sur sa force intérieure ? Le temps avait à ce point buriné son visage qu'Ivan aurait pu dire, juste à le regarder, combien d'années s'étaient écoulées. Il y avait quelque chose qui s'était perdu dans l'impression que laissait le visage de Marko, mais quoi ? Un peu de chair ? Oui et non. Même s'il avait pris du poids, un petit quelque chose aurait quand même été perdu, un peu de Marko. Sa chair avait perdu de sa vigueur, mais cette vigueur s'était déplacée dans les yeux. Ceux-ci aussi semblaient avoir rétréci, ils étaient un peu plus gris – cataractes ? –, un peu comme si le vieil homme était en train de se métamorphoser en une de ces pierres qu'il taillait. Ivan s'émerveilla des pouvoirs du temps, ce sorcier qui draine doucement les tissus hors du corps par les canaux lymphoïdes, jusqu'à ce qu'il ne reste que la peau sur les os. Non satisfait, le temps amincit la peau, vide les os de leur moelle. À la fin, il ne reste plus dans la tombe qu'un squelette désarticulé. Marko avait marqué Ivan de manière aussi immuable que les pierres tombales qu'il taillait, et le jeune homme avait maintenant peur de regarder ce visage dévasté.

Une fois les feux d'artifice et sa colère prophétique terminés, Marko mastiqua comme à l'habitude, faisant saillir les muscles de ses mâchoires. « Pour l'amour de Dieu, dit-il, où étais-tu donc passé?

— J'étudie la philosophie à Zagreb.

— La philo à Zagreb? Ils n'ont rien à t'apprendre. Viens me voir à l'atelier et je te montrerai ce qu'est la philosophie!» Il avait parlé sur un ton cassant, sur ce ton qui prend-le-monde-entier-à-la-gorge. «Je t'expliquerai quelques trucs que j'ai compris, et que personne ne comprend. Si tu m'écoutes, tu seras capable de démolir n'importe quel philosophe par la seule force de tes arguments. Tu le couleras!» Il parlait maintenant calmement, le bras droit balayant l'horizon, le regard distant, comme s'il était en train de raser une ville.

Trois mois plus tard, Ivan traversa le parc qui menait à la maison de Marko. Un jardin avait remplacé les montagnes de ferrailles et, dans ce jardin, sa fille était assise et lisait un livre tout près d'un enfant qui jouait sur une balançoire accrochée à la branche d'un grand chêne. Ivan s'avança et demanda à voir Marko. La balançoire s'arrêta et l'enfant courut se réfugier dans la maison. La fille ferma son livre et lui apprit la mort de son père, quelques semaines auparavant. Aussi incroyable que cela puisse paraître, Marko avait disparu sous terre avant son soixantième anniversaire. Durant la guerre, réfugié dans les montagnes, il avait abîmé ses reins à force de dormir sous des tentes déchirées, dans la neige, le grésil, la pluie et la boue, à force de se nourrir de champignons sauvages et de boire dans des flaques. Sous ses airs d'homme d'acier, il n'était que de fer et, bien qu'il tînt debout, rouillait par en dedans. Les Témoins de Jéhovah avaient voulu enterrer Marko Kovacevic selon leurs rites... tout comme les prêtres orthodoxes serbes et les communistes. Marko avait confié ses dernières volontés à un ami, un ancien partisan communiste qui, comme lui, avait raflé quelques médailles avant de perdre foi dans le Parti. Si quelqu'un se vantait d'avoir reçu une médaille, l'ami de Marko disait : « Et alors ? Même ma chienne berger allemand en a une ! » On la voyait d'ailleurs parfois se promener dans la rue avec une médaille autour du cou et un sac d'épicerie dans la gueule, rapportant fièrement les provisions à la maison. L'ami et Mme Kovacevic repoussèrent tous les prétendants au droit d'enterrer le sculpteur. Maintenant que Marko était mort, les gens de la ville n'hésitaient pas à clamer qu'il avait été l'un des leurs. Il fut enterré dans le respect de son testament oral, sans étoile, sans croix, sans un seul ange, et sans que soit déposée sur sa sépulture la moindre nourriture, comme l'aurait voulu la coutume serbe.

On plaça sur sa tombe une de ses œuvres, une pierre cubique taillée avec sa machine, sculptée avec son ciseau, et portant une inscription ciselée de sa main. Sa pierre tombale se dressait parmi d'autres pierres tombales, comme une dent parmi d'autres dents éparses plantées dans la mâchoire de Notre mère la terre – une molaire couronnée parmi les canines.

Qu'un homme apparemment si fort puisse mourir si facilement emplit Ivan d'épouvante. Malgré la philosophie, malgré la religion, il était impossible ni de s'élever au-dessus de la mort ni de ramper en dessous.

Quand il termina ses études, cinq ans plus tard – il ne lui restait plus qu'à rédiger sa thèse –, Ivan essaya de trouver un boulot de philosophe, mais personne ne voulut de lui. L'État n'employait qu'une poignée de vieux marxistes qui, une fois tous les cinq ans environ, élaboraient la rhétorique d'une « nouvelle » variante de la vieille idéologie communiste, donnant ainsi l'illusion du progrès.

Seule une pénurie de profs de sciences permit à Ivan de dénicher un poste temporaire à l'école primaire de Nizograd. Il avait fait assez de chimie et de physique durant sa préparation en médecine pour entretenir l'illusion d'être compétent dans l'enseignement des sciences.

Ivan devait expliquer divers phénomènes en termes simples et faciles à comprendre. Il y parvenait parfois, exposant clairement les miracles de l'univers. Mais il pouvait aussi s'inspirer de ses nombreuses lectures en philosophie et adopter un discours si alambiqué qu'il terrifiait ces pauvres gamins. Ainsi traumatisée par les sciences, une nouvelle génération d'enfants irait plus tard gonfler les rangs de ceux qui tentent de faire carrière en économie, en droit ou, plus vraisemblablement, dans les bars, le maniement des armes ou la conduite de poids lourd. En tout cas, certainement pas en physique, en chimie ou en génie.

Parfois, alors qu'il déambulait dans la classe tout en devisant sur les particules subatomiques, il oubliait où il se trouvait – tel est le pouvoir de la rhétorique – et s'imaginait donnant un cours à la Sorbonne. Il se mettait alors à latiniser et à helléniser les termes avec la dextérité d'un jongleur dont la seule crainte est de voir l'un de ses mots s'écraser sur le sol. Et juste au moment où il parvenait à la compréhension de la substance dans son essence, les yeux clos, les bras et la chevelure s'agitant en tous sens, une pomme pourrie s'envolait des mains d'un enfant épris de liberté pour venir heurter son front. Ou bien la cloche sonnait, marquant la fin du cours.

Il donnait de mauvaises notes à ses élèves, ce qui, au lieu de contribuer à leur apprentissage, ne faisait que cristalliser leur haine de la science, l'amenant à évoluer de l'état gazeux à celui d'un cube de glace logé quelque part dans leur hémisphère gauche. Un cube que rien ne parviendrait jamais à faire fondre, pas même les promesses de salaires mirifiques.

Dans ses temps libres, Ivan avait parfois des élans de sociabilité qui le poussaient à organiser des parties de football avec ses collègues. Mais son humeur était si changeante que, après avoir lancé l'idée d'un match, il était souvent le seul à ne pas s'y montrer.

Pour compenser son salaire de misère et améliorer son quotidien, Ivan faisait quelques traductions. Il avait lu Hegel dans le texte et possédait de l'allemand une connaissance assez médiocre. Cela ne l'empêcha pas de traduire de l'allemand vers le croate quelques ouvrages sur le mariage et la théologie que lui confièrent plusieurs églises protestantes, sujets où il était somme toute difficile de s'égarer – l'incapacité d'Ivan à saisir le sens de la langue de départ n'avait pas d'incidence sur le résultat qui se lisait plutôt bien. Les arguments moraux et les raisonnements restaient éminemment prévisibles : caractère sacré du mariage, pas de relations sexuelles avant les noces, merveilleuse responsabilité de l'éducation des enfants. Il pouvait sans difficulté improviser tout un paragraphe après en avoir lu la première phrase.

Il riait sous cape parce que, d'une certaine manière, il personnifiait le parfait célibataire chrétien – sa séance de pelotage avec Silvia, à Novi Sad, n'ayant pas abouti, il était encore puceau. Toujours vierge à vingt-neuf ans ! Jour après jour, il réalisait que le fossé le séparant des femmes ne cessait de se creuser. Cela ne le dérangeait pas sur le plan idéologique et philosophique, mais toutes ses lectures et ses discussions au sujet de la pureté de la virginité et de la première expérience sexuelle avaient sur lui l'effet inverse. Parfois, en plein milieu d'une page, il s'abandonnait à ses fantasmes et sortait voir un film érotique italien (à cette époque aussi populaires en Yougoslavie que les films de guerre yougoslaves l'étaient en Chine), où Laura Antonelli, en costume de soubrette, séduisait un adolescent. Il regardait son corps voluptueux, et ce mélange de luxure, de beauté et d'inaccessibilité le faisait rêver de la jeunesse paradisiaque et libre qu'il n'avait jamais eue. N'aurait-il pas été merveilleux de faire l'amour une seule fois avec une très belle femme même si, comme pour Nietzsche, cela se terminait par une syphilis? D'après les anecdotes qu'Ivan avait glanées au cours de ses lectures, Nietzsche n'avait fait l'amour qu'une fois dans sa vie, et cela avait suffi à le plonger dans la démence.

Ivan était méticuleux. Il cherchait presque chaque mot dans les dictionnaires, peaufinait chacune de ses phrases, ajustant appositions, participes et adverbes en d'élégantes périodes. Il insérait des points supplémentaires dans la prolixe et athlétique syntaxe allemande afin d'offrir au lecteur un répit. Sur treize minutes, il en passait au moins douze à regarder par la fenêtre les colombes (en fait, les pigeons) sur le toit, laissant son intuition travailler pour lui, de sorte que le texte serait traduit de manière holistique.

Satisfaits de son travail, les pasteurs le payaient grassement en marks allemands et en dollars canadiens, juste récompense pour avoir apporté aux Slaves païens les Saintes Écritures. Ivan put ainsi s'acheter de beaux vêtements, sa bière quotidienne et des shampoings importés. Avec sa longue chevelure brillante, son blazer noir et ses chaussures italiennes noires aussi, il commençait à avoir l'air d'un beau parti.

CHAPITRE 10

Chapitre ne renfermant qu'une longue métaphore : l'État en tant qu'organisme doté de nombreux organes

Ivan aimait à se considérer comme un solitaire. Mais n'avoir besoin de personne ne l'empêchait pas de chercher compagnie dans cette institution internationale qu'est la taverne, lieu qui, même dans une grande ville, s'il reste ouvert assez longtemps, finit par s'imprégner de couleur locale et par constituer le dernier refuge du folklore vivant – le folklore mort reposant lui dans l'espace confiné des musées. Il y buvait habituellement de la bière de blé, mais passait à la vodka quand il se lançait dans de grands débats – impérialisme communiste contre impérialisme capitaliste. Il voulait donner l'image d'un homme réfléchi, toujours heureux de discuter politique et philosophie, mais s'énervait dès que la conversation s'animait. Sa contribution au débat le comblait rarement, et encore moins celle des autres.

Aussitôt que quelqu'un parlait plus que lui, il se fermait. Plus ses compagnons de beuverie gagnaient en éloquence, plus il buvait et boudait, essayant de temps en temps d'imposer un nouveau sujet. Quand on lui posait une question, il écoutait jusqu'à ce qu'il soit capable de formuler une contre-question, et si on y répondait, il en ajoutait une autre, et une autre encore, dans l'espoir de mener ses camarades à la contradiction par la méthode socratique, et tant pis s'il ne s'agissait pas là d'une quête de vérité, mais de domination et de pouvoir.

S'il faisait remarquer à ses compagnons qu'ils s'étaient contredits, ils lui riaient au nez pour sa pédanterie. Parce que, franchement, qu'est-ce que la contradiction dans une taverne marxiste ? Tant et aussi longtemps que la dialectique négative fonctionne, la contradiction est signe de bonne santé, signe que l'acte de pensée suit son cours. C'est quand les choses sont trop harmonieuses que commencent les problèmes et que la pensée stagne, s'embourgeoise, prend parti, meurt.

Ce qui heurtait le plus sa vanité intellectuelle, c'est qu'il gagnait en éloquence et en placidité dès qu'il se mettait à parler football – sujet éminemment prosaïque. Difficile, au foot, de dégager la moindre constante (si ce n'est que l'équipe la plus fortunée gagne toujours et que les Croates s'enflamment pour les équipes croates, et les Serbes pour les équipes serbes) et, par conséquent, d'écraser qui que ce soit à coups d'arguments.

Malgré cela, Ivan essayait toujours de ramener la discussion sur un terrain plus intellectuel, surtout après sa deuxième vodka. Un soir, il brilla – ou du moins le crut-il – en se lançant dans une critique éclairée de Marx, Lénine, Staline et Tito – explicite des trois premiers, plus oblique du dernier. Puis, avec d'autres ardents défenseurs de la classe ouvrière, fit l'éloge du capitalisme.

« Si tu te fais virer en Hollande, tu touches le chômage pendant sept bonnes années. Et dans notre socialisme pourri, si t'es viré, t'es fini ! Et ils appellent ça la dictature du prolétariat. »

Quelqu'un évoqua l'inflation. « L'inflation, s'écria Ivan, bien sûr que nous avons de l'inflation, et alors ? Personne ne travaille, tout le monde mange, et les patrons volent de l'argent qu'ils cachent dans des banques suisses. » Ivan oubliait que lui aussi dérobait tout ce qui lui tombait sous la main, à l'école comme à la fonderie locale où il s'occupait de la formation technique des stagiaires du lycée : il chapardait des lampes au néon, de l'essence, des crayons, des clés de serrage, des baguettes de soudage. Ivan se laissa emporter par la discussion et exprima assez librement son point de vue. « Le gouvernement est une bonne chose en théorie, vous savez ? Anglo-Saxons et Allemands célèbrent cette institution. Ils pensent que la recette du bonheur repose dans la concordance de leurs désirs et de leurs actions avec ceux du gouvernement. Ainsi, un Allemand ou un Américain veillera à ce que le gouvernement travaille pour lui, le protège, et rien ne le rendra plus heureux que de tuer pour préserver cette merveilleuse symbiose. Et s'il a de l'argent à investir, il l'investira dans le gouvernement en achetant des obligations d'État. Il le fera même si son gouvernement croule sous une dette de plusieurs milliards de dollars et qu'il est pratiquement en faillite. En dépit de tous ses discours sur l'entreprise privée, un Occidental investira dans son gouvernement. Et nous, Européens du centre et de l'est, les Slaves en particulier, nous considérons qu'il n'y a pas pire gouvernement au monde que le nôtre. Nous avons honte de nos gouvernements et, en règle générale, nos gouvernements nous le rendent bien, essayant de nous améliorer à grands coups de statistiques, jurant que nous travaillons davantage et buvons moins qu'en réalité. Nous pensons qu'il n'existe pas de plus grand obstacle au bonheur que le gouvernement. Alors, malgré le potentiel démocratique de nos institutions, comme l'autogestion des travailleurs, nous ne nous soucions même pas d'assister aux réunions à moins d'y être obligés. Même chose pour le vote : nous encerclons n'importe quel nom sans même regarder de qui il s'agit, par dépit. Rien ne répugne davantage un Slave que de voter. Placer notre confiance en un être humain nous fait horreur. Alors comment pouvons-nous choisir quelqu'un que nous ne connaissons pas, mais dont nous savons qu'il est *a priori* un arriviste et un parvenu ? Et que faisons-nous dans les réunions d'autogestion des travailleurs, au lieu d'exercer notre droit à la démocratie ? Nous rêvassons de sexe et de violence !

« Nous ne trouvons notre gouvernement utile qu'au moment de l'accabler de nos échecs individuels. Et réciproquement, le gouvernement fait peser sur nous le blâme et tente à l'occasion de nous réformer en nous policant et en nous jetant en prison. C'est là notre paradoxe : nous sommes un peuple épris de liberté, et privé de liberté.

« Dommage que nous ne travaillions pas de concert avec notre gouvernement, parce qu'un gouvernement qui fonctionne est un merveilleux organisme. Le Parlement en est le cerveau, les cols bleus s'activent comme des globules rouges. Les diplomates des affaires étrangères, eux, pourraient être comparés à un pénis, et leurs secrétaires, qui accueillent des diplomates venus de l'étranger, à des vagins. Les forces armées, elles, sont nos globules blancs, toujours prêts à refouler un corps étranger qui essaierait de nous envahir. La police est un appendice de ce système immunitaire, qui apparaît quand il y a dysfonctionnement de l'organisme. Plutôt que de s'en prendre à l'envahisseur, elle attaque son hôte. Cela vous donne quelque chose comme une leucémie ou un lupus. Ou un État policier, comme le nôtre. »

La question de l'organisation du pouvoir fascinait Ivan. Pour mesurer l'effet de son discours sur l'auditoire, il prit une pause et avala une bonne gorgée de bière tiède. Quel moment jubilatoire, pensa-t-il. Je suis sur une bonne lancée. Je serais même, si je puis m'exprimer de manière aussi vulgaire, heureux !

« Notre pays est une sorte d'organisme hermaphrodite, même si nous employons le féminin pour en parler. Peut-être parce que nous percevons notre nationalité et notre pays comme une matrice que nous ne voulons pas quitter, une matrice dans laquelle nous restons bien au chaud pendant que la mère patrie prend toutes les décisions à notre place. »

On sourit autour de la table. Puis un collègue aux lunettes sales y alla d'une intervention un peu hors de propos – mais après un long monologue, rien ne semble hors de propos. « Avez-vous entendu parler de ça ? C'est grotesque ! Des géologues ont découvert d'énormes gisements de bauxite près de Split. Il n'y avait donc rien d'autre à faire que de construire une immense aluminerie, non ? Mais comme nous n'avons pas confiance en notre propre peuple, ce sont bien sûr les Soviétiques qui s'en sont chargés. Une fois l'aluminerie terminée, les gisements ont été épuisés en moins d'un mois ! Et maintenant, comme les politiciens ne veulent pas admettre qu'ils se sont trompés, nous importons de la bauxite d'Union soviétique pour fabriquer de l'aluminium à perte. Et pour ne rien arranger, les imbéciles du gouvernement ont signé une entente avec l'Allemagne de l'Est qui nous oblige à exporter de l'aluminium pendant cinq ans à un taux de vingt-cinq pour cent inférieur à sa valeur marchande. Nous produisons donc de l'aluminium au double du prix mondial et nous le bradons ! Pas la peine de se demander pourquoi l'inflation est à deux cents pour cent – ça pourrait être pire ! »

« Quels connards ! » s'exclamèrent Ivan et quelques autres, tandis que l'homme aux lunettes sales dévisageait tous ceux qui étaient assis autour de la table, et particulièrement Ivan. Puis il sortit un carnet et se mit à écrire – peut-être une note pour se rappeler un truc qu'il devait acheter à la quincaillerie. Mais Ivan et tous les auteurs du « Quels connards ! » quittèrent précipitamment la taverne, de crainte que leurs propos soient rapportés à la police.

Ivan imaginait son dossier au poste de police bien épais, de la taille d'un roman écrit avec beaucoup d'imagination et dans lequel on le dépeignait non pas comme un protagoniste, mais comme un antagoniste – un roman sans protagoniste, quoi ! Tous ces espions auraient dû se faire romanciers, mais il n'y avait pas de cercle littéraire auquel appartenir. Si on leur en donnait l'occasion, ils passeraient leurs journées à rêvasser comme des enfants et à écrire des histoires pour que les passagers de trains bloqués dans la neige ne meurent pas d'ennui. Peu importait l'absurdité et l'idiotie de ce dossier, il savait qu'il faisait planer sur lui une menace. Il aurait voulu se faufiler dans le poste, s'en emparer et le brûler. Le dossier était bourré d'anticorps braqués sur lui, et il était traité comme un organisme étranger, une bactérie.

Arrivé à la maison, il avala une autre bière et se dit que, au fond, il était fier de ses idées. Plus longtemps vous parvenez à soutenir une idée, meilleure elle est ; or il avait soutenu sa métaphore un bon moment, et il aurait pu continuer. Il s'assit alors sur le canapé, caressa sa chatte bleue à poil long, et continua de penser à la relation entre les différents corps, politiques et humains. De la même façon que le corps pouvait être la métaphore d'un pays, il pensa que l'inverse était vrai, que la Yougoslavie était une métaphore de sa propre existence, avec ses républiques qui ne s'entendaient pas, tout comme certains de ses organes ne s'entendaient pas. Il rota et dit, en français : « La Yougoslavie, c'est moi. » Parce qu'elle avait entendu cette phrase, ou à cause des effluves de bière, la chatte feula et agita sa queue hérissée.

CHAPITRE 11

Où Ivan aspire à l'unicité

Ivan aurait pu se contenter de sa petite vie si l'idée de devenir célèbre ne l'avait obsédé. À défaut d'être puissant, il serait unique. Tout irait comme sur des roulettes : il avait reçu une éducation tout à fait convenable, avait un bon boulot et connaissait d'excellents bars. Qu'est-ce qu'un homme pouvait désirer de plus ?

Devenir un maître ou, au moins, un maître aux échecs.

Au club d'échecs, Ivan affronta des jeunes gens qui avaient lâché leurs études, des avocats du gouvernement, des professeurs, des policiers, bref, des adeptes du loisir. La plupart des membres du club jouaient avec une pendule. Ces parties de cinq minutes étaient assez courtes pour éliminer les désagréments de la réflexion, et assez longues pour stimuler l'intuition, la mémoire et le sens de l'anticipation. Deux lustres en cuivre ornés de petites lampes en forme de bougies pendaient d'un plafond recouvert d'un ciel bleu où volaient des canards. La longue salle au parquet de hêtre ciré résonnait du claquement des paumes qui s'abattaient sur les pendules d'échecs. Des piles de pièces de monnaie bancales, pareilles à des tours de Babel délabrées, vacillaient sur les tables.

Les toux, les éternuements et reniflements des nez rouges

donnaient à cette pièce chauffée au charbon et où flottait un nuage bleu de fumée de tabac une atmosphère inquiétante. Les querelles éclataient surtout quand un joueur actionnait la pendule avant d'avoir joué son coup. Le joueur dont la main droite était placée du côté de la pendule gagnait au moins cinquante et un pour cent du temps parce qu'il consacrait quelques fractions de seconde de moins que son adversaire à frapper l'horloge.

Ivan, qui considérait le temps comme un ennemi personnel, détestait la pendule. Redoutant le mauvais coup, il analysait sans se presser toutes les positions, et irritait ses adversaires en les faisant attendre. Il conjuguait sa tournure d'esprit paranoïde avec l'agressivité. Ses joutes l'opposaient le plus souvent à Peter, son ami d'enfance. Leurs parties s'éternisaient. Après avoir longuement caressé la moitié de leurs pièces, ils se décidaient enfin à en bouger une et l'abattaient bruyamment sur l'échiquier afin d'intimider l'autre, et ils tournaient avec fermeté et en silence la pièce sur sa case, comme pour l'y visser. Et en vissant sa pièce dans la case, le visseur contemplait son adversaire froidement. Avant de déplacer une pièce, chacun y allait de son commentaire.

« Bon là, un petit coup tranquille. » (En réalité, une grave menace.)

« Je vais t'apprendre l'humilité, puisque tes parents n'y sont visiblement pas arrivés. »

« Voyons voir si ton roi a des couilles ! »

« Ta reine est un peu trop excitée, et si je lui frottais un peu le cul avec ce petit pion ? »

« Même Karpov ne parviendrait pas à te sauver maintenant. »

« Je ne savais pas que ton QI était supérieur à la moyenne. »

Un soir, Peter balaya le champ de bataille du revers de la

main, envoyant valser les pièces dans toute la salle. « Tu prends trop de temps ! » cracha-t-il.

Ivan sourit avec dédain.

Un petit prétentieux de prof de maths donnait toutefois à Ivan de solides raclées et poussait l'humiliation jusqu'à lire des textes en cyrillique sur la politique serbe pendant qu'Ivan se torturait les méninges à échafauder la bonne stratégie de défense. Si le professeur ne se lassait jamais de jouer aux échecs à un niveau si médiocre, c'est qu'il adorait gagner. Ivan quitta alors le club d'échecs et prit l'habitude d'aller retrouver Peter au Cellier, la taverne que le père de ce dernier lui avait léguée après avoir quitté ce monde de la manière la plus traditionnelle qui soit : crise cardiaque.

Des années auparavant, Peter avait essayé de faire carrière dans le foot professionnel, mais bien qu'il fût indéniablement un génie de ce sport, il n'avait même pas réussi à décrocher une place sur le banc des réservistes du Dinamo. Pour avoir une chance, il eût fallu graisser la patte de quelques cadres, et le père de Peter n'avait pas d'argent pour ça. Quelques joueurs avaient bien sûr réussi à la seule force de leur talent, mais pas Peter. Il fit de la poésie son nouveau dada et passa le début de la vingtaine à vomir consciencieusement dans diverses tavernes de Zagreb en compagnie d'autres poètes et pianistes (tout en poursuivant officiellement des études de sociologie). Avec une éducation pareille, il se sentait parfaitement à l'aise dans un bar.

Peter et Ivan évoquaient leurs souvenirs d'enfance et, de tous ces souvenirs, celui des drapeaux était leur préféré.

« Regarde comment j'ai décoré, lui dit Peter, désignant le grand drapeau yougoslave accroché au mur. Ce n'est pas une blague. J'aime la Yougoslavie.

— Qu'y a-t-il à aimer ? » demanda Ivan, pensant que Peter était cynique.

Car si Ivan partageait beaucoup de choses avec la Yougoslavie sur le plan de la métaphore, il éprouvait aussi du ressentiment envers ce pays.

« Plus je vieillis, plus j'aime ma patrie, reprit Peter. Le mois dernier, je suis allé passer une semaine chez ton frère, en Allemagne. J'ai voyagé dans des trains confortables, attendu aux feux rouges, même quand il n'y avait aucune voiture à l'horizon, et admiré leurs femmes à la peau blanche. Bruno travaillait de huit heures du matin à cinq heures de l'après-midi, et le temps qu'il arrive à la maison, la nuit était tombée et il pleuvait. Il *travaillait* vraiment, et tout ce qu'il faisait, ensuite, c'était regarder la télé jusqu'à tomber de sommeil. Il m'a dit que c'est comme ça qu'ils vivaient tous. Et regarde-nous, ici, tout le temps à faire la fête. Comment pourrais-je ne pas l'aimer ? Un autre verre ? C'est la maison qui régale.

— Si tu insistes. N'empêche, pourquoi mettre un drapeau sur le mur ? Ça fait très canadien. J'ai lu qu'ils en mettent partout : dans les maisons, les bars, les églises, sur leurs fesses…

— Regarde comme il est beau, comme le rouge se marie bien avec le bleu.

— Ce sont les deux couleurs les plus discordantes, la plus chaude et la plus froide, des couleurs qui, réunies, symbolisent le conflit et la haine. C'est révoltant !

— Ça y est, tu recommences ! » fit Peter sur un ton jovial.

Ivan étudia le visage de Peter. Maintenant qu'ils ne jouaient plus aux échecs, il pouvait le regarder amicalement. Peter arborait une barbe noire et bien fournie, une chevelure parsemée de fils blancs et, derrière ses lunettes de grand-mère cerclées de métal doré, il avait l'œil noir et vif.

« Et comment va mon frère ? demanda-t-il. Il ne m'écrit jamais.

« — Et toi, tu lui écris ? Pourquoi ne vas-tu pas le voir ?

— Je ne peux pas avoir de passeport. Ce pays ne m'en donnera pas à cause de mon dossier *politique*.

— Tu ne connais personne au bureau de quartier ?

— Si, mais ça réduit encore plus mes chances.

— Verse un pot-de-vin !

— Je ne suis pas très doué pour ça. Et puis, tu sais, je n'éprouve pas le besoin de voyager. Kant n'a jamais quitté Königsberg, et ça ne l'a pas empêché de devenir un grand penseur. Je n'ai pas besoin de voyager.

— Pourquoi devenir un grand penseur ? Penser ne te fait aucun bien. Ça donne des migraines et des ulcères.

— Bien sûr, si tu n'en as pas l'habitude. Tout ce à quoi tu ne t'exerces pas te fait mal. Si je soulevais des poids maintenant, je me disloquerais probablement l'épaule. Enfin, comment va Bruno ?

— Sa femme est enceinte, comme tu le sais, et ça le fait un peu paniquer.

— Enceinte ? Bruno ne m'a pas dit qu'elle attendait un enfant ! »

Du coup, Ivan se tut. Peter alla servir quelques clients qui réclamaient une tournée de bière. Ivan pensa que si on est célibataire passé un certain âge, c'est-à-dire à vingt-huit ans, on reste célibataire. Mais voilà que son frère, marié à vingt-neuf ans, se mettait à faire des bébés. Quel bordel ! À ce compte, sa vie serait bientôt finie, et il pouvait aussi bien commencer à remplir son certificat de décès. Qui a besoin d'une famille ? À quoi sert la famille, sinon à vous montrer ce que vous n'êtes pas ? Celle d'Ivan, en tout cas, lui avait apporté la preuve qu'il n'était pas fait pour ça.

Les deux amis se mirent à jouer de la musique, Ivan au violon et Peter au piano. Pour Ivan, qui avait autrefois joué du violon dans l'orchestre de l'église, c'était une bonne manière de progresser. Rien de très exceptionnel là-dedans : il retournait au stade de la préadolescence, à l'âge où il jouait avec d'autres « garçons ». C'est une manière de vivre très répandue dans les petites villes, aussi bien chez les hommes mariés que chez les célibataires, et qui mérite davantage l'intérêt que la pitié. Une vie agréable, personne ne peut le nier. Plus agréable que de passer ses journées à calculer des hypothèques, même si cette vie-là est perçue comme le signe de la maturité.

Un soir, Ivan et Peter jouèrent des csardas hongroises pour les clients du Cellier. Entassés dans le petit bar, des soldats de l'armée yougoslave burent à rouler sous la table. Ivan jouait avec passion, adressant des œillades aux hommes comme aux femmes – et plus particulièrement à une créature plantureuse dont la chemise ne cessait de glisser sur les épaules. Elle se chamaillait avec son oncle. « S'il te plaît, Mara, arrête de boire, la suppliait-il. Tu sais que ce n'est pas bon pour toi.

— Bien sûr que c'est bon pour moi. Tu ne veux juste pas que les femmes s'amusent, c'est tout.

— Arrête, tu vas finir par faire quelque chose de stupide !

— Comme quoi ? » Mara s'appuya contre la table, où sa copieuse poitrine s'affala. Les soldats s'envoyèrent des coups de coude dans les côtes. « De quoi as-tu peur ? Que je m'amuse avec quelques-uns de ces garçons ? Je vais te dire : ce ne serait pas une mauvaise idée !

— Mais tu es mariée !

— Pff ! Mariée ! Ça n'a jamais empêché un homme de courir après des putains, non ? Alors pourquoi ne m'amuserais-je pas avec de jeunes gigolos pendant que je le peux encore. Regarde-les, frais comme des potirons ! »

La musique se fit mélancolique. Le violon poussait une

plainte empreinte d'agréable tristesse et les vibratos de la basse (ils formaient un trio maintenant) pénétraient les profondeurs du cerveau et des cuisses.

Mara se leva pour aller aux toilettes, où un soldat la suivit, le visage aussi vert que son uniforme. Ivan se souvint d'un passage de la Bible : *Aussitôt il la suit, tel un bœuf qui va à l'abattoir, tel un fou marchant au supplice des entraves, jusqu'à ce qu'un trait lui perce le foie, tel l'oiseau qui se précipite dans le filet...* Deux minutes plus tard, le soldat revint à grands pas. Un autre militaire rampait sur les coudes. Mara déchira sa chemise et écrasa le pauvre garçon dans la chaleur de ses mamelles, puis tous deux disparurent derrière le bar. Quand la musique cessa d'un coup, tous entendirent des cris et des soupirs de panique orgasmique – le mensonge évident du plaisir exprimé comme une douleur. Si les humains mentent même dans les moments où ils sont censés être le plus spontanés, durant l'orgasme, et qu'ils feignent le plaisir au lieu de la douleur, ou la douleur au lieu du plaisir, alors quand peut-on leur faire confiance ? Si Ivan avait été plus discipliné, il aurait pu écrire un essai sur le sujet : *Le Monde comme mensonge,* paraphrasant *Le Monde comme volonté et comme représentation* de Schopenhauer. Derrière presque chacune de nos motivations se cache un besoin irrépressible de déformer toute chose en son contraire. Ainsi, à l'origine de la haine, nous trouverions l'amour, bâillonné par le mensonge, et à l'origine de l'amour, la haine, bâillonnée par le mensonge, et à l'origine de la philosophie, au lieu de l'amour de la sagesse, la haine de la sagesse. La myso-sophie, plutôt que la philo-sophie, est à l'origine de la pensée. Presque tout le monde déforme les faits en leur contraire, et cette propension de l'humain à la déformation, à la perversion, à fuir la vérité en se tortillant comme le serpent sous le pied d'Adam, est la seule vérité. Le monde comme malaise et comme perversion.

Les occasions de philosopher sont parfois étonnantes, songea Ivan avec une certaine gêne. Un autre cri orgasmique lui rappela ce qui motivait sa quête de « sagesse » : à en juger par son érection, il était prêt à sauter dans cette mêlée libidineuse. Il aspirait à un environnement plus raffiné où, dans l'intimité (comprendre : sous le couvert du mensonge), il pourrait coucher avec une jolie femme. Ainsi la beauté, participant de la perfection des formes platoniciennes, donnerait sa spiritualité et sa grandeur à l'indécent commerce du corps, si cauchemardesque et répugnant dans cette taverne aux remugles de bière et de vomi.

CHAPITRE 12

a) Presque tous les Slaves du Sud rêvent d'une maison fortifiée et d'un abri antiatomique

Souffrante, la mère d'Ivan partit s'installer sur la côte, dans une grande maison de briques que Bruno avait construite en s'inspirant d'un modèle très prisé dans les banlieues allemandes. Bruno rendit visite à Ivan et, à l'occasion d'une balade dans Nizograd, lui vanta les merveilles du littoral. « Nous sommes dans les hauteurs d'Opatija, et par temps clair, on peut apercevoir les îles de Cres et de Lošinj. Quand le vent souffle du sud, il sent le cyprès et la mer, et quand il vient du nord, l'épicéa et le sapin.

— Quelle différence y a-t-il entre l'épicéa et le sapin ?

— Et parfois, tu as tout ça en même temps, l'air alpin et celui de la Méditerranée se mélangent. Tu es debout sur la terrasse, tu regardes par-dessus les toits de tuiles rouges vers le bleu céleste de l'océan… et tu respires à fond. Viens donc avec nous. J'ai l'intention de passer là-bas tous mes temps libres.

— Mais c'est trop ensoleillé ! Tu peux attraper un cancer de la peau à cause du trou dans la couche d'ozone.

— Pas si on a les cheveux et les yeux aussi foncés que les tiens.

— Merci de voir du noir dans mes cheveux gris.

— Ce qui compte, c'est qu'ils étaient noirs quand tu étais enfant. Ça veut dire que tu avais des pigments. Et là-bas, tu peux te baigner et te faire bronzer sur des plages où les femmes se promènent les seins nus. »

Mais l'image d'une plage de galets et de pierres rappelait trop douloureusement à Ivan l'île Nue, et il sentit sa peau brûler, peler et bouillir.

« La seule pensée de m'allonger sur une serviette, de frire au soleil et de m'aveugler dans cette débauche de lumière me rend malade. Ajoute à tout cela le fait de bander inutilement, et tu avoueras que la situation est plutôt embarrassante. Alors, non merci.

— Tu penserais différemment si tu vivais dans la grisaille allemande.

— Qu'est-ce qui t'y oblige ? Regarde un peu l'horizon. »

Ils avaient gravi la colline qui dominait le cimetière, tous deux un peu essoufflés. Le soleil se couchait et la ville dans la vallée était déjà plongée dans la pénombre – seules les tours du château et la flèche de l'église accrochaient encore quelques lambeaux de lumière dorée. Aux pieds des deux frères, une multitude de cierges scintillaient, de plus en plus brillants, et une petite lumière orange chancelait au-dessus d'une inscription argentée, MILAN DOLINAR, sur une pierre noire luisante.

Bruno renifla.

« Tu as des allergies ? Notre végétation est si vigoureuse !

— Oh, Ivan, je n'ai jamais connu notre père. Tout ça est encore plus triste quand tu vis à l'étranger, loin de chez toi – pour moi, c'est encore ma patrie, *rodna gruda*. Et c'est tout ce qui restera ici, les os de notre père.

— Rien pour nous retenir dans les parages, quoi !

— Exactement. Pourquoi ne nous rejoins-tu pas sur la

côte ? Nous y aurions quelque chose qui ressemble à une famille. Il faudrait juste vendre la maison de maman.

— Les maisons ici ne valent rien. Prête-moi quelques milliers de marks, et je l'achète. Je lui donnerai l'argent et j'aurai une dette envers toi – si tu me fais confiance, évidemment. »

Ils traversèrent le parc municipal pour aller manger au restaurant La Terrasse. Le plat des Balkans, fait de porc, de veau et d'agneau grillés avec des oignons et une sauce aux poivrons rouges, l'*ajvar*, fit de nouveau larmoyer Bruno. « Les oignons sont forts », s'excusa-t-il. Il avait déjà avalé la moitié de son plat et gardait dans la moustache des bulles d'une bière locale bien mousseuse. Il était corpulent et, avec sa barbiche, ses joues rasées de près (la lame affûtée avait rougi sa peau) et sa veste de cuir noir, il avait l'air allemand ou, plus précisément, bavarois. Bien qu'il mesurât quelques centimètres de moins qu'Ivan, il devait peser le double. Ivan mastiqua un peu et trouva la viande filandreuse et trop salée. Il saisit un cure-dents et se battit avec un filament qui s'était coincé entre deux molaires – sans doute un nerf d'agneau. Incapable de retirer le nerf animal de sa bouche, il s'énerva et se piqua la gencive, trouva la douleur plutôt agréable, et se piqua encore.

« Où est passé ton appétit ? demanda Bruno. Quand tu étais petit, tu te faufilais dans le garde-manger pour dévorer du jambon fumé.

— C'est vrai. Je mangeais quand j'en avais besoin. Maintenant, je pense avoir terminé ma croissance, et tout ce que je pourrais gagner en mangeant, ce sont des cancers, des tumeurs et des artères bouchées. Je ne suis peut-être pas très rationnel, mais manger la même merde pendant des décennies m'a en quelque sorte coupé l'appétit.

— Tu as l'air un peu déprimé ici, et la ville a l'air déprimée. Tu devrais vivre dans un endroit où ça bouge. Pourquoi ne viens-tu pas habiter en Allemagne ?

— La dépression n'existe pas ici. C'est un mot étranger. *Cafardeux* serait plus approprié.

— Tu as l'air mélancolique. Peut-on parler de mélancolie ? demanda Bruno.

— C'est un mot grec, un mot des Balkans. Bile noire. J'adore ce mot-là. Bien, parlant de bile noire, que dirais-tu d'un gâteau au chocolat ?

— Tu as l'air de t'ennuyer. Pourquoi ne te maries-tu pas ?

— Je suis sûr que je ne connaîtrai jamais vraiment ce qu'est l'ennui, *à moins* d'être marié.

— La première chose à faire quand on veut fonder une famille, c'est de posséder sa propre maison. Nous allons y voir ! »

À la fin de la soirée, Ivan possédait une maison parce que son jeune frère avait eu pitié de lui. Cette pitié ne le gênait pas, il estimait la mériter.

Ivan était ravi d'avoir une maison – son petit monde à lui –, et il la voulut la plus solide possible. Des couches de mortier perpétuellement humide couvraient les épais murs de briques. Ivan consolida d'abord les fondations. Il était persuadé que ce qui compte le plus pour un Yougoslave, c'est d'avoir une maison solide. Elle devait être pourvue de murs de béton massifs, contrairement aux maisons américaines que l'on voit dans les reportages télévisés lors de catastrophes naturelles, et qui sont faites de colle et de sciure de bois. Il suffit d'un bon coup de vent ou d'une inondation pour les détruire, même quand elles coûtent un million de dollars – on voit alors des panneaux d'aggloméré descendre les rivières en crue, mêlés aux ours en peluche, aux photos de mariage où tout le monde sourit et aux pilules amaigrissantes rouges. Pour un Américain dopé à l'optimisme, il était tout à fait normal de vivre cela. Mais pour un socialiste yougoslave sans cesse sur ses gardes, qu'il soit serbe, musulman ou croate, mieux valait posséder son propre abri antiatomique. En cas de guerre, la cave servirait de bunker, chaud en hiver et frais en été – idéal pour conserver les pommes de terre, le blé et le sel.

Derrière la maison d'Ivan gazouillait un verger : grands châtaigniers, abricotiers, poiriers, pommiers, pêchers, cerisiers... Une clôture séparait cette tranche d'éden d'autres fragments d'éden qui, eux, appartenaient aux voisins. Ces voisins, qui se saluaient à peine lorsqu'ils se croisaient dans la rue, se rassemblèrent un soir pour une réunion d'urgence dans la maison du boulanger, où Ivan avait travaillé comme apprenti pendant un mois, jusqu'à ce qu'il soit clair qu'il serait admis à l'université.

Le boulanger servit à ses invités son eau-de-vie de poire maison, la *viljamovka*. « C'est peut-être la dernière cuvée que je distillerai jamais ! La vermine veut construire une route à quatre voies sur nos vergers.

— Il n'y a aucun autre pays au monde où on peut vous faire un coup de cochon pareil, s'exclama le boucher. Pourquoi ne contournent-ils pas la ville ? »

Le boulanger montra une feuille de papier portant des sceaux officiels bleu pâle et couverte de caractères inégaux tapés à la machine – des lettres plus hautes que d'autres, quelques-unes collées à leurs voisines, d'autres bien éloignées. « Ils m'offrent seulement cent mille dinars ; c'est cinq pour cent de la valeur de mon verger !

— Il ne faut pas permettre aux bandits communistes de confisquer notre propriété », lança le boucher en levant sa lourde main, comme pour l'abattre sur la table. Les tasses de café tremblèrent par anticipation, mais le coup ne vint jamais, le boucher étant un adepte de la retenue.

« Il faut signer une pétition, dit Ivan.

— Une pétition ? Pff ! dit le boucher. Vous, les jeunes, vous êtes si naïfs. Qu'est-ce qu'ils en ont à foutre d'un tas de signatures ? »

Le prêtre catholique ronflait, ses longs doigts osseux entremêlés. Il dirigeait une sorte de couvent. Trois femmes édentées vêtues de noir ne quittaient jamais le périmètre de la maison et du jardin ; la rumeur courait qu'elles n'étaient pas des nonnes, mais des concubines qui épuisaient le saint homme à coup de fellations.

Ivan présenta une requête écrite aux fonctionnaires du comté, mais un préposé respectueux des lois la lui déchira sous le nez. Il s'en fut alors à Zagreb, se présenta à la Cour suprême de la république. Sa demande fut placée dans un grand tiroir, dont elle ne ressortit jamais. Ivan voulut s'adresser au président en personne, mais celui-ci était parti pour un long voyage, dégustant des vins vieux de deux siècles, chassant des tigres en voie d'extinction, serrant la main du roi de Suède, bref, œuvrant à l'avancement des masses prolétaires du monde entier.

Un jour de la fin de l'été, une armée de travailleurs tatoués, le corps couvert de Cupidons dont les arcs se bandaient au gré des contractions, de serpents et de démons en costume de plongée, rasèrent les vergers.

Regardant par la fenêtre, Ivan cracha, comme un Pragois voyant les chars soviétiques envahir sa ville. Lui qui n'avait jamais ressenti le fameux attachement des Slaves à la terre, grommela : « Rien n'est plus sacré pour nous, Slaves, que de posséder un bout de terrain : notre terre, notre terre ! »

Les murs de la maison d'Ivan tremblèrent, les fenêtres

vibrèrent, les couverts s'entrechoquèrent, les tables bougè-
rent et le plafond de mortier s'effrita sur le sol en petits tas de
sable poussiéreux. De temps en temps, une souris galopait
hors de son trou en poussant un cri perçant et traversait le
salon sous l'œil indifférent de la chatte bleu de Russie.
Elle bougeait les oreilles et les moustaches d'avant en arrière,
le poil dressé, les pupilles en points d'exclamation, la queue
en point d'interrogation, montrant clairement qu'elle ne
savait où donner de la tête devant ce qui se passait.

Quand la route fut terminée, quelques années plus tard,
un tas de conducteurs éméchés croisaient en trombe ce car-
refour. Les Skoda tchèques et les Trabant est-allemandes,
faites de métal souple et de plastique, s'y froissaient comme
des feuilles de papier journal. Chaque fois qu'il entendait
l'explosion d'une collision, Ivan se penchait à la fenêtre et
voyait, le regard plein d'horreur et de tristesse (et non sans
une pointe de satisfaction contre les autorités locales), les
corps ensanglantés que l'on arrachait aux épaves. Il fallut que
cette guerre qui ne disait pas son nom contre les touristes
venus du nord fasse des dizaines de morts pour que des feux
de circulation soient installés à cette intersection. À partir de
là, chaque nuit, le rouge, le jaune et le vert illuminèrent en
alternance les rideaux d'Ivan.

Ivan en devint instantanément insomniaque. Il emplis-
sait ses nuits blanches de livres, comme *Guerre et Paix,* de
Tolstoï. *Guerre et Paix,* un bouquin unique, non? Ivan
constata non sans une certaine admiration que ce livre
pouvait être insupportablement ennuyeux pendant cent
pages de suite; il comprit que si cette œuvre était considérée
comme un classique, c'était sans doute dû au fait que rares
étaient ceux qui avaient réussi à le terminer. Vers le milieu
du livre, la mort somptueuse de bon nombre de personnages
est décrite dans une profusion de détails. Ces descriptions

sont tellement précises et lyriques qu'elles traduisent une sorte d'érotisme de la mort, et même une pornographie de la mort, ou thanatographie.

b) Une mort étonnamment touchante

Au morne matin du 4 mai 1980, Ivan prit le bus pour Zagreb, où il devait acheter des tuyaux de cuivre pour sa maison. Mais tous les magasins étaient fermés. Après une longue maladie, le président venait de rendre l'âme, à l'âge de quatre-vingt-huit ans. Ivan avait déjà plaisanté au sujet de la gangrène de Tito – *On venait de l'amputer de la jambe gauche et, peu de temps après, un câble était arrivé tout droit de l'enfer : «Jambe bien arrivée. Prière d'envoyer le reste. Urgent.»* Évidemment, Ivan racontait sa blague à voix basse, de peur que son humour ne l'envoie de nouveau à la prison de l'île Nue. Il était devant un magasin d'importation quand il entendit une radio hurler la nouvelle avec, en toile de fond, le second mouvement du Concerto pour piano n° 2 de Rachmaninov, et son esprit flotta voluptueusement sur de hautes vagues de musique et d'émotion. À moins que ce ne soient les rues et les trams immobiles qui aient flotté dans sa tête. Des larmes jaillirent de ses glandes lacrymales, son nez et ses sinus se noyèrent dans un océan brillant et chaud. Ivan tituba jusqu'à la gare pour voir le train bleu de Tito qui transportait le cercueil depuis Ljubljana. La foule pleurait, se lamentait, les bras parcourus par la chair de poule. Le père de la nation était mort.

Ivan se tenait près de la voie, coincé entre un vieil homme couvert de médailles et une femme aux dents en argent qui sentait l'ail. Elle avait l'œil argenté aussi ; mais tout avait l'air argenté à travers les larmes d'Ivan. Il découvrit avec surprise à quel point il se connaissait mal. Il avait toujours pensé n'en avoir rien à foutre de Tito, et voilà qu'il était bouleversé, réduit à néant devant la solennité de la tragédie.

La plupart des magasins étaient fermés, mais au centre de Zagreb, sur la *Trg Republike*, la place de la République, il trouva un kiosque ouvert et y acheta un cigare. C'était un produit macédonien bon marché, mais cela importait peu. Ivan l'alluma, le téta goulûment, et attendit la morsure familière sur la langue et le méchant pincement dans les poumons. Il souffla tellement de fumée qu'un nuage se forma et il eut l'impression que le maréchal en personne se tenait là, tirant lui aussi sur son cigare. Alors, en silence, solidaires, ils fumèrent, et Ivan fit durer le plaisir une heure entière. Une fois le cigare terminé, il s'aperçut que ses joues étaient mouillées de larmes, parce que Tito n'était plus là, et qu'il n'y serait plus jamais. C'était la fin d'une époque, et pour Ivan, la fin de la jeunesse, aussi. Il était maintenant livré à lui-même, tout comme le pays. Quelle tragédie pour la nation !

Quelques jours plus tard, Ivan s'en voulut de ce chagrin. Alors qu'il montait un mur de briques pour agrandir sa maison, il se demanda pourquoi il avait versé des larmes pour ce président qui lui avait causé tant de malheurs. Il rougit, et son visage, prenant la couleur des briques, sembla disparaître. On eût dit que son corps, habillé de vêtements bleus gonflés d'air, flottait devant le mur de briques, sous une casquette bleue. Ivan aurait dû se sentir joyeux, mais il avait peur d'éprouver le moindre bonheur après cette ère du « culte de la personnalité », un peu comme si Tito avait eu des pouvoirs surnaturels et que son système d'écoute pouvait pénétrer dans l'esprit des gens et rapporter leurs pensées à la police. Tito organiserait ensuite lui-même les séances de torture, ici et dans l'au-delà. Et puis, qui allait remplacer Tito ? Les représentants de toutes les républiques et des territoires autonomes avaient déjà leur slogan : « Après Tito, Tito », en vertu duquel ils exerceraient à tour de rôle la présidence pendant un an, afin de ne pas faire d'ombre à l'image de Tito. Le Parti exposerait-il Tito dans un mausolée pour prouver qu'il était bel et bien mort ? Non. Il cacherait le corps, de sorte que sa mort ne soit jamais certaine. Tito viendrait hanter Ivan et ses compatriotes la nuit, durant leur sommeil, et le jour, dans la toile d'araignée de l'appareil d'État, avec sa multitude de fils gluants, invisibles. Quelle folie que la psychologie socialiste totalitaire !

Ivan voulut prendre une bonne cuite et se rendit au Cellier, où il découvrit que Peter n'était plus là. À cause de la frénésie des travaux, Ivan ne l'avait pas vu depuis un moment. Non seulement Peter avait grossi les rangs de l'armée, mais le Cellier avait changé de mains. Nenad, le nouveau propriétaire, s'était fait virer de l'école de médecine vétérinaire de Belgrade après dix années d'études médiocres. Le Cellier était devenu une discothèque, avec des tables en verre, des canapés en faux cuir et des haut-parleurs accrochés au plafond.

CHAPITRE 13

Où une ronde prend possession
des corps et des esprits

Tard un samedi après-midi, bien des années après qu'il eut presque fini de lire *Guerre et Paix* (il lui restait une trentaine de pages), Ivan se rendit dans la taverne d'un village niché dans les collines, à vingt kilomètres de Nizograd. Il était maintenant très à la mode dans la région, et du coup dans tout le pays, de fréquenter les tavernes de villages et de jouir du sens paysan de la fête. Ivan avait longtemps résisté à cette vogue, mais la journée avait été humide, pour ne pas dire carrément étouffante, ce qui avait sapé son énergie et rendu la ville encore plus ennuyeuse que d'habitude. Quelques truites semblaient vouloir jaillir de la peinture bleue qui servait d'enseigne au Repaire de la truite. Dans les rapides qui écumaient derrière l'auberge, des poissons scintillants fusaient hors de l'eau, comme pour inviter l'aubergiste à venir les pêcher et à les lancer, tout frétillants, dans la bouche des clients.

Ivan commanda une truite grillée à l'ail. Il mangea doucement, savourant la chair tendre et blanche qui fondait sur sa langue tandis que les têtes de poissons, bouche bée, le fixaient d'un œil accusateur, comme pour lui reprocher sa participation à la chaîne alimentaire. La chair glissait sur les fines arêtes, et il la triturait, étudiant les minuscules veines roses avec une certaine gêne, comme si les yeux des poissons l'observaient vraiment. Plus il regardait la tête des truites, et plus il se sentait mal à l'aise, aussi finit-il par les envelopper dans des serviettes de papier et par aller les jeter à l'extérieur, dans un buisson, où une chatte et ses deux petits se prélassaient.

Avec tout repas venait un litre de bière. Dehors, l'obscurité tombait, la brume flottait doucement dans la vallée, et les gens commençaient à affluer, faisant claquer les portes de leurs bagnoles enfumées. Ivan vit que l'on commençait à danser. Un accordéon se lança dans une ronde serbe endiablée, un *kolo*, une basse lui emboîta le pas, jetant de l'huile sur le feu des passions, et un cercle se forma dans cette agitation. Ivan était irrité de ce qu'il n'existât pas dans toute la Croatie une taverne où on aurait pu entonner des chants croates sans que les chanteurs soient jetés en prison, mais la danse le fascinait.

La fumée de tabac bon marché saturait l'air et lui titillait les poumons. Il fumait de temps à autre des cigarettes importées, mais méprisait le tabac local et, pour s'en protéger, n'avait que l'éventail d'Indira Gandhi. Il le sortit et l'agita, chassant au loin la fumée. Coïncidence : pour se distraire de la foule dansante, il ouvrit le *Večernji List*, le quotidien de Zagreb, et vit à la une la nouvelle de l'assassinat d'Indira Gandhi par ses gardes du corps sikhs. Il en fut bouleversé. Pas la peine de se demander pourquoi elle détestait les assassins. Il continua d'agiter doucement son éventail, faisant chatoyer le rouge et l'or. Des larmes coulaient de son nez. Mais que diable se passait-il avec lui ? se demanda-t-il. Pourquoi est-ce que je me sens si proche des grands de ce monde ? Il fuma une Chesterton sans filtre qui lui assécha le nez.

Une combinaison de forces centripète et centrifuge tenait

les danseurs soudés, bras dessus bras dessous. Le cercle se transforma en mille-pattes courant après sa queue. Les jambes s'envolèrent, les jupes s'ouvrirent grand et, à mesure que le son de la basse s'accélérait et gagnait en amplitude, le mille-pattes tournait de plus en plus vite, de sorte que les jambes prirent l'apparence d'un arc-en-ciel aux contours indéfinis, tourbillonnant un demi-mètre au-dessus du sol. Le rouge s'imposa dans l'œil brûlant de la tornade, qui aspira les danseurs corps et âme. Quand la musique ralentit, Ivan parvint à distinguer la couleur des vêtements : broderies rouges sur tissu blanc et noir. Parmi eux, un costume bleu, un uniforme de policier. Le flic jetait des coups d'œil derrière lui, essayant d'accrocher le regard de Svjetlana, la jeune femme qui le suivait dans la farandole. Son visage était pâle, malgré son émotion, comme si elle venait de traverser une tempête de neige.

Durant la pause, les gens s'égaillèrent en désordre, courant dans tous les sens à la recherche d'une petite table. Le policier et Svjetlana optèrent pour un cliché : un coin sombre.

Soudain, une porte s'ouvrit à la volée et un jeune homme fit son entrée, porté comme un cercueil sur quelques épaules. Une dent en or, plantée au milieu de son visage rouge et hilare, lançait des éclairs. Ivan fut agréablement surpris : cela ressemblait à Peter, mais en plus émacié et grisonnant. Ce n'est pas que Peter eût pris de l'âge qui fit plaisir à Ivan, mais qu'il allait parler à un ami, ce qui ne lui arrivait pas souvent. En général, les gens de sa génération semblaient s'éviter ; s'ils se retrouvaient coincés dans la même file d'attente à la poste, ce qui était rare dans la mesure où ils n'aimaient écrire à personne, mais dans le cas où ils allaient payer une facture par exemple, ils se parlaient de la manière la plus solennelle et inepte qui soit, afin de ne laisser filtrer rien de personnel. Peter brandit une bouteille de slivovitz comme un sabre. Les hommes qui le portaient s'écrièrent : « Saint-Peter, avale encore un verre ! » Il répondit d'une voix rauque : « Quand il a à boire, le saint part pour la gloire ! » Après quelques échanges de rimes, Peter rejeta la tête en arrière, plaça la bouteille à une trentaine de centimètres de son visage et versa l'alcool de prune. Le liquide couleur de diamant aspergea sa bouche, son menton, son cou et sa chemise blanche, et personne n'aurait pu dire s'il était mouillé d'avoir bu ou d'avoir sué. « Hourra pour Peter ! Sacré Saint-Peter, ne mets pas tout par terre ! Rien ne te désaltère, sale cogneur de mégères ? »

La popularité de Peter parmi les paysans força le respect d'Ivan – quoique, dans ces petits villages, même le barman est une célébrité. L'accordéon déchira de nouveau l'air de sa longue plainte, la basse suivit, atténuant la douleur, et un autre *kolo* se forma, qui se mua vite en un nouveau tourbillon. Peter resta à l'écart ; sans le soutien des autres danseurs, il chancelait. Ivan lui fit signe de la main, Peter tituba jusqu'à sa table, faillit manquer la chaise, et s'assit. Ivan ne l'avait pas vu depuis deux ans ; incapable de repousser encore son service militaire sous prétexte qu'il étudiait, comme il l'avait fait pendant huit ans, Peter avait dû s'enrôler.

Le chêne vieilli de la table vibrait au son de la basse, titillant agréablement les os d'Ivan. D'une pichenette, Ivan expulsa une Chesterton de son paquet. Peter attrapa la cigarette, en mouilla le bout, et la glissa entre ses lèvres. Ivan gratta une allumette. Peter saisit son poignet et, tout tremblotant, joignit la flamme à la cigarette.

Le rougeoiement de l'allumette éclaira le visage de Peter par en dessous, ses narines brillèrent comme des bougies d'Halloween dans une citrouille, ses paupières s'allumèrent tandis que son front restait dans l'ombre. Il se cala dans sa chaise et tira si goulûment sur sa cigarette que le bout incandescent brilla comme un feu rouge. Il toussa et s'exclama :

« Putain de soleil ! » S'ensuivirent d'autres jurons locaux tournant autour des planètes et des systèmes célestes. Les saints ne furent pas oubliés. Quand il eut retrouvé son calme, il demanda à Ivan de chasser sa toux en lui frappant dans le dos. Ivan n'y alla pas de main morte. « Plus fort, ordonna Peter. Un foutu p'tit diable joue dans mes bronches. Fais-le sortir ! » Les coups d'Ivan redoublèrent, à s'en tordre le poignet. « C'est mieux, concéda Peter. Et comment vas-tu, nom de Dieu, je ne t'ai pas vu depuis le berceau.

— Et quand on faisait de la musique, il y a deux ans, ça ne compte pas ?

— Je veux dire que ça semble si loin, comme la petite enfance. »

L'haleine de Peter exhalait des bouffées d'anchois et d'acide gastrique. « J'ai chopé un rhume dans ce foutu train, les fenêtres étaient ouvertes. J'ai chanté dans le vent et, tout d'un coup, mes boyaux ont presque explosé. J'ai cru qu'ils me remontaient dans la gorge, et quand ce truc rose et puant est sorti, j'ai pensé que c'était mes entrailles. J'ai vomi par la fenêtre et dans tout le compartiment. J'ai déménagé dans un autre. Puis j'ai ronflé pendant je sais pas combien de temps. Mais j'ai trop dormi et, au lieu de descendre à Banova Jaruga, je me suis réveillé trois cents kilomètres plus loin, à la frontière autrichienne. Ha, ha, ha, ha ! » Il se remit à tousser et Ivan dut de nouveau intervenir pour qu'il reprenne son histoire.

« Alors me voici, impatient de retrouver mes frères, mes sœurs, mes amis et mes parents, ronflant mon chemin tout le long jusqu'à l'Ouest ! Quand un policier m'a tapé sur l'épaule et demandé mon passeport, j'étais prêt à obtempérer. J'ai fouillé mes poches, oubliant en fait que je n'avais jamais eu de passeport. J'ai cru qu'il s'agissait d'un policier militaire et qu'il allait me jeter en prison pour avoir déserté

122

– je ne me souvenais pas non plus que j'avais été démobilisé. Il m'a escorté hors du train. On pouvait voir des éclaboussures de mon vomi sur le côté du train, sur les dix wagons. J'étais vraiment fier de moi. Le policier m'a interrogé. J'ai essayé d'être cohérent, et j'ai cru que le secret de la cohérence consistait à se lancer dans de longues phrases où l'on jette pêle-mêle tout ce qui nous traverse l'esprit et tout ce qui traverse l'esprit de l'autre. Un préposé a tapé tout ça à la machine, avec deux doigts, comme deux petits pics-verts. Impossible de les voir, sauf lorsque je m'arrêtais pour chercher un mot ; là, les doigts restaient suspendus au-dessus des touches, pointant vers le bas comme pour dire : "C'est là que ça se passe !" Il fallait que je me retienne pour ne pas aller voir ce qui était écrit sur la page, il aurait pu me devancer un peu et me souffler un indice sur ce que je devais dire. Son nez pointait lui aussi vers le clavier.

« J'aimais bien débiter la moindre bêtise qui me traversait l'esprit en sachant que ce gars allait tout taper à la machine. Ça m'a pris un moment avant d'avouer que j'étais complètement perdu. Puis je me suis endormi dans le train qui me ramenait. Quand je me suis réveillé, j'avais les oreilles qui bourdonnaient comme un essaim d'abeilles, et j'avais mal aux yeux. Et là, mon ami… » Peter se redressa sur sa chaise, parla moins vite : « Je me suis rendormi après Zagreb… et je suis encore passé tout droit à Banova Jaruga. » Il recracha plusieurs ronds de fumée.

Il attendait la réaction d'Ivan et ne prononcerait plus un mot avant de l'avoir obtenue. Il avait la bouche ouverte, et la courbe de ses lèvres commença à former une grande oreille au milieu de son visage. Comme saint Pierre, qui brille dans les Évangiles avec son oreille fétiche, celle coupée au pharisien, Peter voulait qu'on lui prête l'oreille.

Ivan avala une gorgée de bière, perdant tout intérêt pour

le récit de son ami. Un paysan nommé Bozho se leva avec un verre et le lança contre le mur, visant la pancarte CHAQUE VERRE CASSÉ, 5 000 DINARS. « C'est pas beaucoup, cinq mille, cria-t-il. Tout ce plaisir pour si peu. Et vaut mieux s'acheter un peu de plaisir aujourd'hui, avec l'inflation, il n'en restera plus grand-chose demain ! » Et il balança un autre verre sur le mur. Le policier ne lui prêta aucune attention, tout occupé qu'il était à couver d'un œil mélancolique Svjetlana… trop fière pour regarder qui que ce soit.

« Au diable les verres, ils ne servent à rien, pas même à boire ! » Bozho envoya valser un autre verre qui s'écrasa sous le portrait de trois-quarts d'un Tito au visage austère, lisse, qui ne cilla même pas quand le verre éclata en mille morceaux. « Bravo ! hourra ! » l'encouragèrent les fêtards. Un serveur tenta d'intervenir, mais le patron l'arrêta. « Laisse tomber ! Il finira bien par se fatiguer ! » Et le patron continua à tenir le compte précis des verres cassés.

Quelqu'un poussa vers Bozho une table pleine de verres et de bouteilles vides. Il s'empara d'une bouteille d'eau-de-vie et en vida les dernières gouttes dans son gosier. Puis la bouteille explosa contre le mur. Le portrait du défunt président trembla un peu, mais ne cilla toujours pas. Tito continuait de fixer un horizon indiscernable derrière les paysans, sans doute celui de l'avenir. Un mouchoir blanc parfaitement plié dépassait de la pochette gauche de sa veste, là où ordinairement on accroche les médailles, comme s'il eût été le maître d'hôtel d'un établissement multiétoilé et que l'avenir qu'il avait en tête pour les Slaves du Sud et les Albanais était une gigantesque taverne où toutes les nations trinqueraient à sa santé, lui, le super-serveur. Et cet avenir était enfin là. Tito les regardait de l'au-delà, dans leur soûlographie.

Bozho catapulta un autre verre qui atterrit en plein sur la pancarte CHAQUE VERRE CASSÉ, 5 000 DINARS. « Et c'est combien pour chaque pancarte cassée ? » Il regarda le tas d'éclats de verre sur le sol, ses bottes de caoutchouc souillées et son manteau aux manches élimées, et parut alors comprendre qu'il était trop pauvre pour ce sport. Il s'ébroua et décocha un autre verre sur la pancarte, puis un autre, de plus en plus vite, au rythme du *kolo,* qui continuait sans danseurs, plus vite et de plus en plus intense. Le bruit du verre brisé se mêlait à la musique, comme une percussion emphatique. Bozho maudit les étoiles, les cochons, les ânes et les membres du gouvernement.

Un paysan l'attrapa et le traîna vers une table. « Ça suffit, t'en as assez fait ! » Bozho tituba dans un coin où il se mit à pleurnicher, et finit par s'endormir, le front posé sur ses avant-bras croisés et le nez dans un cendrier orange.

Le *kolo,* créature dotée de plusieurs vies, s'échauffait en tournant lentement. Une fumée épaisse s'élevait des tables, formant un nuage stérile duquel aucune pluie ne tomberait jamais. Le nuage serpentait doucement autour de la salle, comme un long foulard de soie bleue dans la brise, ou comme une vague abstraite qui aurait perdu son eau, mais gardé sa forme de vague fantôme. Le pub était un aquarium rempli d'humains au lieu de poissons, reflet du ruisseau qui coulait derrière l'auberge.

Peter alla chercher deux verres de slivovitz. Ivan dodelinait de la tête, l'air endormi. Peter lui tapa sur l'épaule et leva son verre : « *Na zdravlje !* » Ils se regardèrent droit dans les yeux, comme le veut la coutume – ne pas regarder quelqu'un dans les yeux en trinquant peut être perçu comme une insulte que l'on doit laver dans le sang, du moins dans un bar serbe. Non pas que ces deux-là en fussent venus aux mains, mais cette coutume est aussi puissante que celle qui, par exemple, nous somme de fermer les yeux pendant une prière ou de nous lever pendant un hymne national. Les paupières d'Ivan étaient lourdes de fatigue.

Peter se joignit à la mêlée dansante et se retrouva dans les bras de Svjetlana, qui bougeait avec l'élasticité d'une danseuse du ventre et le regardait dans les yeux avec un air de défi. Le flic éconduit abandonna la danse et partit bouder dans son coin. Svjetlana quitta alors sèchement Peter pour aller le retrouver.

Peter retourna à la table. « Ah oui, où en étais-je ? Hum ! Putain de soleil, où est-ce que j'en étais ? Ah oui, c'est justement ça : je ne savais pas où j'étais. J'avais encore dépassé mon arrêt et, quand je me suis réveillé, je suis volontairement resté dans le train jusqu'à la gare suivante, et j'ai apprécié chaque kilomètre à partir de là – le plaisir de la négligence délibérée, ou d'en avoir rien à foutre ! Je ne sais pas comment c'est avec toi, mais, pour moi, ce sont des moments de grande liberté. »

Comme pour illustrer son propos, Peter recracha un rond de fumée parfait. « Hé, tu vois ça ? Un halo : d'abord ils sont petits et bien ronds, puis ils grandissent et perdent leur perfection. Comme la vie ! Tu grandis, tu grossis, tu accumules des biens, et puis tu pars en couille ! Tu sais faire des ronds de fumée ?

— Non, j'ai jamais su. Je ne fume pas.

— Tu ne fumes pas ? Mais tu viens de griller un demi-paquet de cigarettes !

— Oh, ce soir, c'est une exception. Je fais ça lors d'occasions spéciales, habituellement quand quelqu'un meurt.

— À chaque soir son exception. Tu devrais fumer, juste pour le plaisir de faire des ronds de fumée. Regarde, c'est facile…

— Je sais, mais ce n'est pas mon truc. »

Peter arrondit les lèvres, sa langue pointa hors de sa

bouche, comme une tête fureteuse à travers une fenêtre, puis s'y replia tout aussi vite. Un rond de fumée fila droit dans les yeux d'Ivan, et il les frotta. Il sortit son éventail d'Indira Gandhi et l'agita.

« Ça, mon vieux, c'est le genre de truc que tu imagines dans les mains d'une prostituée jouant dans un film exotique. T'es devenu homo ou un truc du genre ? Maintenant que j'y pense, je t'ai jamais trop vu avec des femmes.

— Indira Gandhi m'a donné cet éventail.

— T'es dingue !

— Je te l'ai déjà raconté. Sais-tu qu'elle est morte ?

— Qui s'en soucie ?

— Un milliard d'Indiens et moi.

— Quand j'étais en forme, je pouvais souffler les anneaux olympiques. » Peter cracha encore plusieurs ronds qui fusionnèrent avec les longues bandes de fumée soyeuse qui paraient la nudité de la salle. L'écharpe de fumée flotta vers les danseurs et fut aspirée dans le vortex de la ronde.

« Ah oui, j'étais dans le train, enchaîna Peter. Et je suis descendu à Brod. Le contrôleur du train m'a dit qu'il me fallait un nouveau billet. Et je ne pouvais pas nier que j'avais déjà fait le voyage. Je lui ai dit de me laisser monter, que je le méritais, que ce n'était pas ma faute si j'étais bourré, mais celle de l'armée. On s'est disputés, et je me suis endormi de nouveau, et j'ai encore raté la gare. Je suis descendu à la suivante et, cette fois, j'ai marché jusqu'à la maison.

— Les trente kilomètres ?

— Et pourquoi pas ? Je retardais mon retour. La maison, c'était la liberté comparée à l'armée. Et maintenant, regarde autour de toi ! Des imbéciles qui dansent et qui boivent, comme si la fin du monde était pour demain. Je sais même pas ce que je fais ici. Je devrais être à la maison et terminer mes études. Tu sais de quoi je parle, non ? »

Peter agita la main et le serveur inclina sa tête gominée. Ivan pouvait déterminer l'épaisseur et l'écartement des dents de son peigne juste en regardant les sillons parallèles de ses cheveux.

« Apporte-nous deux slivovitz », ordonna Peter.

Un uniforme bleu surgit du nouveau *kolo*. « Ils viennent encore ici, dit Ivan. Je ne suis même pas sûr qu'ils sont de faction. Ils gardent l'uniforme pour les filles qui aiment ça. Une fois qu'on est tous ravagés, ils arrivent ici tout frais et écoutent ce qu'on gueule, l'écrivent probablement sur leur carnet… et après ils fondent sur les filles, comme des charognards.

— Beaucoup de gens aiment l'uniforme.

— Beaucoup, oui, acquiesça Ivan. Tous les ans, Saule Pleureur et d'autres villages serbes perdent un tas de jeunes hommes qui se pendent à un noyer ou se font sauter la cervelle avec le vieux fusil de grand-père parce qu'ils ont été refusés dans l'armée.

— Vieux fusils ? Tu rigoles ? Ils ont tous les derniers AK et Uzis, et certains d'entre eux ont même des canons dans leur grange. Cela étant dit, tu as raison. Mais les Croates, eux, rentrent à la maison en chantant s'ils sont réformés. J'aurais chanté aussi. J'ai tout essayé pour me faire virer de l'armée. J'ai simulé l'hypertension – j'avais deux cents sur cent. On m'a envoyé dans un hôpital militaire où des infirmières me réveillaient au milieu de la nuit pour m'attacher des bandes élastiques de caoutchouc froid autour des biceps. Après cinq nuits, ma tension est revenue à la normale. »

Svjetlana avança sur la piste de danse, en parfait équilibre, comme si elle portait sur la tête une cruche d'eau. Le visage de Peter se contracta et ses yeux injectés de sang la suivirent. La foule chancelante s'ouvrit devant elle.

Peter ne perdit pas le fil de son monologue. « On m'a mis

à l'isolement dans une cellule pour avoir tiré au flanc. Et puis on m'a envoyé à la frontière albanaise. Dès qu'il y avait une tempête de neige, j'étais de garde toute la nuit. Et tous les flics et les officiers étaient serbes. Ça m'agaçait. Comprends-moi bien, je ne suis pas nationaliste, c'est même pour ça que je ne supporte pas le nationalisme. Cantonner une armée serbe dans une province albanaise, c'est choquant. Les gradés me faisaient nettoyer les chiottes parce que je suis croate. Et regarde à Nizograd, les Croates sont majoritaires, et pourtant la police est serbe. Merde ! Tout le monde s'en fout de toute façon. On est tous mélangés ici. La nation, c'est comme la religion, il faut que tu y croies… Et moi, j'y crois pas !

— La Yougoslavie a toujours été la Serboslavie, et alors ? Tu n'y es pas encore habitué ? De quoi te plains-tu ? Fais-toi serbe, si ça te plaît. Et puis, si tu n'aimes pas les officiers serbes, tu aurais pu entrer à l'école militaire, ou à l'académie de police, et monter en grade pour leur faire concurrence. Regarde le général Kadijevic, il est en grande partie croate. »

Peter observa les danseurs en se fouillant le nez avec le pouce.

« Si tu détestes les flics et l'armée, comment peux-tu accepter qu'un policier danse devant toi avec une jolie fille ? » lâcha Ivan. Cette vision l'irritait, mais il n'avait pas l'intention de s'en mêler.

Peter avala une grosse gorgée et regarda Svjetlana virevolter avec le flic. Ce n'était plus un *kolo,* mais une sorte de danse à deux.

« Qu'est-ce qu'elle fait avec ce type ? demanda Peter.

— Ils sont fiancés », répondit Ivan.

Peter gonfla la poitrine, puis expira un énorme nuage de fumée. À la première interruption de la musique, il se rua sur la piste, s'interposa entre le policier et Svjetlana, et prit les mains de la jeune femme dans les siennes. Elle rougit et afficha un air désolé en regardant le flic, qui resta bêtement planté là, à fixer le bouton de sa chemise sur son ventre gonflé de bière.

Peter fit tournoyer Svjetlana autour d'un axe invisible, puis la souleva et la fit tourbillonner comme un derviche soufi. Le couple n'était plus qu'un nuage incandescent. Quand elle retomba, sa jupe s'ouvrit comme un parachute et se referma en touchant le sol. Entre deux morceaux de musique, Svjetlana et Peter riaient, rayonnant de plaisir. Elle ne jeta pas un seul regard vers le policier.

Soudain, celui-ci bondit vers les danseurs et, sur sa lancée, envoya son poing dans le cou de Peter, qui riposta aussitôt en lui boxant le nez. Les coups se mirent à pleuvoir de part et d'autre, puis le flic sauta en l'air pour frapper Peter, usant d'une technique de combat orientale. Mais il fut trop lent. Peter fit un pas de côté et saisit la jambe de son adversaire comme il l'eût fait du bras d'une partenaire de danse pour la faire tournoyer : il la tira vers le haut, le policier bascula et sa tête s'écrasa avec un bruit sourd sur le plancher d'érable.

« Les jambes, hein ? Foutu tonneau de bière ! » Peter envoya son pied dans l'estomac du policier. « Si je te trouais le lard, il en coulerait une fontaine de bière ! »

Le vaincu se recroquevilla sur le sol. Peter le saisit par les oreilles et le tira, souillant son uniforme bleu sur le plancher graisseux, le déchirant sur quelques têtes de clous qui dépassaient. Il le traîna jusqu'au bas de l'escalier du Repaire de la truite.

Puis il retourna dans l'auberge, arrangea sa chemise, la rentra dans son pantalon et cria : « Musique ! Je veux encore de la musique, avec un chanteur. Et à boire pour tout le monde !

— C'était plutôt impressionnant, admit Ivan.

— Bof, c'est rien ! » Peter s'interrompit, le temps de

reprendre son souffle. « Quand je tenais mon bar, j'ai dû apprendre quelques techniques de videur. Je n'aurais jamais pu m'en payer un. De toute façon, je pense qu'aucun bar de Nizograd n'emploie de videur. Pour ça, il faut aller à Zagreb. À plus tard. »

La musique reprit, hésitante, comme pour une répétition. Les musiciens regardaient la porte. Peter et Svjetlana étaient seuls à danser. Au début, la jeune femme était toute pâle, mais ses joues reprirent vite des couleurs. Ils dansaient comme si de rien n'était. Après tout, les bagarres n'avaient rien d'inhabituel, et il se pouvait très bien que Peter et le flic finissent la soirée à chanter, bras dessus bras dessous – enfin, de telles choses arrivaient parfois.

Sur la scène, une chanteuse poussait la complainte, outrageusement maquillée, les cils englués formant des traits pareils aux rayons d'une étoile. Ses seins, dont on voyait presque les mamelons, oscillaient au rythme lent de son corps, son ventre gonflait sa jupe à l'en faire éclater. Une force primale exsudait de tous les pores de sa peau, se diffusant dans sa voix langoureuse.

De grâce, que les tavernes closent, que ma pauvre âme repose.
Ma vie, hélas presque en hiver, et j'ai même pas de Land Rover.
Fermez ces auberges enfin, pour le salut de mes cousins.
Barricadez les whisky-bars, moi c'est dès mars que je me barre.
De grâce, que les tavernes closent, que mon âme errante repose !

Les yeux de la chanteuse se fermèrent, et les spectateurs, hommes et femmes, poussèrent des cris aigus. Il y en avait qui sanglotaient, les yeux fermés, d'autres jetaient des verres avec des gestes si las que tous ne se cassaient pas.

La porte s'ouvrit lentement, le flic tituba à l'intérieur, le visage tuméfié, l'œil enflé, le nez en sang. Dans cette communauté aux yeux clos, personne ne remarqua sa présence. Peter et la femme dansaient, soudés comme des morceaux de plomb fusionnant au-dessus d'une flamme. Une détonation claqua, et la balle toucha le flanc de Peter. Il fut secoué et son bras lâcha la taille de Svjetlana. La musique s'arrêta. Des jets de sang jaillirent, au rythme de son cœur.

Il sourit comme s'il passait un bon moment. Le flic hésita, jeta un regard autour de lui et tira dans la lampe au-dessus de sa tête, plongeant la salle dans la pénombre. Une bouteille s'envola et heurta sa tête de plein fouet. Il s'effondra, inconscient. Quelques minutes plus tard, il ronflait. De la vapeur montait du corps de Peter, pareille à celle qui s'élève du dos d'un cheval sous une pluie froide.

Debout, Ivan observait la scène, fasciné par le mal absolu qui émanait de ce meurtre obscène. D'autres personnes allaient-elles se mettre à tirer? Y prendrait-il part en balançant des chaises? Quelques policiers traînèrent leur collègue jusqu'à une table et l'arrosèrent d'eau pour le réveiller.

Ivan était si stupéfait qu'il hoquetait et avait du mal à respirer. Il sortit marcher dans le vent et frissonna. Est-ce que je l'ai encouragé? Il se sentait abattu, tellement triste pour son ami. Une ambulance arriva. Aidé de Bozho et de deux autres hommes, Ivan porta Peter. Chacun ayant saisi un membre, Ivan attrapa la jambe gauche. Ils le déposèrent sur la civière pendant que le médecin, le chauffeur et une infirmière, blottis l'un contre l'autre, partageaient la flamme d'une allumette pour allumer leurs cigarettes. Ce n'est qu'après les avoir fumées jusqu'au mégot qu'ils remontèrent dans l'ambulance et partirent, sans gyrophare ni sirène.

CHAPITRE 14

Où la Croatie devient
une république bananière
après une guerre du foot

Des incidents comme le meurtre de Peter étaient désormais banals. Des matches de football entre Serbes et Croates dégénéraient parfois en bagarres générales, et la police intervenait souvent pour protéger les partisans serbes en Croatie, matraquant allègrement les supporters croates. Après un match opposant le Dinamo de Zagreb à l'Étoile rouge de Belgrade, les joueurs s'étaient eux aussi jetés dans la mêlée. Zvonimir Boban, capitaine du Dinamo, avait sauté sur un policier qui bastonnait un partisan croate.

Entre une armée yougoslave, qui soutenait activement Milosevic et son projet de grande Serbie, et une police serbe prête à ouvrir le feu dans toutes les républiques de Yougoslavie, Ivan ne se sentait pas en sécurité. Des Serbes auraient pu entrer chez lui et l'égorger ; pour eux, c'était un Croate, même s'il ne se sentait pas croate. Sur le plan fondamental de la survie, cette menace le réduisait à son statut de Croate. En dépit de ses théories sur le penchant des Slaves à l'abstentionnisme, il vota pour l'Union démocratique croate, qui promettait une vigoureuse défense du territoire. Il n'alla toutefois pas jusqu'à devenir membre de l'UDC – voter sans appartenir à aucun parti revenait à ses yeux à affirmer son individualité.

Mais alors que la Croatie était sur le point de se doter de sa propre police, il fut enrôlé dans l'armée fédérale yougoslave. Un officier portant des lunettes aux verres épais et sales, en qui Ivan reconnut le « preneur de notes » du Cellier, débarqua un jour chez lui avec deux soldats. Ivan, qui n'était plus tout jeune, fut conduit comme un prisonnier vers un vieux camion kaki où il prit place parmi trente jeunes hommes croupissant, l'air maussade, dans les vapeurs de diesel.

Dans l'armée, Ivan se réveillait beaucoup plus tôt qu'il ne l'aurait voulu et ingurgitait des quantités insensées de fayots et de lard. Il devait crapahuter chaque jour une quinzaine de kilomètres, et son dos le mettait un peu plus au martyre à chaque pas.

Pendant ce temps, la Croatie et la Slovénie déclaraient leur indépendance. La guerre éclata bien vite et Ivan fut envoyé en Croatie combattre la nouvelle armée locale.

Près de Vukovar, ville contrôlée par les Croates, Ivan et Nenad, le barman de Nizograd qui combattait tout à fait par hasard dans la même unité que lui, restaient assis sur leurs lits, seuls. La continuelle stridulation des criquets et le chant des grenouilles dans un étang lointain, portés par les vents humides, se noyaient dans le pavillon de l'oreille d'Ivan, lui écorchaient le tympan, rebondissaient sur la cochlée et, par la trompe d'Eustache, coulaient dans sa gorge, où il n'arrivait pas à les avaler tant ils étaient épais du sang des prisonniers massacrés la veille dans les marécages. La protection qu'offrait l'armée fédérale yougoslave aux bandes de terroristes tchetniks, comme celle que commandait Arkan, le criminel recherché par les polices du monde entier, lui donnait la nausée. Alors qu'Ivan déambulait autour des baraquements, la chemise et les chaussettes collées à la peau par la transpiration, son corps fut parcouru de frissons en dépit de la chaleur, comme s'il voulait se débarrasser de ses vêtements, de sa sueur et même de sa peau pour retrouver le monde immaculé de son imagination, sauf qu'il était incapable d'imaginer quoi que ce soit de propre et de frais.

« Nenad! dit Ivan, faisant sursauter son camarade. Il va pleuvoir. » Il éclata de rire, même s'il était difficile de rire avec la boule qu'il avait dans la gorge. « Tu as les nerfs à vif. T'inquiète pas, les miens le sont aussi. »

Nenad alluma une cigarette.

« Écrase-la, ordonna Ivan. Tu ne peux pas fumer la nuit.

— C'est ma dernière. C'est ce gars hier soir qui me l'a donnée.

— Tu n'aurais rien dû accepter de lui. Il s'est vanté d'avoir fracassé les têtes de… »

Ivan arracha la cigarette des lèvres de Nenad et l'écrasa de sa botte dans le crissement sablonneux du ciment.

« Salaud! s'exclama Nenad. Si j'avais pas si sommeil, je te casserais la gueule!

— J'en doute. Tu n'as aucun courage. Si tu en avais, et si j'en avais, comment expliquerais-tu que nous restions dans cette armée ridicule? »

Un éclair bleu zébra silencieusement l'air humide.

« Et où irions-nous? Ils fusillent les déserteurs. »

Au loin, une locomotive à vapeur lança son cri rappelant celui du hibou privé de compagne. Puis une série d'explosions résonnèrent si fort que les casseroles s'entrechoquèrent dans les armoires.

Au matin, la pluie battante décrochait les feuilles des hêtres et des chênes. Les gouttes faisaient gicler la boue. L'humidité charriait des odeurs de champignons vénéneux et de vieilles feuilles, pas seulement celles qui venaient de zig-

135

zaguer jusqu'au sol, mais celles de l'année précédente et des milliers d'années avant elles, avec leurs effluves de mousse et de moisissure pleins de toutes ces vies anciennes enfouies sous la terre, mais aussi de ces vies nouvelles jaillissant de l'eau trouble et des œufs souillés – escargots, grenouilles, vers de terre. Quand la pluie faiblissait, les feuilles s'affaissaient et le vent froid les agitait, et l'eau continuait de couler en grosses gouttes gluantes qui pendaient, de plus en plus lumineuses, avant de tomber sur les hommes, s'insinuant le long de leurs cous velus, sous leurs chemises. La plupart des soldats restaient sous leur tente kaki, mais quelques-uns, comme Ivan, s'étaient assis sous un chêne. L'eau assombrissait l'écorce. Ivan se demanda pourquoi celle des chênes était craquelée ; l'écorce des hêtres s'étirait comme du caoutchouc, mais celle des chênes, hirsute, se déchirait.

Ivan essaya d'allumer une cigarette mouillée. L'extrémité rouge et sulfureuse de l'allumette laissa des traînées sur la bande rugueuse de la boîte humide et tomba dans une grosse empreinte de botte pleine d'eau. Le bout de l'allumette se tut, et une petite grenouille jaillit, jeune, brune et joyeuse. Ivan cracha dans la flaque, plissa les lèvres, fit un pied de nez, se frappa les yeux avec les jointures (sous la voûte profonde de ses sourcils), mais il n'y avait rien à faire : il n'arrivait pas à stimuler sa vigilance.

Presque toutes les nuits, les Yougoslaves bombardaient Vukovar à coups de mortiers, de tanks et de canons, visant tous les sites où pourraient se cacher les combattants croates. Mais ils tiraient aussi au hasard, sur les maisons de civils.

« Ne vous souciez pas de l'endroit où vous tirez, leur expliqua le capitaine. Ce ne sont que des Croates, des enfants oustachis, des parents oustachis, des grands-parents oustachis. Ils ne changeront jamais, et ils adoreraient vous faire la même chose. Si vous ne les anéantissez pas, ils vous anéantiront. » Il parlait en agitant sa chevelure argentée et ébouriffée et en clignant rapidement de ses yeux surmontés d'épais sourcils bruns.

La moitié des canons ne fonctionnaient pas parce qu'ils étaient rouillés et que les soldats avaient oublié de les graisser. Et quand ils ne tiraient pas, les militaires jouaient aux cartes ou regardaient des pornos américains sur des magnétoscopes qu'ils branchaient aux batteries des chars d'assaut. Et ils chantaient :

> *Ô mon premier amour, ma Slave avec du poil autour ?*
> *Qui que tu pelotes ou tringles,*
> *N'oublie pas de graisser ton flingue.*
> *Ô ma première haine, me voilà seul avec ma peine.*

Ivan méprisait toutes ces chansons et se demandait pourquoi elles tournaient presque toutes autour du premier amour, de l'amour perdu, pourquoi tant de nostalgie ? Son premier amour à lui avait été un truc de gamin. En fait, l'enfance avait peut-être été le seul moment authentique de son existence, celui sur lequel se greffaient toutes les autres expériences, comme des pommes que l'on grefferait sur un prunier et qui pousseraient toutes rabougries.

Enfant, il avait eu le béguin pour Maria. Un début d'après-midi d'hiver tout bleu, avant de partir pour le bal du Nouvel An, il avait posé ses chaussures sur le poêle pour les réchauffer avant d'aller se raser à la salle de bain, même s'il n'avait pas encore besoin de se raser. La semelle de caoutchouc de ses chaussures brûla et, comme c'était sa seule paire, il les mit pour aller danser. En attendant Maria, en haut des escaliers, Ivan enfonça les ongles de ses index dans la chair entourant ses ongles de pouces, et quelques gouttes de sang coulèrent sur les dalles ocre du sol.

Il avait suivi Maria dans le gymnase où le bal avait commencé. Ses cheveux sentaient la camomille. Il lui marcha sur les pieds et, pour éviter que cela ne se reproduise, s'éloigna d'elle. Ses amies chuchotaient. Il lui sembla qu'elles ricanaient de ses semelles fondues. Il sortit de la salle, les joues en feu.

Quelques jours plus tard, il avait discuté avec Maria devant chez elle, ne cessant de lui tourner autour, réprimant son désir de la toucher et de l'embrasser. Le bout de sa langue s'accrochait dans toutes ses caries qui avaient perdu leur plombage, et il maudit les dentistes de la clinique du peuple.

Ce souvenir le faisait encore rougir aujourd'hui. Il avala une bonne rasade de rakia. Au début de la campagne, ils avaient de la bonne slivovitz, bien dorée, qui chauffait la gorge, mais là, tout ce qui leur restait, c'était cette méchante rakia toute pâle, distillée à partir d'une deuxième fermentation de raisins. Il n'y avait pas de café non plus. Le capitaine en avait vidé un sac dans la rivière. « Terminé les coutumes musulmanes qui puent. Et plus de café turc de merde ici, c'est compris ? avait-il dit.

— Mais le café vient d'Éthiopie, avait répondu Ivan en regardant des poissons bruns glisser à la surface et gober de leur bouche jaune les perles noires qui semblaient tout droit échappées du chapelet brisé des vaines prières au dieu de l'éveil.

— C'est musulman, répéta le capitaine.

— Je ne crois pas, et ça vient des Coptes aussi, qui sont très proches des orthodoxes.

— Aucune importance. Nous n'avons pas de filtres et, si tu ne filtres pas le café, c'est du café turc. Boire de la boue et se torcher le cul avec les doigts, c'est bon pour eux. Pas pour nous !

— On pourrait le filtrer à travers du papier journal, suggéra Ivan.

— Et t'empoisonner avec le plomb?

— Ça, tu y auras droit de toute façon, grommela Ivan à voix basse – pensant aux balles – afin que le capitaine, personnage irritable s'il en fut, ne l'entendît pas.

— Mais, dis-moi, soldat Ivan, quel est ton métier?

— Boulanger, répondit Ivan, certain d'être ridiculisé s'il avait répondu philosophe.

— Pourquoi pas forgeron, ou quelque chose de plus vigoureux?

— J'ai voulu devenir médecin, mais, malheureusement, j'ai dû laisser tomber mes études. Ma famille m'a convaincu que le métier de barbier était ce qui se rapprochait le plus de celui de médecin. Alors, avant de devenir boulanger, j'ai été apprenti barbier. Tout se passait très bien, jusqu'au jour où mon voisin, Ishtvan, est venu se faire raser. Je l'ai assis dans la chaise, lui ai passé un tablier blanc autour du cou, j'ai affûté le rasoir sur la bande de cuir, et lui ai enduit le visage de mousse à raser. La mousse a touché les poils d'Ishtvan, qui dépassaient de son nez d'un bon centimètre, et il a éternué. "Voulez-vous que je coupe ou que j'arrache ces poils de nez?" lui ai-je demandé. Il n'a pas répondu, mais a éternué de nouveau, envoyant de la mousse à raser dans toute la boutique. *"Gesundheit"*, ai-je dit.

— Hé! pas d'allemand ici! l'interrompit le capitaine.

— Ishtvan a éternué une troisième fois et je lui ai dit : "À vos souhaits, voisin Ishtvan. Puissiez-vous survivre à de nombreuses épouses!" Mais Ishtvan ne m'a même pas dit merci, lui pourtant connu pour sa grande politesse. Au lieu de ça, il a mis sa main devant son nez, prêt à accueillir un nouvel éternuement. Comme rien ne venait après une minute, je lui ai demandé : "Voulez-vous que je vous tape dans le dos ?" Et comme je levais la main, la sienne est tombée sur ses genoux et sa tête s'est affaissée sur le côté. Je l'ai regardé et l'ai secoué, jusqu'à ce que je m'aperçoive qu'il était mort. Je suis allé chercher sa femme, qui a accouru en disant : "Il veut raser sa moustache ? C'est pour ça tout ce remue-ménage ?" Je lui ai répondu : "Regardez-le. Vous ne voyez donc pas qu'il est mort ?" La femme a eu un hoquet et s'est écriée : "Oh ! mon Dieu ! *Wie schrecklich !*"

— Je t'aurai prévenu ! le coupa le capitaine.

— "Alors, ai-je demandé à la femme, que fait-on ? On le ramène à la maison ?

— Je vais vous dire : continuez donc de le raser.

— Mais quel bien cela lui fera-t-il ?

— Le plus grand bien, a-t-elle répondu. Il a besoin d'être rasé de frais pour la veillée funèbre." Elle a tellement aimé mon travail qu'elle m'a fait promettre de le raser deux ou trois fois encore durant la veillée, sous prétexte que les cheveux d'un mort poussent très vite. Aussitôt après l'avoir ramené à la maison, j'ai fermé boutique et me suis enfui. Pas parce que j'étais terrifié. En fait, mon calme devant la mort de cet homme que je rasais m'a tellement étonné que j'ai pensé que j'étais destiné à la médecine. Sur le chemin de la maison, j'ai vu une pancarte à la boulangerie : APPRENTI DEMANDÉ. C'est comme ça que je suis devenu boulanger.

— Mouais ! réfléchit le capitaine. En d'autres mots, tu as déserté ! Très mauvais signe. »

Ce soir-là, dans l'air sec et limpide, l'esprit était à la fête. Un troupeau de cochons sans maîtres dévala de la colline, fous comme les cochons possédés par le démon qui coururent dans la mer de Galilée et s'y noyèrent. Les soldats en abattirent quelques-uns. Il fut difficile d'allumer un feu à cause du bois mouillé. Puis Nenad eut l'idée de débarrasser les porcs de leur gras : il brûlerait comme de l'essence. Une fois la graisse répandue dans les branches, le feu prit avec une telle intensité qu'il projeta dans l'air un nuage de fumée et de vapeur, et le porc fut à la fois grillé et fumé. Les soldats s'en mirent plein la panse, trempant leur pain dans la graisse qui dégoulinait dans les gamelles et buvant de la slivovitz. L'un d'eux aperçut des coulées d'or et d'argent sur les flancs d'un animal en train de cuire. Dans son estomac, on trouva des doigts humains ornés de bagues, des colliers portant des crucifix et des bridges en or. Affamés, les porcs avaient ainsi dévoré leurs propriétaires assassinés. Il coulait de telles quantités de graisse que les soldats ivres cirèrent leurs chaussures et graissèrent leurs fusils avec. Ils festoyèrent pendant quatre jours.

Un matin, Ivan s'assit au soleil sur un rocher et lut le Nouveau Testament qu'il avait volé dans un village abandonné, sur le chemin de Vukovar ; après avoir tant douté, il s'était de nouveau tourné vers la religion, comme souvent dans les moments de peur. Le capitaine lui arracha le livre des mains. « Comment peux-tu être si mesquin ? On aurait pu allumer le feu avec ton livre ! Regarde comme ces pages sont soyeuses ! » Il en tâta une entre le pouce et l'index. « Superbe papier anglais, n'est-ce pas ? Parfait. Je l'utiliserai pour rouler mes cigarettes. » Il arracha une centaine de pages et jeta le reste dans les braises rougeoyantes, sous un porcelet. Le papier s'embrasa, et les flammes bleues viraient au rouge quand tombaient des gouttes de graisse. Ivan prit une pierre dans sa main. Quand le Nouveau Testament eut fini de brûler, les cendres en avaient conservé la forme ; Ivan voyait entre les fines pages le cœur rose de l'ouvrage. Une légère brise souleva les pages de cendre, les tournant comme si elle cherchait les versets qui la guideraient et lui diraient où souffler ce jour-là. Puis une grosse goutte de gras tomba sur le fantôme du Nouveau Testament, perçant un trou en son centre. Le papier infiniment fin, transparent et gris s'éleva et flotta au-dessus du camp, ses lettres millénaires se désagrégeant dans l'air.

La fête prit fin quand les mots bibliques se furent éparpillés à travers tout le camp, tombant silencieusement sur le sol piétiné. Les Croates détruisirent une douzaine de chars d'assaut en une seule journée. Quarante soldats de l'armée yougoslave moururent sur le champ de bataille.

Des compagnies entières venues de Nis et de Sabac, en Serbie, désertèrent. Mais celle d'Ivan tint bon. L'armée était pour lui l'endroit le plus sûr. En dépit de quelques revers, il ne risquait rien à assiéger avec vingt mille hommes bien armés une ville dont la garnison ne dépassait pas les deux mille têtes. Ils auraient dû prendre cette ville en une journée. Il ne comprenait pas ce qu'ils attendaient, se contentant de lancer des milliers d'obus chaque nuit. Que feraient-ils ensuite d'une ville dévastée, d'un amas de briques pulvérisées? Mais quand les chars d'assaut se mirent à avancer, les missiles à guidage thermique en détruisirent un grand nombre.

À la mi-novembre toutefois, l'étau serbe enserrant Vukovar paraissait infranchissable. Zagreb n'avait pas ravitaillé Vukovar depuis des semaines. Les Serbes ne laissaient passer aucune ambulance des Nations Unies de peur qu'on tente d'y cacher des armes. Les Croates n'avaient plus rien à manger ni aucun missile à guidage thermique. Les tanks et l'infanterie ne cessaient de progresser et prirent une banlieue de Vukovar. L'armée fédérale yougoslave avançait, poussant devant elle, à la pointe du fusil, des Croates, des Albanais et des combattants musulmans – les tireurs croates de Vukovar épuiseraient ainsi leurs munitions en tirant sur les leurs. Venaient ensuite les unités de réserve de l'armée fédérale, dont Ivan faisait partie, puis les bataillons tchetniks, avec leurs soldats coiffés du pittoresque couvre-chef orné de crânes et d'os. La compagnie d'Ivan progressait habitation par habitation, pâté de maisons par pâté de maisons, débusquant les proies terrées dans les caves à coups de bombes et de gaz lacrymogène. Certains habitants s'étaient réfugiés dans les égouts de la ville, où ne coulait plus d'eau. Ils vivaient là comme des rats, parmi les rats, qui attendaient qu'ils crèvent pour les manger.

Les Serbes exécutaient tous les hommes qui n'étaient plus des enfants, mais pas encore des vieillards. Ils assassinaient aussi beaucoup d'enfants et de vieillards. « Tuez-les, c'est tout, disait le capitaine. Si vous ne le faites pas, d'autres s'en chargeront. Alors qu'est-ce que ça change ? Du moment qu'il n'y a pas de journalistes. D'ailleurs, si vous en voyez un tout seul, tuez-le aussi. » Ivan descendit dans une cave miteuse et se sentit vulnérable en dépit de son gilet pare-balles. Prenant appui sur le mur humide et sablonneux, il avançait d'un pas hésitant dans l'obscurité. « Qu'est-ce que tu attends, cria le capitaine, resté en haut. Continue. Il n'y a personne. » Ivan trébucha sur les marches irrégulières d'un escalier en pierre et aperçut la silhouette d'un homme dans la lueur d'un soupirail. Le rayon de lumière lui fit mal aux yeux. L'homme sortait en silence par la fenêtre. « Arrête, ou je tire », dit Ivan. L'homme s'extirpa à reculons dans un crissement de sable. Ivan se retrouva devant un grand maigre aux cheveux formant un V sur le front et à la bouche mince entourée de profondes rides. Ivan, qui n'éprouvait pour lui ni haine ni amour, ne voulait surtout pas lui tirer dessus. Pourrait-il le sauver, lui qui ne pouvait même pas se sauver de l'armée ? « Tu as des marks allemands ? lui demanda-t-il tout de même. Donne-les-moi et je te fais sortir d'ici.

— Je n'ai rien. J'ai tout dépensé pour manger.

— Dommage !

— Si tu crois en Dieu, ne tire pas, lui dit l'homme. As-tu des enfants ?

— Peut-être.

— J'en ai deux.

— Vaudrait mieux que tu trouves de meilleurs arguments si tu ne veux pas que j'appuie sur la gâchette.

— Je suis trop fatigué pour faire mieux. Je ne suis pas un poète.

— Je ne peux pas continuer à bavarder comme ça. Lève les mains et sortons. »

Ils remontèrent les escaliers dans une lumière de fin d'automne, qui pénétrait les yeux selon un angle très oblique. « Qu'est-ce qui t'a pris tant de temps ? l'interrogea le capitaine. Tue-le. »

Ivan leva son fusil d'un geste mal assuré.

« Tu n'as jamais tué quelqu'un de ta vie, c'est ça ? demanda l'officier.

— Quelques lapins, quelques oiseaux. C'est tout !

— Il faut bien commencer quelque part. Quel genre de soldat es-tu si tuer te dégoûte ? »

Ivan se tut.

« Impossible de faire la guerre sans tuer. Ce serait comme travailler dans un bordel et rester puceau. »

Ivan était curieux non pas de savoir comment les hommes meurent, mais comment ils tuent. Et de savoir s'il était capable de le faire. S'il n'y parvenait pas, il lui faudrait quand même continuer à servir dans cette armée. Peut-être que tout irait mieux s'il rentrait dans le rang, petit rouage de la grosse machine militaire dépourvu de volonté propre. Peut-être cela valait-il mieux que d'aller à contre-courant et de se laisser gagner par la terreur du sang. Quelques-uns des obus qu'il avait tendus au canonnier avaient peut-être tué. Avaient sans doute tué. Mais il n'avait rien vu. Tuer un homme désarmé était sans doute mal. C'était mal! Comment pourrait-il en être autrement? Mais il fallait passer ce test, être capable de tuer.

Ivan n'arrivait pourtant pas tirer. Il imaginait les petits-enfants de cet homme, et tout le malheur que sa mort causerait parmi ses proches. Si les rôles étaient inversés, Ivan manquerait-il à quelqu'un?

«Tu veux une cigarette? demanda Ivan.

— Dis, tu vas pas nous jouer la connerie de la dernière volonté, hein? s'indigna le capitaine. Si tu ne tues pas cette vermine, c'est moi qui vous flingue tous les deux.» Et il souleva son pistolet. «Si tu veux devenir un bon poète, il va falloir que tu appuies sur la détente.»

Le capitaine avait donc écouté leur conversation dans la cave, pensa Ivan.

«Si tu veux devenir romancier, continua le capitaine, tu n'as qu'à le garder avec toi, tout apprendre à son sujet, le baiser et le sauver. Mais tu n'as pas le temps.»

Quelques soldats s'étaient regroupés autour d'eux pour assister à ce rite initiatique.

Ivan détestait se donner en spectacle de la sorte. Il tenta de camoufler l'agitation de sa main. Il avait le trac quand il devait s'exprimer en public, et sa main droite tremblotait dès qu'il saisissait un verre d'eau. Cela remontait en partie au souvenir très douloureux d'un oral qu'il avait passé au collège et pendant lequel il avait tremblé comme une feuille. Seul devant un groupe, il était effrayé. En ce sens, il avait avec cet homme bien plus de points communs qu'avec les soldats; ils se trouvaient tous deux à affronter le groupe. L'homme ne pouvait rien contre ça, c'était le destin. Ivan, de son côté, pouvait presser la détente. Ou non. Dans l'absolu, ne pas tirer était le bon choix. Mais, devant ces enragés, c'était le mauvais choix. Peu importe ce qu'il faisait, ou ne faisait pas, ce serait mal et cela se retournerait contre lui. Peut-être n'aurait-il pas dû entretenir l'illusion qu'il avait le choix. En réalité, sa faiblesse ne lui laissait pas d'alternative. Il respira profondément, comme s'il sentait venir une crise d'asthme.

Cet homme peut-il voir en moi ? Ivan pensait que tout le monde voyait en lui, à travers ses tripes toutes minces. Les genoux de l'homme tremblaient. Ses pantalons verts pendaient, et une tache d'urine s'y dessinait, de plus en plus grande. Cela rappela à Ivan ce douloureux épisode de son enfance où, à cause de sa terreur des chevaux, il s'était chié dessus devant toute une garnison de l'armée. Quelques étrons, solides et d'un rouge sombre, moulés comme des quenouilles, avaient glissé sur le pavé, fumants.

Ivan pressa trois fois la détente.

L'homme s'effondra, ses yeux noisette grand ouverts tandis que le sang coulait de son cou sur les briques de la cour, une cour étroite entre deux immeubles de trois étages, envahie par le remugle d'humidité poussiéreuse montant des caves environnantes, comme si les eaux du Danube avaient ramolli l'argile reposant sous les fissures du ciment des caves ; comme si un poisson sur une berge asséchée recrachait la boue de la rivière où se mêlait un caviar jaune. Le sang ne laissait pas beaucoup de traces sur les briques rouges et inégales posées sur le sol meuble. Elles étaient simplement un peu plus foncées qu'après une averse.

Ivan toussa. Alors, ça y était. Il ne ressentit rien tant et aussi longtemps qu'il se concentra sur les détails. En état de choc, il observa des vers de terre glissant entre les joints des briques, incapables de s'enrouler. Le capitaine lui mit la main au derrière. « Bon travail ! J'avais peur que tu sois un tendre, un homosexuel amoureux des Croates, mais tu as passé le test. » Et le capitaine enfonça son doigt dans les fesses d'Ivan, qui sursauta.

« Ne m'approche pas !

— Mais regarde, tu as passé le test ! »

La musique d'un accordéon, accompagné d'une basse et d'une voix haut perchée montait d'une taverne au toit de tuiles rouges incendié. Ivan attendit un long moment avant d'y pénétrer. Le toit fuyait et des perles de vapeur condensée glissaient le long des murs, comme la sueur sur le dos d'un moissonneur. Les pieds dans leurs bottes boueuses, des soldats hirsutes dansaient un *Uzicko kolo* sur un rythme plus lent que celui de l'accordéon. Ils yodlaient pour se moquer et tiraient des coups de fusil dans le plafond. Du mortier se détachait et s'écrasait sur le sol. Ils renversaient dans leurs gosiers de la slivovitz couleur de gazole et des demi-litres de bière ambrée d'un geste si désordonné qu'une partie du liquide leur trempait le menton, la barbe, la chemise.

Ivan entendit un cri dans le garde-manger. Il ouvrit la porte d'un coup de pied et vit les fesses velues d'un homme couvrant la chair pâle d'une femme. Les lèvres d'Ivan s'asséchèrent et il fut traversé d'une étrange excitation qu'il ne sut trop comment interpréter. Était-il épouvanté ? Oui, il l'était. Était-il animé par une curiosité lubrique ? Oui, aussi. Il attrapa une bouteille d'eau-de-vie blanche sur une étagère et en avala une bonne lampée. Le liquide brûla ses lèvres gercées, mais il n'éprouva rien à l'intérieur. Le visage de la femme était tordu par la douleur et, malgré cela, Ivan fut frappé par sa beauté familière, cette peau blanche, ces sourcils noirs, ces pommettes hautes que recouvraient des mèches de cheveux bruns mouillés. Il fut d'abord incapable d'expliquer ce sentiment de familiarité ; crut un instant voir la Maria de son enfance. Puis il reconnut Selma, de Novi Sad. Il n'avait jamais remarqué que ces deux-là se ressemblaient. Et pourtant ! Il reconnut aussi l'homme, le capitaine, qui se tourna vers lui et dit : « Dès que j'ai fini, vas-y, trempe ta p'tite bite et amuse-toi. Ha, ha, ha! Tu auras reçu toute une leçon aujourd'hui. Tu sais que Staline recommandait le viol pour motiver les soldats et stimuler leur agressivité?

— T'inquiète pas pour mon agressivité », lui répondit Ivan, qui leva la crosse de son fusil et l'abattit sur la tête du capitaine. Sous le coup, celle-ci percuta celle de la femme, qui se cogna sur les marches de briques. D'un coup de pied, Ivan éloigna la tête de l'officier de celle de Selma, et lorsque la crosse frappa de nouveau le crâne du capitaine, les os craquèrent. La bouche du Serbe laissa échapper un flot de sang sur le ventre de sa victime, qui avait perdu connaissance. Ivan traîna le corps de l'homme à l'écart et recouvrit sa tête d'un sac de café vide. Que faire d'elle? Comment la protéger des buveurs du bar? Son cœur battait la chamade, ses bronches sifflaient. Il était submergé par l'émotion, comme un animal aux abois, et, comme un animal aux abois, il sentit la puissance monter en lui. Il était capable de tout.

Il examina les lèvres légèrement entrouvertes de Selma, les fines lignes zébrant verticalement la peau brillante. Elles étaient parfaitement proportionnées, crêtes jumelles d'une longue vague, une vague de sang, battue par les vents intérieurs venus du cœur et emprisonnée sous la peau fine des lèvres qui l'empêchait d'éclabousser le sable de la plage, d'éclabousser Ivan. Seule cette mince membrane, ces lèvres, séparait le plasma rouillé d'Ivan de celui de Selma.

Durant les années passées au camp de travail, il n'avait jamais cessé de la désirer. Dans un rêve, il la rencontrait au sommet pelé d'une montagne. Il est trop tard, lui disait-elle, je suis mariée maintenant. Ivan s'éloignait avec sur la tête des écouteurs où passait *Le Sacre du printemps* de Stravinsky. Le martellement des basses le faisait vibrer de la tête aux pieds et envoyait dans son crâne un bourdonnement pareil à celui qui agite une fenêtre quand des avions de chasse volent à basse altitude... puis il courait dans une forêt de conifères et, peu importe la distance parcourue, le fil des écouteurs se déroulait, et la musique ne cessait jamais de lui labourer le cerveau.

Il soupçonnait qu'elle n'avait pas répondu à son désir parce qu'il était lâche, lui qui n'avait jamais eu le courage de s'expliquer. Dans ce monde dangereux, une femme n'aurait-elle pas été séduite par le courage ? Il avait appris plus tard qu'elle avait quitté la faculté de médecine pour aller vivre à Zagreb, où elle avait décroché un diplôme d'architecte et s'était mariée à un médecin, qui s'était ensuite tué dans un accident de voiture.

Ivan contemplait maintenant avec un bonheur mâtiné de chagrin ce corps allongé à ses pieds, la jupe et le soutien-gorge déchirés, les seins pendant sur les côtés, le torse barbouillé de sang, les cuisses amples, plantureuses, sans défense, bien écartées devant lui.

Ivan transporta Selma dehors et lui fit boire de l'eau à sa gourde. Elle le regarda avec dédain et demanda : « Est-ce que je dois te remercier ? Tu m'as sauvée ou quelque chose comme ça ?

— Tu peux me remercier. Je ne sais pas qui a sauvé qui, mais tu peux me remercier. Ça aurait pu être pire.

— Et que fais-tu dans cette armée ? C'est digne de toi, ça, mon vieil anatomiste ?

— Je ne le sais pas, crois-moi ! »

Alors qu'il l'escortait vers un bus où s'entassaient femmes et enfants croates, elle trébucha, mais refusa son aide. Il se demanda si ce bus rouillé à la carrosserie percée de balles tiendrait le coup ou si, obéissant au caprice d'un sadique alcoolisé, un obus frapperait ce tas de ferraille sur la route, carbonisant le corps des passagers et, avec eux, celui de

Selma. Il se demanda aussi si, au train où allaient les choses, c'est lui qui enverrait l'obus.

À la taverne, les soldats dansaient au rythme d'une autre variété de *kolo*. Ivan prit l'uniforme d'un combattant croate mort, en vêtit le capitaine, matraqua son visage afin que personne ne le reconnaisse, le porta dehors et le jeta sur un attelage tiré par un cheval, parmi une dizaine d'autres corps. Ivan traînait une sensation désagréable à cause du sang, chaud et gluant, qui avait transpercé son uniforme et sa chemise, collant le coton sur sa peau. Un cheval couleur orange brûlé, au cul rond et puissant, avançait, la tête inclinée vers la route jonchée de douilles de balles. Ses sabots crissaient sur les éclats de verre, et ce bruit irritant se mêlait aux odeurs de crottin herbeux et aux lourdes puanteurs de gangrène. Le cheval secoua les oreilles, à travers lesquelles on voyait le soleil rougeoyer, faisant apparaître un bouquet de veines aux multiples ramifications. Une mouche ronde, le ventre strié de vert et de pourpre, se posa sur une de ses oreilles et commença à se gorger de sang. Ivan se demanda pourquoi personne n'avait mangé le cheval. Il ne parvenait pas à calmer sa fébrilité, comme s'il avait de la fièvre, ou un *delirium tremens*. Qui pouvait dire quelles maladies couvaient dans cette ville où le sang coulait plus que l'eau, où l'on mangeait les chats, où les rats batifolaient dans les murs, où les squelettes de rats et de chats s'entremêlaient, où les cadavres humains pourrissaient à l'air libre pendant des semaines, dans les conduits des égouts ou dans des carcasses de voitures calcinées, couverts d'asticots formant sur les morceaux de chair détachés de l'os des monticules gris et grouillants. Il n'osait même pas prendre une grande respiration, de peur d'inhaler la peste. Les corps s'empilaient à chaque coin de rue ou presque, bas de femmes déchirés, jupes souillées de boue, fesses d'hommes bleues d'avoir été lacérées, visages cramoisis à la bouche grande ouverte et aux yeux jaunes traînant dans la poussière.

Des soldats, quelques-uns en serrant la mâchoire, d'autres en claquant des dents et en vomissant, versaient de l'essence sur les amoncellements de corps et y mettaient le feu.

CHAPITRE 15

Où les cœurs s'emballent
dans un pays en pleine désolation

Quelques mois plus tard, dans le nord de la Bosnie, au sud-est de Slavonski Brod, des soldats de l'armée fédérale yougoslave mêlés à une bande de Tchetniks avançaient dans une forêt de chênes, faisant craquer les branches, glissant sur les feuilles mortes de l'année précédente qui, bien que pourries, n'étaient pas encore retournées à la terre. Quand ils aperçurent un bunker croate, le commandant désigna trois hommes, dont Ivan, pour grimper jusqu'à la place forte et s'emparer du nid de mitrailleuses. « Allez-y et faites vos preuves. On aura nos fusils braqués sur vous, alors n'essayez pas de nous rouler. »

Alors que les nuages bas dérivaient dans le ciel et que la forêt, chauffée par les premiers rayons de soleil, dégageait des volutes de vapeur, les trois soldats commencèrent à gravir la colline en rampant. Ivan enrageait de s'être vu confier cet horrible boulot. S'il échouait, le commandant laisserait son corps pourrir parmi les feuilles mortes et continuerait de faire la fête comme si de rien n'était. Ils se coulaient sur la pente et apercevaient parfois le canon de la mitrailleuse pointer hors de son nid, comme le doigt creux d'un dieu sinistre au-dessus des nuages. Le doigt pointait loin derrière eux, vers l'horizon. Ils étaient encore à une centaine de mètres du bunker quand le barillet de l'arme pivota dans leur direction. Ivan tira tandis qu'une volée de balles fusaient de l'abri. Il se laissa rouler, comme un enfant sur un pré en pente. Une balle le transperça, frôlant un rein et la rate. La sensation de perdre le contrôle, d'avoir été touché, le soulagea. Les balles sifflaient tout autour de lui, fauchant les buissons, l'herbe haute, fracturant les roches, pénétrant l'écorce des arbres. Un verset de la Bible lui revint : *La terre va chanceler, chanceler comme l'ivrogne, elle sera ébranlée comme une hutte, son crime pèsera sur elle, elle tombera et ne se relèvera plus.* Un des camarades d'Ivan le dépassa en roulant, ensanglanté, sans visage. Ivan se releva, courut, et même, ne sentant rien sous ses pieds, vola. Il s'éloigna du bunker et du camp.

Sa blessure lui donnait des ailes. S'il revenait, le commandant trouverait tôt ou tard un moyen de le faire tuer. Ivan s'arrêta pour examiner sa blessure toute fraîche ; la balle lui avait arraché un morceau de peau, une couche de gras et une partie du muscle au-dessus de la hanche gauche. Il déchira une manche de sa veste et la pressa contre la plaie, mais le tissu avala son sang comme un buvard.

Son fusil avait disparu, bien qu'il ne se souvînt pas de l'avoir laissé tomber. Devait-il rentrer à Nizograd ? Comment ? C'était bien trop loin. Et puis, vu ses états de service dans l'armée serbe, une condamnation comme criminel de guerre lui pendait au nez, même s'il était croate. Partir à la recherche de l'armée croate ? Non, elle était trop faible, vouloir s'y joindre serait suicidaire. Il en avait fini avec l'armée. Mais que faire quand on est seul ? Ivan aurait aimé avoir une bible qui l'aurait protégé, comme une amulette. Mais, sans le livre saint, il se sentait totalement abandonné. Cela étant dit, quel bien lui avait fait la religion ? Il commença même à penser que sa religion l'avait simplement fourvoyé dans ces bois sombres quand, soudain, il tomba sur une forêt de pins, havre dans ces ténèbres austères. Il posa le pied sur un épais tapis d'aiguilles et le foula d'un pas léger.

Une fois sorti du bois, il tituba jusqu'à un village incendié et entra dans une maison où il s'effondra au milieu des cendres. Il dormit pendant des jours, puis quelque chose d'humide sur son front et ses sourcils le réveilla. Une chatte le léchait en ronronnant. Il trouva irrésistible cette langue râpeuse qui s'attaquait maintenant aux paupières, les forçant à s'ouvrir. Cela sembla plaire à la petite bête, qui cessa de lécher et se pelotonna contre son visage, ronronnant avec frénésie, impulsant dans son cou le rythme de la vie. Il essaya de bouger, mais une méchante douleur dans le rein gauche l'en dissuada. Il se palpa le côté. Une croûte épaisse recouvrait sa blessure. Le sang ne coulait plus, pas d'enflure importante, apparemment pas d'abcès. Tout ça grâce à la maison brûlée, presque exempte de germes, et donc, pensa-t-il, peu de risques de gangrène. La chatte représentait-elle un danger pour sa blessure? L'avait-elle léchée? L'animal le lécha et lui chatouilla l'oreille, comme pour lui dire : « Tu ne le sauras jamais! »

Quand il se leva, la chatte sortit dans la cour et se dirigea vers un gros four de briques dont le propriétaire s'était sans doute servi pour faire du pain pour presque tout le village. Elle avait la démarche altière, levant très haut la queue et agitant sa pointe en signe évident de satisfaction. Elle l'invitait à le suivre. Comme elle l'aurait fait avec son chaton, dans un coin où elle devait passer ses journées. Il ramassa de la paille pour rendre son petit refuge plus confortable. Il aimait l'exiguïté de l'endroit et se méfiait de tout ce qui était spacieux. Les troupes qui croiseraient dans le coin ne penseraient pas à aller le chercher là. Dans la forêt, Ivan cueillit des fraises sauvages, des mûres, des cerises, des oignons sauvages et toutes sortes de champignons. Dans les fourrés, il trouva un nid d'alouettes et prit les œufs pour s'en faire une omelette aux chanterelles.

Se nourrir était sa seule obsession. Il arracha de l'écorce d'un tilleul des langues-de-bœuf, des champignons très durs, qu'il fit brûler pour enfumer et chasser un essaim d'abeilles sauvages qui nichait dans un vieux mûrier. Il mâcha les alvéoles de cire pour en extraire le miel frais dont l'arôme d'acacia enchanta sa langue et lui chatouilla agréablement le gosier.

Le ronron de sa chatte tigrée lui manqua quand elle disparut la nuit venue. Le matin, il se réveilla aux chants des rossignols qui inondaient la forêt de leur brillante mélodie. Sa chatte fit son apparition sitôt le soleil levé, traînant sur le sentier de briques qui menait au four un jeune lapin presque aussi gros qu'elle. En temps normal, il aurait pensé que l'animal fanfaronnait, déposant pour la frime sa prise à ses pieds, mais là, il y vit une tentative de sauvetage. Il alluma un feu avec deux pierres et de l'herbe séchée, et fit rôtir le lapin. Il se sentit un peu égoïste d'agir de la sorte, jusqu'à ce qu'il voie la chatte capturer un rossignol et le manger ostensiblement, comme pour lui dire de ne pas s'inquiéter de sa faim à elle. Le lendemain matin, elle lui apporta de nouveau un lapin. Pour la remercier, Ivan tailla en pointe plusieurs rameaux et se dirigea vers le ruisseau qui coulait au bas du village, si lentement qu'on eût dit un étang. La chatte se régala de la carpe qu'il lui rapporta.

Sans pouvoir identifier tous les champignons, il connaissait l'ange de la mort et l'amanite phalloïde, et savait qu'il n'avait rien à craindre des autres, tout au plus un mal de ventre ou une migraine. Et comme de nombreux champignons possédaient de mystérieuses vertus médicinales, ils lui rendraient ses forces. Il était sûr qu'il faudrait encore cent ans à la médecine pour découvrir le pouvoir régénérateur des champignons – même vénéneux, lorsqu'ils sont mangés avec modération. La pénicilline n'était-elle pas un microchampignon ? Alors il avala presque tous ceux qu'il trouva, par petites bouchées. Il eut des hallucinations, crut voir la masse verte des arbres clignoter, mais ne put déterminer avec certitude s'il devait attribuer son délire aux champignons, à ses nerfs éprouvés ou à sa rate blessée. Il fit bouillir des bolets – non sans s'être d'abord amusé à laisser l'empreinte de ses doigts dans les grands chapeaux marron – avec des oignons sauvages et des orties, et obtint la plus délicieuse des soupes.

L'été, heureuse saison quand il est facile de se cacher, s'écoula rapidement. Les feuilles virèrent au rouge, et les vents froids descendirent de Hongrie. Ce qui glaçait le plus Ivan, c'était la vue des montagnes nues, sans feuilles. La nourriture disparaîtrait bientôt, à moins qu'il ne trouve moyen de la stocker, comme un écureuil.

Il aurait peut-être réussi à passer l'hiver dans le village incendié s'il n'avait entendu l'artillerie se rapprocher. Les détonations, les explosions, le tacatac des mitrailleuses embrasaient la végétation à des kilomètres et le vent lui ramenait l'odeur âcre et sèche des incendies. À travers une fente du four, il vit un jour des Tchetniks traverser le village, puis le lendemain, des musulmans, et le surlendemain, des Croates. Seul, il était une proie facile pour tout groupe armé durant l'hiver. Il aurait cependant pu envisager de rester si sa chatte n'avait pas disparu. Il se demanda si des soldats ne l'avaient pas tuée pour la manger, ou simplement par cruauté.

Ivan marcha vers l'est. En bordure d'un village à cheval sur la frontière séparant la Bosnie de la Croatie, il tomba sur un calvaire. Les statues du Christ et des deux larrons avaient été arrachées de leurs croix et jetées dans d'épais buissons de bruyère qui bordaient la route. On avait crucifié trois corps à l'aide de gros clous rouillés. Deux musulmans circoncis et, à la place du larron moqueur, un catholique portant sur l'avant-bras un tatouage de la Vierge. Leur sang bruni lançait parfois un éclat rubis dans le soleil. Ils avaient un trou au sommet du crâne, la signature des Tchetniks, et une épaisse traînée de sang leur descendait le long du cou et de la poitrine. Le visage d'un des musulmans lui parut familier et, bien que la puanteur des chairs putrides lui soulevât le cœur, Ivan s'approcha et lui redressa la tête avec un bâton. Il reconnut Aldo, son compagnon de chambre de Novi Sad. Quelle horreur! Et quel cynisme : crucifier un musulman! Il avait souvent maudit Aldo pour son stupide appel au meurtre durant la parade de Tito. Sans lui, Ivan serait sans doute médecin aujourd'hui. Mais, d'un autre côté, il ne voulait pas vraiment être médecin. En tout cas plus maintenant, près de vingt ans plus tard. Et bien qu'il en eût voulu à Aldo pour son séjour à l'île Nue, il s'était souvent demandé ce qu'était devenu son vieil ami si passionné, si singulier. Cela lui manquait de plaisanter avec lui, et il se souvenait parfois avec nostalgie de leurs razzias au marché de Novi Sad, des vaines tentatives d'Aldo pour séduire les femmes en racontant un tas de sottises, du lard salé de sa mère qu'ils mangeaient ensemble et dont son ami lui tendait les morceaux les plus maigres. Il sentait encore sous la langue les cristaux de sel du lard, mais quand il cracha, sa salive était teintée de sang. Il s'aperçut alors que ses gencives saignaient. Peut-être était-ce la fatigue, ou de ne pas s'être brossé les dents depuis des mois, ou le choc d'avoir trouvé son ami crucifié. *Sic transit gloria mundi, sic transit miseria mundi.* C'est une voix de prêtre qui avait résonné dans sa tête. Il regarda autour de lui, mais il n'y avait personne. Et il n'avait même pas mangé de champignons.

Après une nuit de tempête, Ivan arriva à la lisière d'un village blanchi à la chaux, et s'assit sur l'écorce lisse d'un hêtre apparemment tombé pendant la nuit, non pas à cause des vents violents, mais parce que les eaux avaient ramolli le sol au point que l'arbre sorte de son socle comme une dent que la langue expulse d'un vieil abcès. La pluie avait lavé de toute leur terre les racines qui, aveugles et nues, fouillaient maintenant l'air en silence, noires sur un ciel turquoise, translucide, vide de tout nuage. Ivan essora l'eau de ses chemises et de ses chaussettes et les étendit sur l'écorce. Il observa des vieilles femmes dans leurs robes noires et leurs sabots de bois qui guidaient des oies, un bâton à la main, le long de l'unique rue du village. Quand elles l'aperçurent, elles se mirent à hurler. Ivan portait toujours l'uniforme, et on soupçonnait tous les soldats d'être des pillards et des violeurs.

« Calmez-vous, dit Ivan, je ne vais pas vous tirer dessus. »

Les cris des femmes redoublèrent. Quand il découvrit qu'il ne restait pas un seul homme dans le village, Ivan entra dans la première maison, prit le plus beau des costumes du dimanche qu'il trouva, abandonna son uniforme et s'enfonça en courant dans la forêt.

Ivan évitait les gens et se réfugiait dans les meules de foin ou, quand il n'en trouvait pas, dans les fossés, même à la fin janvier, quand l'hiver s'abattit sur le continent avec une redoutable férocité, comme si Dieu essayait d'éradiquer par le froid la race destructrice pour le salut du reste de la création. Dieu avait d'abord essayé le feu, le soufre et l'eau, en vain. Maintenant, Il essayait la glace, cette eau vidée de son feu, et Ivan, qui grelottait et arrachait les cristaux de sa barbe, se dit qu'il se pouvait bien que ce nouveau fléau atteigne son but.

Les yeux gonflés, fou de solitude, Ivan grelottait dans une meule de foin. Des bribes de son enfance lui revenaient : tous les dimanches après la messe, il se baladait à vélo dans un champ où une bergère lui faisait signe de venir s'asseoir près d'elle et de presser sa joue contre son cou. Elle dénudait ses seins, qu'il pouvait alors peloter à sa guise. Faisant aller ses mains tremblantes sur sa douce poitrine parcourue de veines, il admirait la délicatesse et l'élasticité de cette peau. Il caressa les seins de la bergère tous les dimanches, et même si ces délices ne durèrent qu'un seul été, ce souvenir lui apporta un peu de chaleur dans son univers glacé.

Cette nuit-là, il fut capturé par des soldats croates. Ils l'enroulèrent dans une couverture de laine rugueuse, comme ils l'auraient fait d'un cadavre, et le conduisirent dans leur caserne de Sisak. Ils lui donnèrent du thé et de l'aspirine, qui fondit dans sa gorge avant même qu'il ait eu le temps de l'avaler. Les cachets répandirent leur amertume poudreuse de charbon javellisé, simulacre d'eucharistie.

Cet hiver-là, la pneumonie accabla Ivan de fièvres et de cauchemars, et il ne répondit à aucune question avant d'être guéri et d'avoir vu le soleil se lever sur le printemps. Les Croates voyaient à sa manière de parler qu'il était l'un des leurs, mais ils le gardèrent en prison trois mois, parce qu'il était incapable de prouver son identité. Ils l'envoyèrent ensuite dans un petit camp près de Sarajevo où étaient cantonnées des troupes croates et musulmanes.

Quand trois mille soldats serbes encerclèrent le camp, un officier tendit à Ivan un fusil qu'il ne put refuser. Pendant des jours, canons et mortiers serbes bombardèrent le camp, embrasant les campements où bien des soldats furent brûlés vifs. Musulmans et Croates ne disposaient pour se défendre que de fusils, de mitrailleuses et de quelques mortiers. Ainsi, quand son régiment déposa les armes contre une promesse d'amnistie, Ivan fut fait prisonnier par cette armée yougoslave dans laquelle il avait servi naguère.

À la pointe du fusil, on le fit grimper avec deux cents autres soldats dans un train de marchandises. Mais quand les prisonniers sautèrent du train dans un champ, une dizaine de mitrailleuses les fauchèrent. Quand vint le tour d'Ivan, les armes se turent et le détachement d'Ivan fut tenu en respect par les Tchetniks, qui plantaient leurs baïonnettes dans les côtes des captifs en disant : « Vous voulez rentrer chez vous ? Parfait, tas de porcs, on va vous montrer où c'est, chez vous. » Comme pour ponctuer ce discours, un soldat tira sur eux une salve de mitrailleuse, mais les prisonniers étaient si serrés les uns contre les autres qu'aucun de ceux qui furent tués ou saignés à blanc ne tomba.

« La règle est simple, hurla une voix dans un mégaphone. Si vous réussissez à marcher jusqu'à Drvar, vous êtes libres. Sinon, vous mourrez. Vous n'aurez aucune pause, pas de nourriture, pas d'eau. »

Ils marchèrent plus de cent cinquante kilomètres en terrain montagneux. Tout prisonnier surpris à s'appuyer contre une clôture était passé au fil de la baïonnette et abandonné dans un fossé, les yeux arrachés ou les oreilles coupées. Trophées de guerre.

Le second jour fut effroyablement chaud, à se demander si Dieu n'avait pas changé d'avis et abandonné son projet de détruire les fils des hommes par la glace pour en revenir à son plan initial de les anéantir par le feu. Ivan trébuchait, les pieds en sang, couverts d'ampoules, et il regardait avec tristesse les puits dans les cours des villages. Au crépuscule, un soldat piqua doucement sa baïonnette dans les reins d'Ivan, du côté qui avait guéri. « Ça fait une paye qu'on s'est vus. » Jovo, son compagnon de chambre de Novi Sad, éclata de rire. « Par tous les diables, comment t'es-tu retrouvé ici ? Je te croyais mort et enterré. Je parie que tu aimerais l'être. Vous savez que vous êtes des légendes à Novi Sad, Dracula et toi ! »

Ivan n'ouvrit pas la bouche. Jovo avala une rasade de slivovitz. Il passa la bouteille sous le nez d'Ivan, lui demandant s'il en voulait une gorgée. Ce supplice du joyeux soldat tourmentant un prisonnier était fréquent, et personne ne prêtait attention à Jovo, qui poussait, bousculait et secouait Ivan. Pas même Ivan… jusqu'à ce que Jovo lui glisse une bouteille d'eau dans la poche. Lorsque les nuages voilèrent la lune, Ivan avala toute l'eau et profita d'un coup de tonnerre pour jeter la bouteille.

Les nuages grondèrent, se raclèrent la gorge, mais ne crachèrent pas une goutte de pluie. Ils se regroupaient bas dans le ciel, épais comme les sourcils de Staline, piégeant la chaleur et l'humidité, saturant l'air d'une odeur de moisi. Au matin, Ivan transpirait à profusion, et le sel qui dégouttait de son front dans ses yeux les brûlait comme des blessures ouvertes, et c'est ce qu'ils étaient, gorgés de poussière, de moucherons, de sable, les irritant presque autant que la vue de ses camarades qui s'effondraient, des Tchetniks qui leur fracassaient le crâne à coups de crosses et de leur cervelle qui se répandait comme un bortsch.

À midi, le lendemain, ses lèvres étaient gonflées et striées de crevasses. Même les villages serbes qu'ils traversaient semblaient déserts, et s'il y avait des survivants, ils se cachaient, sans doute parce que de voir passer cette effroyable procession serait un fardeau trop lourd à porter une fois la paix revenue, et même après.

Une nuit, alors que l'eau-de-vie de prune coulait à flots et que les Tchetniks étaient de plus en plus soûls, quelques captifs parvinrent à fuir cette colonne – copiée sur une marche forcée de la Seconde Guerre mondiale. La plupart d'entre eux furent poignardés aussitôt qu'ils sautaient dans le fossé bordant la route. Ivan n'essaya pas, continuant d'avancer péniblement, trébuchant sur les cailloux. Il était sûr qu'il se serait effondré, n'eût été la bouteille d'eau de Jovo. Mais Jovo était parti. Ivan aurait aimé s'asseoir quelque part avec lui, à ressasser des souvenirs. L'intérieur de ses cuisses saignait à cause de la friction et de la transpiration, mais ce n'était peut-être pas ça puisque son corps était maintenant si déshydraté qu'il ne lui restait plus de sueur. Il pouvait à peine avaler ce qu'il avait dans la gorge, mais ce n'était pas de la salive, c'était de la poussière. Quand il essaya de cracher, rien ne sortit de sa bouche.

La nuit, il essaya d'uriner, sortant furtivement sa verge. Il n'en tira rien, si ce n'est d'horribles brûlures qui partaient de ses reins, descendaient dans son sexe et irradiaient jusque dans ses doigts. Il le remballa et se souvint combien, petit garçon de six ans, il adorait pisser en public, même au cimetière, jusqu'à ce que sa mère lui apprenne la pudeur. Il venait juste d'extraire fièrement son zizi quand sa mère l'avait admonesté : « Range-moi vite ça. Un chat pourrait le chaparder et le manger comme un poisson. » Ce souvenir le fit sourire et ce sourire élargit les gerçures de ses lèvres, et le sang se mit à perler sur son menton mal rasé.

Les captifs arrivèrent dans un nouveau village et eurent droit à quelques haricots. Les Tchetniks attendirent qu'une tempête qui durait depuis deux jours, un véritable déluge, prenne fin, puis poussèrent littéralement leurs prisonniers jusqu'à un camp situé à plusieurs kilomètres.

Passé une aciérie incendiée, les survivants du régiment musulman et croate titubèrent à travers un champ labouré de cratères d'obus remplis d'eau. Des grenouilles à la peau grise et rugueuse en bondissaient, comme les cœurs palpitants qui avaient déserté les corps des combattants et qui, maintenant, erraient au milieu de ce paysage maudit. Ivan fut profondément perturbé en voyant sauter hors de la terre grise tant de cœurs. Il n'était pas capable de les apercevoir jusqu'à ce qu'ils soient en l'air, et il lui sembla que la terre recrachait tous ces cœurs inutiles avant de les avaler aussitôt retombés dans la boue.

CHAPITRE 16

Où Ivan se laisse tenter par le bonheur familial

Trois mois plus tard, dans une rue pavée d'Osijek, Selma longeait le mur d'une cathédrale de briques rouges couverte
d'échafaudages. Des ouvriers la réparaient, emplissaient de
ciment les trous dans la brique, laissant tomber des fragments de ciment humide qui tambourinaient comme de la
grêle. Elle marchait vers la Drave, se demandant si elle allait
mettre fin à ses jours. Depuis qu'elle avait survécu aux horreurs de Vukovar, abréger son existence alors que les Serbes
n'y étaient pas parvenus lui paraissait totalement absurde.
Elle avait un excellent boulot en architecture, où elle veillait
à la reconstruction d'ailes d'hôpitaux effondrées, de toits
d'usines, de ponts, de cathédrales. Elle était capable de
remettre sur pied des édifices, mais pas sa vie.

« Hé, comment ça va ? » lança derrière elle une voix familière. Elle se retourna et aperçut Ivan. Il était tout maigre. Des
mèches blanches marbraient sa chevelure foncée, mais son
visage n'avait pas changé, avec son front haut et large, ses
yeux enfoncés et bien écartés, et ses grandes oreilles décollées.
On aurait pu le prendre pour un jeune garçon, avec son
regard chargé de désir, de faim, d'envie et, peut-être même,
d'amour.

« Que fais-tu là ? demanda-t-elle.

— Je cherche du travail.

— Courageux de ta part, après ce que tu as fait.

— Qu'est-ce que j'ai fait ?

— Ne fais pas semblant. Tu as bombardé, brûlé, pillé…

— Peut-être, mais c'était contre mon gré. Et puis, j'ai aussi été dans l'armée croate, mais les Serbes m'ont de nouveau capturé. C'est un miracle si je m'en suis sorti. J'étais blessé et j'ai fait partie d'un échange de soldats.

— Tu penses que ton histoire est touchante ?

— La vérité est toujours touchante.

— Et maintenant, tu voudrais vivre comme si de rien n'était ? Tu voudrais que nous oubliions ?

— Que peut-on faire d'autre ?

— C'est peut-être facile pour toi, mais pas pour moi. Je suis enceinte. L'enfant a sans doute été conçu à Vukovar.

— Vraiment ? Je croyais l'avoir tué avant qu'il y arrive.

— Tu te rends compte, je ne pouvais pas avoir de bébé avant, et maintenant…

— Marions-nous. Je m'occuperai de toi et du bébé.

— C'est généreux de ta part, mais comment pourrais-tu nous aider ? C'est moi qui vais devoir t'entretenir.

— Non, je peux faire des tas de choses…

— Tu es tenace.

— Oui, pour changer un peu. J'aurais aimé l'être autant quand nous étions étudiants.

— Ah, parce que tu ne l'étais pas ? Tu étais une vraie peste !

— C'est ce que tu penses ? J'ai eu un sérieux béguin pour toi pendant des années.

— Je ne sais pas si c'était du béguin, mais je sais que tu étais là, au coin de la rue, près de mes fenêtres, derrière la porte de l'école, à l'église, partout.

— Alors pourquoi me parlais-tu autant ?

— Tu avais l'air pathétique, en manque. Je déteste les gens qui vivent dans l'attente, mais je ne peux pas m'empêcher de les aider. Et l'attention que tu me portais me flattait, mais elle me menaçait aussi. »

Ils se regardèrent dans les yeux, calmement, en écoutant la glace craquer sur la rivière. Ils marchèrent sur la jetée de ciment qui longeait le cours d'eau et observèrent les glaces flottantes s'encastrer les unes dans les autres, se brisant, coulant, se soulevant, se percutant, explosant – affûtées, blanches, dentelées, brillantes sous le soleil comme de gigantesques épées de verre affrontant des blocs de marbre. On eût dit que la jetée sur laquelle ils se tenaient flottait comme un iceberg, cap au nord, tandis que la rivière faisait du surplace.

« Tu te dis que la glace vient d'Autriche ? demanda Ivan. Et elle dérive vers la Serbie, où coulent aussi les eaux venues de Bosnie.

— Et alors ?

— Ces pays maudits sont unis par l'eau. Le sang ne doit pas les diviser. Le pape a vraiment insisté sur ce point. Enfin, je ne défends pas une politique unitariste, mais toi et moi, au moins, on devrait réussir à s'entendre.

— C'est sur cela qu'il a insisté, un point. Par définition, un point ne peut pas être très gros ! Tu ne te souviens pas de la définition géométrique du point ? Les points n'ajoutent strictement rien au volume. »

Le vent les frigorifiait. Ils passèrent devant un kiosque avec des cartes postales bleues, des cigarettes blanches et une vendeuse grise. Le vent soufflait dans le dos de Selma et d'Ivan, qui marchaient sans effort, les oreilles rougies par le froid et rendues translucides par les gros rayons de soleil qui perçaient à travers les branches nues des acacias. Ils remontèrent leurs cols et pénétrèrent dans une taverne enfumée, où ils écoutèrent des csardas en buvant du vin rouge. Ils sortirent à la tombée de la nuit sous le grésil, les lèvres rougies par le vin, et ils se pelotonnèrent l'un contre l'autre pour se protéger du froid, ne formant qu'une masse, un homme et une femme blottis en un seul corps.

Le prix des loyers étant trop élevé à Osijek, le nouveau couple déménagea à Nizograd, où Selma avait obtenu un poste au Service de l'urbanisme. Son ventre prit du volume et, quand les eaux crevèrent, Ivan la conduisit à l'hôpital en taxi. Selma gémit pendant deux jours, mais l'enfant ne sortait pas, comme s'il avait redouté les dangers qui l'attendaient à l'extérieur. La césarienne était absolument inévitable, insista l'obstétricien. Ivan regarda avec horreur le ventre béant de Selma, la flaque de sang qui se forma dès l'ouverture. Les mains gantées et potelées du médecin retirèrent de la flaque une petite créature rouge tirant sur l'aigue-marine et traînant un cordon ombilical pareil à un serpent. Ce n'est qu'une fois le cordon sectionné et la créature lavée qu'Ivan put constater qu'il s'agissait d'un bébé humain. Il tremblait d'angoisse et d'impatience et, quand une infirmière lui tendit le nourrisson, qui se mit à pleurer, il frôla l'extase. Il prit l'enfant dans ses mains – elle tenait dans ses deux paumes – et admira ses traits minuscules : elle avait déjà des sourcils noirs, beaucoup de cheveux, noirs aussi, et ses tout petits doigts s'ouvrirent et le saisirent par la barbe. Ses jambettes s'agitèrent et un de ses genoux donna dans la joue d'Ivan un coup qui lui fit l'effet d'une joyeuse chatouille. Ce sera une fille solide, pensa-t-il. Elle ouvrit ses yeux flous, fixa son visage, et parut s'inquiéter de ce qu'elle voyait. Mon visage est le premier qu'elle aura jamais vu, pensa-t-il. Va-t-il s'imprégner en elle ? Alors, j'aurais une amie pour la vie.

L'abdomen de Selma fut recousu et, quand elle reprit connaissance, elle se remit à gémir. Ivan lui attrapa la main, accablé par toute cette souffrance qu'elle avait dû supporter, et décida qu'il serait un père de famille exemplaire. Aussitôt qu'elle vit le bébé, Selma cessa de geindre et son visage s'illumina. Cette petite créature pleine de vie, ils l'appelèrent Tanya.

La nuit, Ivan adorait l'écouter respirer, avaler goulûment le lait du sein de Selma ou glousser dans son sommeil. De quoi pouvait rêver un bébé? D'un petit cul bien propre? d'un joli pipi en l'air? d'un mamelon sur des gencives lisses? Ou peut-être un bébé résout-il des problèmes d'algèbre et s'interroge-t-il sur ce qui différencie le néant de l'infini?

Au début de leur mariage, ils étaient plutôt spontanés sur le plan sexuel. Ils se promenaient nus dans la maison et faisaient l'amour aux moments les plus inattendus. Tanya, qui n'avait que quelques mois, ne se souviendrait de rien de toute manière. Pas besoin de se gêner. Mais la fraîcheur de ce bonheur se dissipa assez rapidement. Ivan et Selma firent de moins en moins l'amour à partir du moment où Tanya, qui dormait entre eux dans le lit conjugal, commença à gazouiller ses premiers mots et à se montrer plus éveillée. Graduellement, Ivan se sentit écarté au profit du bébé. Tanya grimpait sans retenue sur Selma pendant qu'Ivan attendait son tour, qui souvent ne venait pas. Fatiguée par son travail, Selma tombait endormie. Elle était parfaitement synchronisée avec Tanya et, pendant qu'elle lui chantonnait une berceuse, elle sombrait dans le sommeil en même temps que l'enfant. Ivan, lui, restait éveillé à écouter cette sonate pour petits et grands poumons, deux femmes respirant de concert.

Il essaya de changer les langes de tissu, mais sa maladresse le décourageait en plus de le mettre mal à l'aise devant le corps de l'enfant. Il aimait la regarder et jouer avec elle une fois qu'elle était propre. En rentrant du travail, Selma s'occupait du bébé avec des gestes rapides et délicats.

La mère de Selma vint habiter tout près pour s'occuper de Tanya durant la journée. Elle lui chantait des comptines en faussant à chaque note, la chatouillait, lui faisait des grimaces, la savonnait dans son bain, talquait son petit derrière, lavait ses couches, lui préparait du gruau et même, quand elle le jugeait nécessaire à sa croissance, lui criait dessus.

Ivan avait aménagé un petit cabinet de travail pour continuer ses études de philosophie, dans l'espoir de terminer enfin sa thèse de doctorat. En réalité, il s'y réfugiait pour lire des quotidiens sportifs, faire des mots croisés et résoudre des problèmes d'échecs. Il jouait aussi sur son vieux violon.

Les yeux fermés, il rêvait qu'il interprétait le Concerto pour violon de Tchaïkovski devant un public en pâmoison. La dernière note du concert était suivie d'un instant de silence, de stupeur, puis les spectateurs, y compris les invalides de quatre-vingt-huit ans, les paralytiques en fauteuil roulant, se levaient d'un seul bond et applaudissaient à tout rompre, comme le fracas d'un océan se brisant sur les falaises. Ivan s'inclinait, le visage baigné de gratitude, véritable Poséidon déchaînant les flots.

Le plus souvent, toutefois, quand il tentait de trouver refuge dans une rêverie de ce type, Ivan ne parvenait qu'à visualiser une salle remplie d'officiers bouffis à la retraite, de juges asthmatiques, d'architectes homosexuels, de criminels de guerre allemands vieux et chauves, de vieillardes desséchées ayant survécu à trois ou quatre guerres. Les spectateurs hurlaient de rire, couinaient, lançaient leurs râteliers, leurs prothèses auditives, leurs yeux de verre, du spermicide, des œufs de dinde pourris et des capotes usagées. Ces divagations plongeaient Ivan dans la mélancolie.

À la maison, le matriarcat s'affirmait : une épouse, une belle-mère, une pisseuse. Il adorait la pisseuse, mais en était jaloux parce qu'elle monopolisait l'attention de toute la famille, ne laissant rien pour lui. Si bébé pleurait, les femmes accouraient aussitôt. Ivan pouvait bien hurler pour une tasse de café, personne ne l'entendait. Elles étaient totalement absorbées par l'enfant, poudrant son petit derrière pour prévenir l'érythème fessier, lui préparant une camomille avec du miel.

La première question de Selma en rentrant du travail n'était pas : « Comment va mon p'tit mari ? » Au lieu de ça, elle se penchait sur son bébé, taquinait le bout de son nez et prononçait des sons incompréhensibles dégoulinants d'affection maternelle, qui ont pour conséquence de retarder l'apprentissage d'une langue en particulier, mais de stimuler considérablement la vie émotionnelle, et qui sont indispensables à la compréhension du rôle du langage en général. Ce sont le ton et les modulations qui portent le sens, beaucoup plus que la diction, et c'est pourquoi ils apaisent l'enfant.

Ivan observait la scène depuis son coin bureau, à la fois ravi d'avoir une si jolie famille et contrarié d'en être le maillon le moins utile, un simple faux-bourdon. Pour protéger leur miel, deux abeilles traînent le faux-bourdon par les ailes et l'expulsent de la ruche. Le pauvre mâle tombe sur le sol où il reste figé pendant que les fourmis lui arrachent les ailes, le taillent en morceaux et emportent le tout dans leur garde-manger d'hiver.

En fin de soirée, Selma, épuisée de sa journée de travail, se sentait rarement amoureuse et repoussait toute tentative manuelle d'affection de la part d'Ivan. « S'il te plaît, chéri, laisse-moi dormir ! suppliait-elle. Je dois me lever à six heures demain matin. »

Puis un jour, Selma l'apostropha : « Tu sais quoi ? Tu ronfles terriblement. Je n'ai presque par fermé l'œil de la nuit. Et ce n'est pas bon pour Tanya non plus. Il serait préférable que tu dormes seul. »

Et Ivan atterrit ainsi dans l'annexe qu'il avait construite de ses mains à la mort de Tito, sur un matelas jeté par terre. Il commençait parfois la nuit dans le lit familial, mais la finissait invariablement sur le sol de l'annexe. Il avait maintenant de bonnes raisons d'être jaloux : Tanya profitait davantage de Selma, et Selma de Tanya, et bien qu'il fût devenu un bon père de famille, il se sentait plus délaissé que jamais.

Une nuit, Ivan fut incapable de se rendormir après avoir fait des cauchemars – on l'assassinait, il poignardait des vieux, des chars d'assaut lui roulaient dessus... Après quelques examens, on parvint à ce verdict terrifiant : arythmie. Il risquait l'attaque cérébrale. Dès lors, Ivan se réveillait en pleine nuit, rêvant qu'il était mort. Il sentait la pulsation de sa carotide dans son cou, irrégulière, trois petits coups rapides, puis plus rien pendant quelques secondes qui lui semblaient en durer trente. Parfois, pendant qu'il regardait sa fille jouer, son cœur commençait à cogner contre ses côtes.

Convaincu que les causes de la maladie d'Ivan étaient psychologiques, un médecin lui prescrivit un placebo en lui faisant croire qu'il s'agissait de statines, le plus puissant des médicaments pour déboucher les artères, récemment mises au point par un laboratoire suisse.

La peau d'Ivan vira au vert olive. Et comme son métabolisme s'emballait, on ajouta l'hyperthyroïdie au palmarès de ses accomplissements. Peu importe combien il mangeait, il restait maigre et anxieux.

Il prit l'habitude de voir médecins et infirmières lui percer les veines à coup d'aiguilles et éprouvait un malin plaisir à regarder son sang vermeil gicler dans des fioles. Il n'ignorait plus rien des électrocardiogrammes et de leurs capteurs de métal froid qui le chatouillaient, des doigts gantés qu'on lui collait dans l'anus pour lui cajoler la prostate, des contenants de tailles variées dans lesquels il devait uriner ou déféquer. Mais il ne supportait pas les tubes tout fins qu'on lui glissait dans l'urètre pour atteindre ses reins. Les visites médicales devinrent donc ce qu'il était prévu qu'elles soient dès le départ : un martyre.

Ivan tirait de la médecine une certaine satisfaction. Sans l'ombre d'un doute, il était désormais un être à part – à défaut d'être puissant, il serait complexe : un être qu'aucun médecin ne pourrait percer à jour. Les docteurs savaient très bien que l'hypocondrie relevait de la simplification extrême et constituait un diagnostic trop facile, ce qui n'empêchait pas Ivan, en plus de tout le reste, d'être vraiment hypocondriaque. Les résultats des tests n'étaient jamais satisfaisants, il trouvait chaque fois la petite bête : trop d'albumine dans les urines, pas assez de globules blancs, trop d'acidité dans l'estomac… Heureusement que l'assurance collective de Selma couvrait l'intégralité de sa boulimie médicale et pharmacologique.

Ivan ne concevait plus l'idée de prendre un repas sans avaler au moins cinq comprimés qui, à sa grande satisfaction, étaient tous de différentes couleurs.

CHAPITRE 17

Où on voit
que la ressemblance familiale
n'est pas toujours rassurante

Un soir, à l'occasion d'une réunion de famille chez la mère de Selma, tout le monde s'extasia de la ressemblance entre Ivan et sa petite de deux ans. Tanya avait le même front bombé et cette même façon de vous dévorer de ses grands yeux noisette. La mère dodue de Selma souriait avec bienveillance en observant les traits de la fillette. Le père de Selma, lui, n'était pas là. Emporté par la guerre.

Lorsque Ivan et Selma rentrèrent à la maison en fin de soirée, ouvrant à coups de pied leur chemin parmi les voitures en plastique, les camions et les animaux offerts par l'UNICEF, Caritas et les églises protestantes allemandes, Selma demanda : « Comment se fait-il qu'elle te ressemble ?

— Ça me semble évident, non ?

— Je n'arrive pas à le croire.

— Laisse-moi t'expliquer.

— Espèce de salopard !

— Chut ! Tu vas réveiller la petite.

— Je devrais te couper les couilles !

— Écoute, laisse-moi t'expliquer ce qui s'est passé. Souviens-toi, cet officier était en train de te violer. Je l'ai tué pour toi. Quelques heures auparavant, il m'avait forcé à tuer un homme. Pendant la guerre, j'ai été obligé de bombarder, j'ai constamment agi sous la contrainte, on m'a violé psychologiquement. Mon âme a été violée. Et quand je me suis libéré, tuant ton violeur et le mien, je me suis senti libre comme jamais. Mais j'ignorais que je pouvais avoir des enfants. Bien sûr, j'ai une fille, une fille magnifique, mais je n'ai jamais cru qu'elle était vraiment de moi. J'étais sûr de n'avoir pas assez de spermatozoïdes. Ne me demande pas pourquoi, je ne le sais pas. Je n'ai jamais vraiment eu confiance en mes aptitudes biologiques. Alors je n'ai pas cru bon d'évoquer avec toi la possibilité que... enfin, tu sais. Je croyais que c'était la semence du capitaine, ou, qui sait, de quelqu'un d'autre avant lui.

— Alors tu as tué le violeur, tu m'as violée, et tu ne m'as jamais rien dit !

— Non, ce n'est pas ça. Je n'avais pas toute ma tête, j'étais complètement soûl, et tu étais là, toi, mon âme sœur. Je me suis juste étendu à tes côtés. Je n'ai rien forcé. Et il m'a semblé que tu étais éveillée, que tu savais ce qui se passait, ce qui était arrivé, mais que tu n'avais pas voulu le reconnaître, jamais, par orgueil. En plus, je me sentais dans mon bon droit, moi qui t'avais aimée pendant tant d'années, et je l'ai fait amoureusement, dans une sorte d'état de grâce, loin de la vie civile normale, un signe du destin, un moment où j'étais libéré de tout, même du passé.

— Mais j'étais inconsciente !

— Et alors ?

— C'est un viol.

— Le viol, c'est le faire contre la volonté de l'autre, ce qui ne s'applique pas dans ton cas : tu étais inconsciente. Et si tu étais consciente, alors, tu n'as pas protesté.

— Ça reste quand même un viol.

— Arrête. Je t'ai sauvé la vie. Je t'ai cachée dans un bus. Si je ne l'avais pas fait, le bar entier te serait passé dessus. »

Elle sanglotait, triturant sa chaîne en or où pendait une lune embrassant une étoile, tordant la lune dans ses doigts. Ses canines mordirent l'intérieur de ses joues jusqu'à ce que sa bouche prît un goût de sel. Elle ne sentit pas la douleur. « S'il n'y avait pas l'enfant, je te tuerais. Mais elle a besoin de nous. Je ne peux pas m'en empêcher, j'adore cette enfant. Promets-moi que tu l'aimeras toujours ?

— Bien sûr. Rien n'a changé. »

Elle pleura longtemps. Ivan s'approcha d'elle et passa son bras autour de ses épaules.

« Ne me touche pas ! » lâcha-t-elle dans un frisson de dégoût.

Il alla s'asseoir dans le canapé rouge, dépité.

« J'espère seulement que la culture et l'éducation auront sur cette enfant davantage d'influence que tes gènes, que ta nature, ajouta-t-elle. J'espère qu'elle sera différente.

— Je suis désolé. Que puis-je faire ? J'aime cette enfant, et nous pourrions former une famille heureuse si tu me pardonnais. Mais compte tenu des circonstances, de l'époque, de mon ébriété, je n'arrive pas à voir ce que j'ai fait de mal.

— J'aimerais pouvoir te pardonner, pour Tanya. Ça viendra peut-être, il faudra des mois. On peut essayer. Si je n'y parviens pas, je te tuerai. » Elle le regardait d'un air grave, le visage déformé par l'angoisse, la haine et l'inquiétude.

« Voyons, ne dis pas de bêtises. Encore heureux que Tanya n'entende pas. » Il se renfrogna, se prit la tête dans les mains et gémit en s'arrachant les cheveux.

« Alors, tu te sens coupable ? » l'interrogea Selma.

Il faisait les cent pas. Un éclair emplit la pièce d'une lueur bleue, puis ce fut le noir total, et Selma le vit comme une série d'instantanés. Elle ne disait rien, mais l'entendait marcher, trébucher dans les chaises, écraser les jouets.

« Quelque part au fond de moi était enseveli le type qui t'aimait, avoua Ivan. Il est sorti, a pris possession de moi et t'a fait l'amour. Ce n'était pas moi. C'était le passé.

— Ne philosophe pas. Tu n'as jamais été doué. Et ne parle pas d'acte d'amour pour un viol.

— C'était si doux que ça ne pouvait pas être un viol. Nous avons tous des personnalités multiples : l'une d'elles est le passé, l'autre, l'avenir, et il n'y a pas de présent. Nous sommes vides, inoccupés, un lieu où le passé et l'avenir s'affrontent.

— La philosophie te sert d'excuse. Tu n'as pas d'excuses », conclut Selma.

Bien qu'il n'y eût pas eu d'éclairs depuis un moment, le tonnerre grondait et faisait vibrer les couverts sur la table. Tanya se mit à pleurer dans sa chambre, et Selma alla la voir. À deux ans, l'enfant tétait encore goulûment, pétrissant le sein de ses petits poings, enfonçant ses petits ongles pointus dans la chair voluptueuse. Selma ne se souciait pas de la légère douleur que lui infligeaient les ongles aux contours irréguliers, petites griffes d'un chaton aimant, pas plus que ne la dérangeait la petite langue râpeuse. Tanya chercha et attrapa de sa main libre l'autre sein à la peau translucide, et elle sourit quand elle en fit jaillir le lait.

Ivan se déshabilla et alla se coucher. La fillette, comme si elle avait ressenti l'émoi et la tension régnant dans la pièce, continua de téter une heure durant. « C'est vide, dit Selma. Ils sont tous les deux vides. Tu ne veux pas t'arrêter ? Veux-tu du saucisson ?

— Non, du lait, je veux du lait.

— Il est l'heure de dormir, coupa Selma en éteignant.

— Lumière, lire un livre ! »

Selma ralluma et lui lut une histoire d'ours et d'aigles heureux dévorant des poissons heureux.

L'orage persistait et le tonnerre grondait.

« Les lions se battent », gazouilla Tanya.

De lourdes gouttes de pluie crépitaient aux fenêtres. « Ils pleurent aussi, répondit Selma. Ils sont là-haut dans les nuages, malheureux de ne pouvoir nous rendre visite. Ils frappent pour que nous les laissions entrer.

— Entrez, les lions », supplia Tanya.

Une fois l'enfant endormie, Ivan se mit à ronfler dans le salon, de son ronflement sonore, arythmique. Son haleine empestait l'oignon. Selma aurait voulu qu'il meure dans son sommeil, mais ce n'était pas parti pour ça. Elle alla à la cuisine et saisit un couteau. Elle avait raison de le haïr pour ce qu'il avait fait, peu importent ses justifications le dépeignant lui aussi comme une victime. C'était son devoir de se venger. Elle se sentirait mieux si elle réparait le tort qu'il lui avait fait. Selma plongea le couteau dans le ventre d'Ivan. Elle pensa qu'il aurait mieux valu l'égorger, plus facile et aussi plus susceptible de le tuer rapidement. Ou alors elle aurait dû lui couper les testicules. Quoique non, elle ne voulait pas voir ses testicules. Elle lui planta de nouveau le couteau dans l'abdomen, le tira sur le côté, vers les muscles abdominaux, fut surprise de leur résistance, et appuya de tout son poids, jusqu'à ce que la lame d'acier inoxydable bute sur une côte.

Ivan se leva, trébucha et s'effondra, en sang. Tanya se réveilla et hurla : « Maman, j'ai peur. Les lions mordent. Où est papa ? »

Maintenant, Selma paniquait elle aussi, alors qu'un éclair bleuté exposait à la lumière toute l'horreur de son acte, un homme, tripes à l'air, baignant dans une mare de sang. Elle appela une ambulance et resta aux côtés d'Ivan jusqu'à l'hôpital, Tanya à son sein. Elle ne connaissait pas le groupe sanguin de son mari, et le trouver prit du temps. L'hôpital n'avait plus de sang de son groupe. Elle ne connaissait pas non plus le sien, et fit un test : O, donneuse universelle. Elle donna son sang jusqu'à l'épuisement, jusqu'à le sauver. Maintenant, son sang coulait en lui.

Tanya voulut téter, mais rien ne sortit. « Lait », pleura l'enfant, tirant encore plus fort. Selma avait mal aux seins, aux yeux, et ses oreilles bourdonnaient.

« Lait, hurla Tanya.

— Il n'y a plus de lait, répondit sa mère. Peut-être du sang, si tu veux. Continue de téter, ça va venir. Il en reste encore. »

CHAPITRE 18

Où la preuve est faite
que toutes les familles malheureuses
se ressemblent

Leur mariage survécut à la guérison d'Ivan. Au début, ils se regardèrent en chiens de faïence, mais après avoir considéré différentes options, ils décidèrent que mieux valait rester ensemble s'ils voulaient une enfant saine de corps et d'esprit. On pouvait accabler la guerre de bien des maux, et maintenant que les accords de Dayton étaient signés, le temps était venu de reconstruire le pays et la famille. À la suite de ses révélations, le statut d'Ivan au sein de la famille déclina passablement. Il suivait ainsi un modèle plutôt répandu dans la région.

Il n'était pas rare en effet, dans une petite ville, de voir la femme porter la culotte (elle payait les factures, élevait les enfants et appelait le plombier), tandis que l'homme, véritable tire au flanc, dépensait l'argent du ménage au jeu et commettait cette lamentable erreur pédagogique de gifler ses enfants à la moindre occasion. Au moins, Ivan n'avait plus rien à cacher et, n'ayant pas à répondre à des attentes élevées, pouvait se détendre et se contenter de survivre. Il éprouvait même une certaine joie de vivre, lui qui était passé une fois de plus si près de la mort. Il décida qu'il serait un homme bien, enfin, aussi bien que possible, et qu'il contribuerait ainsi au bonheur familial. Il emprunta à la bibliothèque des livres de psychologie de la famille, dont la majorité étaient américains. Il les feuilleta et admira la blancheur éclatante des dents. Les Américains ne le dérangeaient pas plus que ça. Ils étaient un peu ringards, à en juger par leurs romans-savons, mais c'était une nation puissante sans laquelle rien ne se faisait en Europe. Les nombreuses guerres qui avaient embrasé le continent au XXe siècle n'avaient pris fin qu'après que les Américains eurent anéanti sous un tapis de bombes la région belligérante.

Ivan acheta plusieurs livres américains traitant de la manière d'élever des enfants heureux et aux dents saines grâce à la pensée positive. Il accepta l'idée de ne jamais battre un enfant, mais plutôt de le manipuler en lui imposant des « périodes de calme » durant lesquelles il devait rester seul dans un coin. On récompensait l'enfant par des manifestations d'amour plutôt qu'en le gavant de sucreries – même si cette dernière forme d'amour générait d'énormes profits pour l'Association dentaire américaine. Et en cas de comportement répréhensible, la punition silencieuse passait par l'omission de la manifestation d'amour, en aucun cas par une explosion de violence et de haine. L'amour doit s'exprimer sur un ton à la fois aimable et raisonnable, dans un moment de calme, quand l'enfant ne tire pas sur une nappe chargée de porcelaines ou ne s'enferme pas dans un placard pour jouer avec un briquet.

Témoigner son amour à Tanya rendait Ivan nerveux, particulièrement dans les moments calmes. Il lui paraissait bien plus sensé d'attendre que le climat émotionnel de la maisonnée s'enflamme par quelque moyen que ce soit, quitte à frapper l'enfant pour, ensuite, au milieu d'un flot de larmes, faire preuve d'affection. Mais donner une preuve d'amour pendant que Tanya assemblait tranquillement un casse-tête n'aurait selon lui d'autre conséquence que de la déconcerter. Il fit les cent pas dans la pièce, jusqu'à ce que Selma, accablée, l'envoyât se promener, pour le bien de la famille.

La bonne occasion se présenta enfin au parc, lorsque Tanya trébucha sur la racine d'un arbre et s'écorcha les genoux en s'affalant dans les graviers. Voyant l'enfant pleurer, Ivan la prit sur ses genoux et lui assura (à la troisième personne) que papa l'aimait. Ses pleurs redoublèrent et Ivan se demanda si, vraiment, il voulait associer dans l'esprit de l'enfant « genoux en sang » et « amour de papa ». De toute façon, Tanya était à ses yeux beaucoup trop jeune pour qu'on l'accable de mots d'amour.

L'idée d'élever l'enfant comme une petite Américaine séduisit Selma. Voilà à n'en pas douter une manière d'éduquer qui détonnait dans le voisinage. Dans tous les immeubles alentour, comme la vapeur monte vers le plafond, on entendait les hurlements des enfants auxquels on inculquait les bonnes manières. À coups de ceinture, de tige de saule, parfois d'un simple coup de poing sans prétention, les parents gravaient leurs principes d'éducation dans la chair tendre de leurs rejetons. Selma acheta un paquet de brosses à dents, et Tanya se brossa dès lors les dents trois fois par jour pendant deux minutes, imprimant à la brosse de facétieux mouvements, de bas en haut, circulaires, vers l'arrière, vers l'avant – le maniement des brosses à dents américaines semblait encore plus complexe que le style tchèque au tennis, et infiniment plus que le style croate, si bien personnifié par Ivanisevic : service puissant, volée dans la foulée, ça passe ou ça casse, pas de points qui s'éternisent et pas besoin de penser.

Cette éducation éclairée fit de Tanya une enfant désinhibée ou, comme le disaient plus crûment les voisins, une sale morveuse pourrie gâtée. Quoi qu'il en soit, elle souriait, parfois sans raison car, contrairement à la majorité des enfants croates, elle ne souffrait pas de maux de dents chroniques. Ivan enviait sa fille, si libre de crier quand elle le voulait, si spontanée. Enfant, lorsqu'il était parmi des adultes, il avait la permission d'ouvrir les oreilles et les yeux, mais pas la bouche, sauf pour marquer une silencieuse béatitude. Quand une grande personne rendait visite aux Dolinar, Tanya ne tardait pas à tirer sur la jupe de maman ou sur la barbe de papa, à grimper sur son entrejambe et à hurler à titre expérimental dans ses oreilles, pour voir si ça faisait mal.

Ivan voulait améliorer son mariage. Il lut encore quelques livres pratiques américains portant sur l'art de rendre une épouse heureuse. Il avait fallu l'aviation américaine et anglaise pour calmer la Serbie et le Kosovo, et il faudrait toute leur science et leur psychologie pour apaiser et combler un couple des Balkans. Après leur seconde démonstration de force dans la région, Ivan s'était résolument rangé du côté des Américains, position assez peu répandue parmi les Serbes et même parmi les Croates, qui leur en voulaient d'avoir abandonné leur pays aux forces serbes et imposé un embargo sur les armes qui les avait empêchés de se défendre. Les Croates ne digéraient pas non plus que l'on veuille juger à La Haye comme criminels de guerre leurs généraux, ceux-là mêmes qui avaient libéré et nettoyé leur pays de toutes les poches serbes, pas plus qu'ils n'acceptaient que l'on refuse de qualifier de héros leurs officiers ou leurs soldats, alors qu'ils avaient gagné la guerre. Ivan, de son côté, raffolait des comptes rendus de raids et de bombardements, s'extasiant devant la fabuleuse précision du bombardement de l'ambassade de Chine par les Américains, en 1999. Désormais, il lisait aussi des livres américains sur la sexualité, comme *Les Joies du sexe II*. Leurs talents en matière d'ingénierie feraient de lui un meilleur amant. Il n'apprécia pas particulièrement le chapitre qui déclinait de manière stéréotypée les coutumes sexuelles nationales. On y affirmait par exemple que, pour les Serbes, le simulacre de viol relevait du folklore sexuel. Sachant ce qu'il savait de la guerre en Bosnie et des camps de viols installés là-bas, Ivan ne trouva pas d'objection à cette absurde assertion. Le livre décrivait le *Hrvatski jeb*, ou sexe à la croate, comme une simulation de crucifixion masculine. L'homme s'étendait, et la femme assouvissait sur son corps ses moindres désirs. D'où tenaient-ils cette idée de la passivité des hommes croates ? Enfin, il y avait peut-être un peu de vrai là-dedans et, bien qu'il trouvât ces passages irritants, il continua de lire ce livre et d'autres, car il avait maintenant une mission : devenir un bon époux.

Les livres soutenaient que la clé de l'harmonie résidait dans les moments forts et recommandaient aux maris la réciprocité sexuelle. Si la femme se livrait à une fellation, l'homme devrait en retour la gratifier d'un cunnilingus. Mieux encore, ils suggéraient que monsieur devait prendre l'initiative du sexe oral et que c'est lui qui devait acheter des chandelles plutôt que de penser que c'était à sa femme de le faire, et qu'il devait les disposer discrètement autour de la pièce – idée morbide et évocatrice pour Ivan d'une veillée mortuaire.

Ivan sourit de leur approche très pragmatique du bonheur conjugal qui, selon lui, mettait dans le mille pour ce qui était des détails, mais ratait complètement la cible en ce qui touchait l'essentiel. Peut-être les Américains procédaient-ils de la même manière durant leurs guerres : ils avaient un fabuleux sens du détail et parvenaient à bombarder avec une précision chirurgicale, mais ils passaient tout de même à côté et oubliaient même parfois les raisons qui les avaient au départ poussés à engager le combat. Ivan n'avait pas une idée parfaitement arrêtée en ce qui concernait le mariage, mais il lui semblait que la chose exigeait de la précision.

Selma avait décidé de ne plus se préoccuper de son apparence ; pas besoin de conquérir un mari, elle en avait déjà un – pas parfait, certes, mais un mari tout de même. Plutôt que de s'acheter des jupes, elle préférait dépenser ses sous en couches de style occidental et, plus tard, en poupées Barbie. Accoucher de Tanya et prendre de la tétracycline lui avait tellement abîmé les dents qu'Ivan ne trouvait plus aucun plaisir à l'embrasser – déplaisir partagé, au demeurant.

Selma, elle aussi, essayait d'améliorer leur vie amoureuse et avait offert à son époux une édition du *Kama Sutra* pour leur quatrième anniversaire de mariage… qu'Ivan avait complètement oublié. Il avait déchiré le papier d'étain, découvert deux corps entrelacés autour d'un énorme phallus, et s'était senti insulté.

Pour lui, l'acte sexuel était si inhabituel, si excitant, qu'il jouissait très vite. Il n'avait jamais vraiment connu l'affection. Dans sa jeunesse, le contact physique se limitait aux raclées, aux étranglements et au fouet. Sa mère ne le punissait pas au moment où il s'y attendait, puisqu'il lui suffisait de sauter par la fenêtre et de détaler, mais quand il passait près d'elle. Une taloche derrière la tête ou un coup de pied. Un de ses profs de maths le chatouillait sous le menton afin de le lui faire lever et d'obtenir ainsi le meilleur angle pour le gifler. Ivan adopta donc un profil bas durant toute son enfance, se retournant souvent pour voir si rien ne menaçait ses arrières, et il ne changea pas à l'âge adulte, même s'il était conscient d'en faire un peu trop. Ensuite, les balles et les couteaux n'avaient rien arrangé. Le plus léger contact le faisait sursauter.

Et plus on le touchait doucement, plus cela l'irritait, au

point où ses muscles abdominaux se convulsaient. Ivan clouait souvent les bras de sa femme aux oreillers, esquivant sa peau, ne communiquant que par son sexe. Et quand, au sommet de l'excitation, Selma le touchait avec les pieds, il éjaculait d'un coup, grinçant des dents et grognant comme un chien du désert.

Rien ne lui permettait de dire que Selma le détestait encore, mais il imaginait que c'était le cas. Peut-être son imagination n'était-elle que le fruit de sa paranoïa, ou sa paranoïa le fruit de son imagination, mais cela ne le consolait pas. Il craignait d'être en train de perdre la raison. Et pas moyen dans cette ville de mettre la main sur un « thérapeute familial » – profession qui compte une majorité de divorcés. Et, bien que Nizograd eût été rattachée à l'Autriche pendant des siècles, la psychiatrie n'y existait que pour traiter les maladies mentales.

Après la guerre, Ivan n'était pas parvenu à trouver un nouveau poste d'enseignant. Il avait cru que, une fois les Croates aux commandes de leur destinée, l'économie prospérerait et que le travail abonderait. La Croatie deviendrait alors une Norvège méridionale, avec son littoral découpé de fiords et ses usines florissantes disposant d'un personnel qualifié. Les expatriés rentreraient massivement d'Allemagne et d'Australie, et leur professionnalisme ferait de la Croatie un pays de cocagne. Mais l'économie était pour ainsi dire anéantie. Ivan, tout comme de nombreux Croates slavons, blâmait les Croates d'Herzégovine qui, à peine débarqués, faisaient main basse sur les meilleurs boulots. Tudjman et ses copains d'Herzégovine avaient pillé tout ce qui pouvait être pillé. Les industries nationalisées avaient été privatisées en coulisse, et leurs équipements vendus à la Turquie et à quelques autres pays. Les usines avaient cessé de fonctionner, et la population, nostalgique de la bonne vieille Yougoslavie, souhaitait presque le retour des Serbes.

L'usine métallurgique de Nizograd échappa miraculeusement à ce naufrage et continua de rouler, peut-être dans le seul but d'inonder la vallée de gaz nocifs et de délétère poussière de métaux lourds. Ivan y décrocha un emploi et, pendant quelque temps, vint grossir les rangs du prolétariat, respirant les gaz d'échappement, écoutant le crépitement des étincelles électriques des soudeuses. L'entreprise marchait bien, produisant des bombes et des canons dans l'éventualité d'une guerre contre la Serbie, la Slovénie, la Hongrie, ou tout autre voisin de la Croatie à l'époque – bizarrement, elle ne s'entendait avec aucun d'eux. Ivan ne parlait à personne durant les pauses, préférant adopter une mine sévère et se plonger dans des livres de philosophie, tirant brutalement sur sa barbe (sans se départir de son air contemplatif), ou fourrageant du pouce le mucus accumulé dans son nez tordu. S'il butait sur des arguments philosophiques particulièrement hermétiques, il serrait les dents et s'arrachait les poils du nez si violemment que des gouttes de sang tombaient de son appendice nasal. Oubliant les causes de son saignement, il s'inquiétait de son taux d'hémoglobine – à vérifier ! Les ouvriers se moquaient de lui. Tous les matins, ils l'invitaient à boire une bière pendant la pause-café, et trouvaient étrange ce type qui refusait chaque fois.

On retira Ivan du poste de soudure à cause de problèmes pulmonaires. Il toussait sans arrêt et des petites taches avaient commencé à apparaître sur les radios. Elles disparurent aussitôt qu'il fut muté aux services administratifs, mais il fut vite accablé d'autres symptômes, principalement d'ordre digestif dont – apothéose des troubles intestinaux – des hémorroïdes qui lui poussèrent.

Il entretenait d'excellentes relations avec les médecins,

qui avaient appris à le connaître, à le mépriser et à l'aimer. Aussitôt qu'Ivan passait le seuil de la porte, un médecin lançait à haute voix son diagnostic avant même de lui avoir examiné l'anus, la bouche ou les poumons, et une secrétaire noircissait quelques formulaires qui dispensaient Ivan d'une autre semaine de travail.

La chose sexuelle n'intéressait plus du tout Selma, pas parce que c'était nul à la maison, suspectait Ivan, mais parce que c'était meilleur ailleurs.

Il la suivait quand elle sortait faire les boutiques et ne la voyait parler qu'avec d'autres femmes. Il n'est pas naturel pour une femme diplômée de l'université de ne pas parler aux hommes. À moins d'être féministe, et sa femme ne l'était pas. Elle cachait quelque chose…

Il trouva une excuse pour lui rendre visite au bureau – les éternuements de Tanya feraient l'affaire. Il inspecta le moindre recoin du Service de l'urbanisme, se demandant si l'endroit se prêtait aux ébats sexuels. Il examina les architectes de sexe masculin de pied en cap, et les trouva tous beaux garçons, quoiqu'un peu trop raffinés, efféminés, peut-être même homosexuels? Le grand mince, là, vois comme il évite de me regarder, c'est sûrement lui. À moins que ce ne soit celui avec les verres fumés?

Ivan savait que sa jalousie n'était pas de celles qui pimentent un mariage de doux moments de séduction, qu'elle était plutôt nocive, morbide. Mais il s'était toujours complu dans la morbidité. La morbidité pouvait se comparer à la subversion, à la faillite du bon fonctionnement des choses et, à une plus large échelle, à un soulèvement anarchiste. Et il est toujours plus impressionnant d'assister à la destruction d'un édifice qu'à sa construction : une libération d'énergie plus considérable et plus extatique.

« Oui, oui, finissons-en avec tout ça ! » murmurait-il parfois, rêvant de voir s'effondrer le gouvernement. Il haïssait le gouvernement nationaliste de Tudjman. Et il songeait aussi au divorce.

Sa vie lui était odieuse, et la chaleur du soleil sur sa peau ne lui donnait plus aucune joie. Il préférait la pluie froide ou, mieux encore, les orages. Il se sentait cocu. Que cela fût vrai ou non, c'était presque sans importance ; il pensait comme un cocu, pas un cocu qui s'ignore, un cocu pleinement conscient de l'être.

Qu'importe si sa femme avait ou non commis l'adultère, il devrait s'y livrer de manière préventive. De cocu, il accéderait alors au statut plus enviable d'adepte du mariage libre. Alors qu'il envisageait de pimenter son mariage à la sauce cosmopolite, il sourit et, tout en avalant bruyamment sa soupe, regarda comment les clavicules de Selma, si longues, si fines, fusionnaient délicatement sous son cou. Il le fit avec tant d'insistance qu'elle finit par lui demander si quelque chose n'allait pas.

« Rien, répondit-il, mais il y a des moments où un homme se sent heureux, et comment pourrais-je ne pas l'être avec une femme comme toi ? »

Selma le regarda comme s'il affichait les symptômes d'une gravissime hépatite, encore une maladie, justement, dont il se soupçonnait atteint. Une autre bonne raison de voir le médecin.

CHAPITRE 19

Où Ivan goûte au frisson de l'adultère

Comment allait-il assouvir son désir de baise extraconjugale? Il est facile pour un célibataire de rencontrer une femme, mais pour un homme marié, dans une petite ville… Tout simplement impensable! Même les gens dont vous ignorez tout vous connaissent de vue ou ont entendu parler de vous. Et vous savez aussi qui sont la plupart de ces gens, même si le nombre de ceux que vous comptez parmi vos amis est plutôt restreint. D'autre part, l'art de la présentation n'avait pas cours à Nizograd. Si vous preniez place à une table parmi des connaissances et des étrangers, personne ne vous présentait à ces derniers. Vous pouviez essayer d'attirer l'attention d'une inconnue en éveillant sa curiosité, mais elle pouvait aussi bien ne pas vous reconnaître si elle vous croisait ensuite dans la rue. Et la saluer le premier revenait à dire ceci: « Soyons amis. » Cet aveu, en général trop lourd de sens, expliquait pourquoi la plupart des gens ne se saluaient pas.

Ivan connaissait plusieurs secrétaires au bureau, mais qu'y aurait-il de cosmopolite à coucher avec elles? Comment rencontrer une femme?

Il se creusa la cervelle pendant des semaines. Il avalait une douzaine de jaunes d'œufs par jour, parce qu'il avait lu qu'ils contenaient de la lécithine, stimulant pour la mémoire. Mais il n'y avait rien à se rappeler, à part peut-être quelques ruses de vaurien pour racoler les femmes seules dans les rues de Novi Sad que lui avait apprises Aldo – qu'Allah veille sur son âme! Il frissonna en revoyant l'image de son ami crucifié en Bosnie. La terreur le submergea et, tout tremblant, il se rua vers les toilettes pour y soulager son estomac contrarié. Bientôt, au lieu d'éprouver de la peine pour Aldo, il commença à s'apitoyer sur son sort. Syndrome de stress post-traumatique? Il n'en aurait pas été étonné. Mais comment faire confiance à des psychiatres, purs produits du socialisme, habitués à passer la camisole de force des schizophrènes à tout «élément» politiquement indésirable? Impossible! Alors au diable le syndrome! Et puis il avait trop longuement réfléchi à la guerre, sans en tirer la moindre satisfaction, et pas assez à l'adultère. Au moins, l'adultère, c'était du concret, un moyen de n'être plus une victime mais un acteur, et tant pis si cet acteur se fourvoyait. (L'adultère constitue une forme de guerre biologique bien plus sophistiquée que la guerre mécanique ou chimique: imaginons qu'il contracte une chlamydia, la ramener à la maison reviendrait à placer une bombe silencieuse au cœur de son mariage.) De toute façon, il se fourvoierait bien davantage en ne faisant rien d'autre que de rester assis à broyer du noir jusqu'à s'en étouffer.

Il lut quelques nouvelles et romans dans l'espoir d'y découvrir où et comment rencontrer une femme. La station thermale semble le lieu idéal. Si la femme possède un petit chien, c'est à lui qu'il faut d'abord s'adresser – prenez dans votre assiette quelques os de côtelettes bien grasses et jetez-les-lui. La prochaine fois que le chien vous verra, il remuera chaleureusement la queue et il vous suffira de vous baisser et de le caresser tout en le félicitant de sa belle allure. Vous pouvez alors demander à sa maîtresse sur un ton désinvolte comment elle fait pour garder son pelage aussi souple et lustré. Nizograd disposait d'une station thermale, mais le terrain était trop connu de tous pour s'y livrer à ce petit jeu. Et il lui faudrait bien attendre encore six mois avant de pouvoir prendre un congé maladie payé dans une autre station thermale.

La plupart des jolies femmes de la ville étaient mariées au juge local, au chef de police, à un médecin ou à un colonel. Il adorait les médecins et trouvait ridicule l'idée de séduire l'épouse de l'un d'eux. Toutefois, il nourrissait pour tous les autres un profond ressentiment. Mais comment croiser le chemin de ces femmes ?

Le chef de police passait ses soirées au club d'échecs. Sa femme n'était autre que Svjetlana, l'ensorcelante danseuse du Repaire de la truite. Et lui, l'assassin de Peter. Avant la guerre, Vukic était un communiste qui écrivait des articles en cyrillique pour des revues politiques et se disait serbe pour prendre du galon au sein de la police. Il affichait désormais les idées d'un nationaliste croate convaincu. Ivan soupçonnait Vukic d'être capable de s'adapter à tout – cet homme-là était totalement dépourvu de gêne et de scrupules.

Ivan l'affronta aux échecs, même s'il haïssait sa seule vue. Il le battit et, à la fermeture du club, Vukic l'invita chez lui. Ils ouvrirent un jeu d'échecs aux pièces d'ivoire et d'ébène sur une table basse, et le maître de maison demanda à sa femme de servir des pâtisseries au chocolat.

Elle apparut dans une chemise de nuit rose, les yeux rougis d'avoir lu un roman d'épouvante. Sans même jeter un coup d'œil à Ivan, elle apporta du café turc et regagna sa chambre dans un chatoiement. Douze petites années s'étaient écoulées depuis le *kolo* du Repaire de la truite, mais tout en elle s'était en quelque sorte fané : les seins tombants, les rides autour des lèvres, le triple menton en cascade, l'œil terne. Qu'importe, pensa Ivan, elle ferait l'affaire. Son corps respirait encore la douceur et la voluptueuse vulnérabilité. La texture potelée de ses courbes grêlées de taches de rousseur et la mélancolie de son sublime fessier invitaient à de lascifs enlacements.

Ivan jouait avec confiance, sacrifiant les pions de ses ailes gauche et droite afin de se donner l'avantage de l'espace et du déploiement. Le chef était aux anges. « Magnifique ! Nous sommes faits pour nous entendre ! Ton jeu est moderne, ouvert, comme celui de Kasparov. J'aime ça !

— Sais-tu que Kasparov passe ses étés en Croatie ? Il est même membre du club de Vukovar, par solidarité pour les victimes de la ville.

— Pour qui tu me prends ? Bien sûr que je le sais. J'ai même été son garde du corps quand il a joué à Dubrovnik l'été dernier. Mais laisse-moi te dire une chose, ce type est si intense qu'il n'a besoin d'aucune protection. Son regard ferait fondre des clés.

— Pourquoi ne s'est-il pas fait voleur, alors ?

— Pas besoin, il obtient tout ce qu'il veut. Il lui suffit de penser très fort et de te regarder fixement.

— On devrait essayer...

— Vas-y, mais ça ne marchera pas, je te le garantis. »

À cet instant précis, Ivan mit à l'épreuve le « regard qui tue » de la méthode kasparovienne en fixant de la manière la plus pénétrante qui soit la ferme ondulation des hanches de Svjetlana, qui venait de refaire son apparition, les mains chargées d'une deuxième tournée de café turc et de tartelettes aux noisettes et à la crème. Elle s'assit à leur table et soupira : « Si seulement je maîtrisais mieux les échecs. Ranko, pourquoi ne joues-tu pas avec moi ?

— Parce que ce n'est pas drôle de jouer contre un débutant, grogna Vukic, en difficulté.

— Il y a des ordinateurs qui jouent aux échecs, dit Ivan à Svjetlana. Vous pourriez vous entraîner.

— Pfff! souffla Vukic. C'est une femme. Les ordinateurs et les échecs ne sont pas faits pour les femmes! Les échecs exigent rationalité et faculté d'anticipation.

— Les femmes pourraient jouer aussi bien que les hommes, rétorqua Ivan. C'est juste que les échecs n'ont pas de place dans leur éducation. Il n'y a pas de femmes au club. Mais si elles jouaient autant que nous, elles seraient meilleures, parce qu'elles, au moins, ne boivent pas.

— Prouve-le, lâcha le chef.

— Comment le prouverais-je? Je ne suis pas une femme.

— Je pourrais faire une blague.

— À ta place, j'éviterais. Je comprends que tu sois un peu froissé après toutes ces défaites, mais ce n'est pas la peine de te montrer désagréable.

— Pourquoi prends-tu si fort la défense des femmes?

— Que dis-tu des sœurs Polgar de Budapest? Sur les trois, deux sont des grands maîtres, et de temps en temps elles malmènent quelques modèles de logique et d'endurance masculine, comme Spassky, par exemple.

— La place de Spassky, c'est dans un musée.

— C'est une remarque sexiste, s'insurgea Svjetlana.

— Laquelle?

— Que les femmes ne se soûlent pas, répondit-elle. Qu'y a-t-il d'autre à faire que boire dans cette petite ville? Vous, les hommes, faites ça dans les bars. Nous, on le fait à la maison. Si on vivait dans une grande ville, je suivrais des cours et je te montrerais. Mais ici... » Elle prit une profonde inspiration et sa poitrine se gonfla ; la peau se tendit et révéla le gouffre abrupt qui plongeait entre ses seins – Ivan en eut le souffle coupé.

« Bien, chuchota Ivan en se tournant vers le chef. Et que dirais-tu d'une légère pénétration sur le flanc de la reine?

— Que de temps perdu!

— Très bien. Alors on va s'occuper du roi. C'est plus direct. Sais-tu que l'expression "échec et mat" vient du persan *shâh mât*, qui veut dire "le roi est mort"?

— Et alors?

— Alors échec.

— Tu crois me faire peur?

— Et mat!

— Merde!»

Une semaine plus tard, Ivan croisa Svjetlana près de la vieille bibliothèque et, dans l'air humide et froid qui montait du sous-sol quasi médiéval de l'édifice, ils engagèrent la conversation.

« Comment se porte M. Vukic?

— Il est parti pour la semaine. Encore une conférence!

— C'est la belle vie! Les traditions communistes ont la peau dure, non? Je pense que notre gouvernement court à la faillite.

— Il est déjà en faillite. Je m'ennuie affreusement. Je ne peux tout de même pas lire du matin au soir.

— Je pourrais vous donner des leçons d'échecs.

— Oh oui! Ce serait merveilleux!»

Elle repartit et Ivan resta planté là, dans le courant d'air qui charriait jusqu'à ses narines poussière d'ailes de mouches et vieilles toiles d'araignées, admirant l'ample balancement de ses hanches et l'ondulation de ses fesses si serrées dans la jupe qu'on apercevait les contours d'une culotte; et quand ces contours ondulèrent comme les ailes d'une cigogne prenant de l'altitude, il suffoqua, tel un asthmatique. Il mit le cap à l'est, attiré par un nuage de vapeurs de houblon fermenté qui passait à travers la grille de fer barbelée d'une brasserie au-dessus de laquelle trônait le blason de la Croatie – un damier rouge et blanc, dont les couleurs métalliques s'estompaient dans les nuances pastel de la rouille.

Assis à une grande table du club d'échecs, tapant du pied sur le parquet où une cire noire recouvrait des générations de poussière et de cendres formant une croûte de crasse molle rappelant le bitume, Ivan montra à Vukic différentes parties dans un livre intitulé *500 mats d'anthologie*.

« Ah ! vieille canaille, dit Vukic, c'était donc ça ! Je comprends maintenant pourquoi tu me bats : tu étudies dans les livres !

— En fait, sourit Ivan, je n'étudie pas, mais je voulais te montrer une brillante combinaison. Regarde. » Et il reproduisit par cœur un mat en quelques coups.

« J'en reviens pas. Tu peux me le refaire ? »

Vukic, dont le cerveau baignait déjà bien dans l'alcool, lui jeta un regard sans expression. « Bon Dieu, t'es un pédagogue dans l'âme ! Ma femme m'a dit que tu allais lui apprendre à jouer. »

Ivan s'empourpra, mais pensa que le chef ne s'en était pas aperçu dans la faible lumière.

« Tu es un intellectuel, Ivan. Je m'étonne que tu n'aies pas de boulot d'enseignant. Je verrai ce que je peux faire. »

Et quand ils se levèrent, Vukic l'embrassa sur les joues et l'enlaça, soufflant dans ses oreilles une haleine chargée de vapeurs de vin blanc et de fumée de vieux cigare.

Ivan rota.

Ranko Vukic ne se formalisait apparemment pas de voir Ivan passer du temps avec sa femme, et il regardait les informations télévisées pendant que le maître faisait la leçon à Svjetlana. Ivan aurait peut-être dû se montrer plus prudent, mais il avait perdu tout respect pour Vukic. Comment respecter quelqu'un que vous battez à plate couture sur l'échiquier?

Quand le chef quitta la ville pour une conférence arrosée à l'eau gazeuse – ça passait à la télé et il fallait bien montrer au peuple que ses dirigeants étaient sobres –, Ivan appela Svjetlana. Elle l'accueillit dans des effluves d'huile parfumée à l'œillet et dans la touche moite d'une lotion française passée sur ses joues fraîches. Ces baumes étaient concoctés avec l'ambre gris des baleines, et Ivan pensa à Jonas, personnage biblique auquel il s'identifiait. Jonas avait voulu voir la destruction de Ninive, et Ivan avait aimé les bombardements de l'OTAN. S'il vivait de nos jours, Jonas aurait adoré l'OTAN et travaillerait pour les renseignements britanniques ou pour la CIA.

Ivan sentit monter en lui la nervosité et resta penché sur l'échiquier, jouant consciencieusement. Quand il lui enseigna la tactique de la fourchette, elle croisa et décroisa les jambes, exposant brièvement sa peau soyeuse.

« Pouvez-vous me répéter cela? » dit-elle en lui effleurant le dos de la main, d'un geste apparemment involontaire. Puis, comme si elle s'était prise elle-même sur le fait, elle retira rapidement sa main. Ivan eut un geste de recul.

« Oh, désolée, j'espère ne pas vous avoir fait mal.

— Non, non, bien sûr que non. En fait, c'était plutôt agréable.

— Vous avez une étrange notion du plaisir, on dirait que vous en avez peur.

— Je n'ai pas peur.

— Et là, comment est-ce que je me tire de ce clouage ? »

Et tandis qu'Ivan lui montrait comment libérer sa pièce clouée, elle laissa traîner comme une caresse le bout de ses doigts sur sa main et dit : « Attendez ! Est-ce que le fou ne pourrait pas... » Les doigts de Svjetlana étaient à un ou deux centimètres de ses jointures. L'électricité statique du tapis passa des phalanges de la femme à la peau d'Ivan en un crépitement d'étincelles roses. Le courant électrique fit refluer son sang vers une furieuse érection. Après un instant d'hésitation, Ivan se jeta sur elle, balayant de la table les pièces d'échecs. Assoiffée, elle mouilla ses lèvres sur les siennes. Il écrasa ses paumes contre ses seins, comme pour se protéger de leur puissance maternelle, libéra de leur habit de soie couleur chair ses mamelons, et saisit leur chair délicate avant de les relâcher. Ses mains partirent alors vers son bas-ventre, glissèrent sur le buisson de poils clairsemés qui couvraient son mont de Vénus. Très vite, Ivan et Svjetlana s'engagèrent dans un ballet vieux comme le monde, une fusion préhistorique. Ils firent à rebours le voyage de l'évolution, devinrent de plus en plus élastiques, de plus en plus invertébrés, de plus en plus mouillés, jusqu'à tomber dans un maelström – le monde sous-marin d'un Éros froid.

Ivan fut incapable d'expliquer pourquoi, mais tout fonctionna très bien et, après lui avoir fait l'amour vigoureusement, il caressa le corps de Svjetlana comme on caresse un violon, comme on effleure la corde de *mi* dans le passage pianissimo d'un adagio.

Svjetlana et Ivan prirent l'Audi du chef et s'enfoncèrent aussi loin qu'ils le purent dans les forêts montagneuses. Ils dévalèrent une pente abrupte à travers une épaisse forêt de chênes et tombèrent sur un pré beau à vous redonner le souffle. Les pupilles d'Ivan se contractèrent dans la lumière du soleil et, pendant un instant, il ne vit rien d'autre qu'un halo lumineux, comme si tout était couvert de neige. L'odeur de mille plantes sauvages flottait – surtout celle des églantiers. La douceur vivifiante du vent lui caressait les yeux, plus sensibles au sens du toucher qu'à celui de la vision. Une bande de courants d'air en chassa une autre et batifola dans l'herbe. L'un glissa sur la pente, l'autre tourbillonna autour d'eux, comme un derviche qui se serait pris pour le souffle de démons farceurs. Ils soulevaient la chevelure cuivrée de Svjetlana, faisaient tournoyer les feuilles de chêne, puis couchaient l'herbe, mais sans jamais entrer dans la forêt, où des cochons rougeauds croquaient bruyamment des glands.

L'herbe continuait de chatoyer, passant du sombre au clair au gré des vents, montrant tour à tour l'avers et le revers de ses brins en forme de lame, absorbant le soleil un instant, le reflétant le moment d'après.

Ils plongèrent dans l'herbe comme dans un lac recouvert d'une fine pellicule d'algues. Les créatures de la prairie qui grouillaient sous eux les piquèrent. Les dards des guêpes, des fourmis et des araignées exacerbèrent la sensuelle urgence des deux amants s'ébattant dans ce vent humide qui soufflait à rendre fou. Quand la jouissance leur arracha un cri, une averse soudaine s'abattit sur eux, leur offrant un répit salutaire dans le combat des vents oppressants. Svjetlana et Ivan se relevèrent et tombèrent nez à nez avec un troupeau de moutons qui les observaient en silence. Deux bergers fumaient pensivement leur pipe sous un poirier solitaire à l'écorce rugueuse. Quand le couple avait surgi dans le pré, il n'y avait pas âme qui vive, et voilà que deux cents paires d'yeux fixaient leur peau rougie où les piqûres d'insectes avaient fait éclore des dizaines de petits mamelons vides de lait. Ivan et Svjetlana coururent dans les bois, loin des yeux, et se jetèrent dans un ruisseau dont l'eau vaseuse apaisa la brûlure de leurs mamelons tout neufs. Ils jouèrent dans la boue, s'en couvrirent le corps, cherchant la peau avec leurs doigts ; et c'est comme ça, comme la terre qui se dissout, qu'ils se fondirent l'un dans l'autre, haletants, gémissants, tout glissants et hagards. Puis ils se lavèrent dans l'eau froide du ruisseau.

Après avoir pris une douche dans l'appartement de Svjetlana, Ivan la sodomisa dans le lit du chef – il vit dans cet acte le triomphe de l'humanité sur le régime nationaliste. (Et cela faisait en plus de lui un homme dans le vent, car il avait récemment vu au bar de Nenad un film porno français où cet acte était considéré comme le fin du fin.) Il éprouvait désormais un tel sentiment d'harmonie avec ce régime qu'il songea à rallier les rangs du Parti démocrate croate. Il aurait même pu aller jusqu'à accrocher au mur une photo de Tudjman – un plagiat de la photo de Tito. Cela lui rappela une blague : *Pourquoi Tudjman met-il si souvent la main droite sur son cœur ? Pour cacher le* TITO *brodé sur ses chemises.* L'immortel Tito ne survivait que dans les blagues. Il étreignit de nouveau les cuisses de Svjetlana.

Sur le chemin de la maison, Ivan entonna le chant des partisans. Son imagination prit son envol, bien au-dessus des clochers rongés par la rouille. Qui sait, peut-être deviendrait-il un jour un violoniste de concert et un grand maître du jeu d'échecs. Tout était encore possible. Il avait à peine cinquante ans, et il lui semblait n'en avoir que vingt – même si, à vingt ans, il s'était senti comme s'il en avait eu cinquante.

CHAPITRE 20

Où les joies du cocufiage
connaissent un dénouement tragique

Tudjman venait de mourir et la radio passait du matin au soir le deuxième mouvement du Concerto pour violoncelle de Dvořák. Cette fois, la mort du père de la nation n'attrista pas Ivan. Au contraire, il se sentit euphorique à l'idée que la Croatie voguait peut-être enfin vers la prospérité, que les légères sanctions allaient être levées, que l'Occident allait enfin aimer son pays et lui prêter de l'argent, que les touristes envahiraient la côte, et ainsi de suite.

Ivan se rendit chez Svjetlana pour célébrer.

Une musique presque folk suintait de la chaîne stéréo, au rythme vif et aux notes basses et chaudes. Le chef de la police était sorti à cause du renforcement des mesures de sécurité. Svjetlana et Ivan s'embrassèrent. De la salive aux arômes de dentifrice et de chocolat coula sur leur menton. Les lèvres onctueuses de Svjetlana réveillèrent le désir d'Ivan. Ils se laissèrent tomber sur le nouveau tapis turc orné de dragons rouges et noirs, de flammes, de serpents, d'étoiles, de lunes, et de mille autres détails que seuls des montagnards écrasés par l'ennui avaient le temps et le talent de tisser. Le tapis ne les chargea pas d'électricité statique. Ivan ferma les yeux. La musique accéléra, la basse tomba dans les graves, faisant vibrer en lui quelque chose de profond, peut-être la prostate. Entre la slivovitz et la chaleur, il eut l'impression de voler sur un tapis magique. Ils arrachèrent leurs vêtements et engagèrent un corps à corps polisson. Puis leur passe d'arts martiaux se transporta dans le lit conjugal.

Le bois de la grande armoire grinça et un grand bonhomme en jaillit. Vukic! Il bondit sur Ivan. Pif! Paf! En quelques secondes, Ivan fut recouvert d'une palette de couleurs organiques dont il avait fourni tous les ingrédients. Et ce n'était pas fini. À la couronne rouge entourant ses yeux s'ajouteraient bientôt du bleu, du vert, et d'autres nuances de l'arc-en-ciel, lauriers de sa glorieuse conquête amoureuse.

Le chef Vukic poussa Ivan à travers plusieurs portes, puis l'éjecta de la maison à coups de pied, la pointe de ses bottes lui broyant les *gluteus maximus* et *minimus*. Un courant électrique lui traversa le cerveau, activant toutes sortes de lumières, de pensées, de sensations et d'émotions – surtout la panique, la honte, l'humiliation et la douleur : toutes ces choses que ressentent les mortels, Ivan les ressentit dans sa chair, à part peut-être la gratitude.

Après un vol plané, il atterrit sur le derrière, dans la rue, un jeudi, jour de marché. Une multitude de gens en revenaient les bras chargés de fromage frais, de beurre, de céleri, d'œufs et de poulets caquetants. Quand Ivan se releva, nu comme un ver, le sexe toujours à moitié dressé, et que le camarade Vukic se planta derrière lui, la foule partit d'un immense éclat de rire.

Ivan voulut retourner en courant à l'intérieur, se cacher dans le couloir, mais Vukic bloquait le passage. Il sortit une cigarette et l'alluma. Ivan se fraya un passage dans la foule.

« Regardez-le, notre don Juan ! »

« Dis, Casanova, pourrais-tu m'apprendre à séduire les

femmes mariées ? Combien me prendrais-tu pour trente secondes ? »

« Et c'est quoi le petit engin qui te pend devant et qui ressemble à une bite ? »

Ivan réussit à traverser la foule et courut vers la maison, les couilles sautillantes, pendant que des enfants le poursuivaient comme s'ils poursuivaient un cirque, en gueulant et en lui lançant des cailloux.

Ivan contracta une grave maladie : la honte chronique. Au lieu d'essayer de se sortir de la tête sa disgrâce, il ne cessait de la ressasser.

Au bureau, il avait l'impression qu'on évitait son regard. Comme ce doit être désagréable pour mes collègues d'imaginer ce que je ressentirais s'ils me regardaient droit dans les yeux, pensait-il. Mais ce n'est pas par considération, je les connais.

Le fait que personne ne semblait le regarder dans les yeux convainquit Ivan que tout le monde l'observait, que tous riaient dans son dos. Un collègue, Paul, fut une fois pris d'une crise de fou rire – ses muscles abdominaux ou, plus exactement, l'épaisse couche de gras animal qui les enveloppait formait des vagues très visibles sous sa chemise blanche.

« Qu'est-ce qui te fait rire ? demanda Ivan.

— Je viens juste de me souvenir d'une bonne blague », répondit-il.

Les commis et les secrétaires ricanèrent sans quitter des yeux les papiers et les machines à écrire posés devant eux, comme si vraiment ils s'occupaient de leurs affaires.

Ivan rougit, certain que Paul mentait.

« Vas-y, raconte-nous ta blague !

— Je ne sais pas si c'est vraiment convenable devant les dames…

— Oh non, on veut l'entendre, se récrièrent-elles. Rien ne vaut une bonne blague ! Surtout un peu salace !

— Très bien, si c'est ce que vous voulez, dit Paul, jouant la résignation. Deux femmes arrachent des carottes dans un jardin. L'une d'elles s'arrête soudain, regarde avec détachement la carotte qu'elle tient dans la main, et dit : "Mon mec en a une pareille !"

— "Quoi ? Aussi grosse ?" demande l'autre.

— "Non, aussi… sale." »

Cela ne fit pas rire Ivan, qui crut que la blague le visait. Il avait l'impression que les regards le suivaient, comme la queue suit le chat ; peu importe la vitesse à laquelle il se retournait, jamais il ne parvenait à les capter, tout comme le chat n'arrive jamais à attraper sa queue. Au bureau, il commença à commettre de plus en plus d'erreurs.

La santé d'Ivan déclina. Il souffrait de problèmes cardiaques, d'arythmie et, par-dessus tout, ou plutôt en dessous de tout, d'un ulcère.

Sa femme ne prenait plus la peine de le regarder, encore moins de lui parler, comme s'il était un porc abject.

Plein de colère refoulée, Ivan serrait les dents, réprimant son désir de la battre. Puisqu'on le considérait partout comme un minable, il aurait au moins voulu vivre comme un roi dans sa maison. Mais c'eût été indigne de lui : frapper sa femme restait la défense classique de l'homme humilié et, pour cette raison, cela ne pouvait convenir à Ivan qui, malgré une estime de soi en chute libre, persistait à se voir comme un être éminemment raffiné et délicieusement malchanceux.

Tanya continuait à égayer la maison de ses hurlements comme si de rien n'était. Elle courait dans tous les sens à la poursuite du chat, et tous deux tourbillonnaient, comme deux petits écureuils autour d'un tronc d'arbre.

Ivan broyait du noir. Je pourrais mourir d'une crise cardiaque dans ce fauteuil en lisant le compte rendu assommant de la dernière session annuelle du Parlement russe, et personne ne s'en apercevrait. Que je sois mort ou vif, cela ne fait pour eux aucune différence.

Il fumait des cigarettes sans filtre qui lui irritaient la bouche et la gorge, soufflait la fumée à droite, à gauche, comme un train à vapeur qui se fraierait un chemin dans une côte abrupte.

La nuit, il gigotait dans son lit. Chaque nuit un peu plus d'ailleurs, jusqu'à cette nuit, la plus tragique de sa vie ou, plutôt, de sa mort.

Cette nuit-là, le chant des grenouilles évoquait de lointains grognements de porcs. Des moustiques vrombissaient à ses oreilles. Tous ces sons entraient par les pores de sa peau couverte de sueur. Selma transpirait aussi. Dans le lit trop mou, son corps roula tout contre la peau d'Ivan.

Les piqûres de moustiques le démangeaient. Il se gratta jusqu'au sang et, même là, ne put s'empêcher de continuer de s'enfoncer les ongles dans la peau. La peau collante de Selma envoyait dans tout son corps des frissons de dégoût. Il se tourna sur le côté droit, loin d'elle, et essaya de s'endormir, mais ne réussit qu'à lâcher un pet d'angoisse.

Un vacarme de motos et de voitures monta de la rue. Lointain d'abord, puis de plus en plus fort, puis lointain de nouveau, jusqu'à disparaître. Il entendait aussi des voix d'adolescents, enjouées et grossières, parlant de foot et de filles, des voix chargées d'espoir. Puis ce ne fut plus que le ronron du silence, puis l'écho des pas d'un passant solitaire, puis de nouveau les mêmes ados, les mêmes grenouilles, et si ce n'étaient pas les mêmes, ils leur ressemblaient. Le réveil japonais émettait un petit bip à chaque minute qui s'écoulait. Ivan regarda les chiffres vert fluo : 1:10. 1:11.

Sa femme commença à ronfler. Puis elle cessa.

D'un coup, la terreur de la mort transperça la peau d'Ivan, coulant dans son sang comme le venin du cobra. L'odeur âcre de l'encens des morts lui envahit les narines. Il se souvint de tous les enterrements auxquels il avait assisté, et qui en cet instant ne faisaient plus qu'un : le sien. Il se vit dans le cercueil, portant un costume noir, la tête violacée, bien calée, avec collé sur le visage et pour l'éternité cet air songeur du type qui médite sur la question de l'être et du néant. Et il sentit la piqûre de la honte, une honte qui empestait les vieilles chaussettes et les parties génitales ratatinées.

L'idée qu'il pourrait mourir, disparaître d'un coup, sans avoir rien fait de sa vie, sans avoir rien compris, le terrifiait – il n'avait même pas eu une simple pensée qui pourrait le satisfaire sur le plan esthétique et combler son âme, pour peu qu'il en eût une. Il n'avait connu que les soucis futiles et la vanité.

Et maintenant, à cause de sa vanité, pour avoir voulu se donner une bonne opinion de lui-même, il craignait d'avoir vécu en vain.

Dans le vide de la nuit, toute la misère du monde s'abattit sur lui. Les poils de ses jambes et de ses bras se hérissèrent. Le souvenir de sa chute sur le pavé, nu, parmi les hurlements de rire, lui revint à l'esprit dans un flash fluorescent teinté de rose et ranima les échos railleurs d'une humiliation de son enfance : sa tête qu'on frappait sur le ciment après une bagarre perdue, les moqueries des enfants.

La nausée lui tordit les entrailles, les brûlures d'estomac remontèrent dans sa poitrine, provoquant à chaque respiration une douleur plus aiguë à gauche du sternum. Son rythme cardiaque ralentit étrangement, laissant entre chaque battement un abysse, un néant dans lequel il se sentit basculer.

Il se passa un long moment avant le battement suivant. Son cœur allait-il s'arrêter? Il n'osa pas prendre une nouvelle inspiration, de peur que la pression de ses poumons sur son cœur ne l'étouffe, de peur que ce simple souffle ne l'éteigne. La mort l'horrifiait, et la seule pensée de sortir dans la rue l'épouvantait. Il aurait voulu ne plus jamais avoir à bouger sans pour autant cesser de vivre, n'être ni mort ni vivant.

Et comme pour exaucer ce souhait, son cœur ralentit jusqu'à ne plus produire de battements. Alors, une attaque hystérique le submergea, tordit son corps sous le coup d'une puissante décharge lumineuse. Puis le courant cessa, le laissant paralysé, incapable de bouger, les yeux grands ouverts.

Qui pourrait lui reprocher maintenant de ne pas venir à bout de ses problèmes? Comment le pourrait-il, lui qui ne pouvait remuer aucun muscle de son corps?

D'abord, ce nouvel état l'exalta. Il y avait là quelque chose de froidement solennel, quelque chose d'extraordinaire – *mysterium tremendum* –, d'horrifiant. Au lieu de se mépriser, il commença à s'apitoyer sur son sort, et à élever cette pitié jusqu'au respect de soi, sans aller toutefois jusqu'à s'aimer.

Il continua de respirer involontairement, comme si quelqu'un d'autre le faisait à sa place. Son rythme cardiaque, imperceptible et très lent, laissait en lui une grande sensation de vide. Il se demanda s'il sentait son cœur battre comme il l'avait toujours fait, dans ses oreilles, dans son cou, dans une dent douloureuse, mais il ne percevait aucun battement. Il n'était même pas certain qu'il y eût des battements.

CHAPITRE 21

Où on fait la chose
sur un certificat de décès

Au petit matin, Selma se rendit à la salle de bain sans jeter un regard à Ivan, se lava le visage et se brossa les dents à l'ancienne (de gauche à droite, pas de haut en bas), puis cria : « Lève-toi, Ivan, il est presque cinq heures du matin. Tu vas être en retard et tu vas te faire virer. On n'a vraiment pas besoin de ça ! »

Elle se maquilla les sourcils, même si en principe elle était contre – elle les retouchait en fait si discrètement qu'ils avaient l'air parfaitement naturels. Selma se demanda si ses cils étaient assez longs. Elle prit un petit miroir et s'en servit pour examiner son profil dans la glace au-dessus du lavabo, puis elle passa un coup de crayon sur ses cils – cela n'irait pas à l'encontre de sa nature et donnerait plus de profondeur à son regard.

Puisqu'elle n'avait plus que l'ombre d'un mari, le goût de se faire belle lui était revenu. Au mitan de la vie, Selma affichait dignité, confiance en soi, charme et sensualité, tout en restant vulnérable et peu sûre d'elle-même quant à son physique. Une fois ses crayons rangés dans son sac à main, elle tira le rideau et regarda dans la rue. Une petite bruine mouillait l'aube floue.

Selma revint dans la chambre, se demandant quelle couleur elle porterait. Elle penchait pour le rouge, qui mettrait une touche de gaieté et de chaleur dans cette journée grise et froide. Elle ouvrit sa commode et cria sur un ton machinal : « Debout, Ivan ! C'est l'heure d'aller travailler ! » Voilà bien le type d'exclamation qu'Ivan haïssait du plus profond de son âme, à supposer qu'il lui restât une âme et de la profondeur.

En ne l'entendant pas pester comme à son habitude – « Est-ce que je pourrais avoir la paix dans mon propre lit ? Tire-toi ! » –, elle se retourna pour tenter de comprendre ce nouvel état d'esprit.

Les yeux d'Ivan étaient vitreux et injectés de sang, indéniablement grands ouverts. Elle courut vers le lit et lui toucha les bras, qu'elle trouva froids et raides. Selma hurla. Ivan ne bougea pas.

Parce qu'elle avait entendu ce cri perçant, une enfant toute pâle, les yeux écarquillés, apparut sur le seuil de la chambre. Selma chercha le pouls d'Ivan, mais ne trouva que la peau froide. Elle cria de nouveau et aurait éclaté en sanglots, n'eût été l'enfant dans l'embrasure de la porte. Elle la reconduisit dans sa chambre en la rassurant : « Ce n'est rien, il ne s'est rien passé. Retourne te coucher. Tu n'as rien vu. Tout va rentrer dans l'ordre. » Elle parlait si vite qu'elle ne parvint qu'à effrayer Tanya encore davantage. La fillette n'osa plus sortir de sa chambre. Est-ce que papa battait maman ? Impossible ! C'est elle qui se tenait penchée sur lui. L'avait-elle frappé ? Non, il paraissait si calme. Alors, que se passait-il ?

Le téléphone ne fonctionnait pas, comme souvent dans le foutoir de l'après-guerre lorsqu'il avait beaucoup plu, et Selma dut courir huit coins de rue pour arriver aux urgences de l'hôpital.

Le médecin était parti jouer aux cartes au Cor de chasse, bâilla l'infirmière. Selma détestait les bars, mais elle n'avait pas le choix. Le docteur venait juste de partir quand elle arriva au Cor de chasse, où seuls restaient quelques poivrots, endormis par terre dans une odeur écœurante et doucereuse de vin rouge renversé.

Selma galopa jusqu'au Cellier, la taverne suivante, qui restait ouverte toute la nuit. La loi l'interdisait, mais la police – et presque tout le monde – avait besoin d'un coin où boire un coup jusqu'au petit matin, alors le bar restait officieusement ouverte.

Le médecin était là, cigarette aux lèvres, cartes en main, bouteille de slivovitz jaunâtre sur la table, entouré d'autres ivrognes au teint jaune.

L'homme n'était manifestement pas fait pour ce métier, tout juste bon à naviguer d'une taverne à l'autre. C'est de justesse qu'il avait réussi chacun de ses examens, et il avait dû bûcher plus de dix ans pour décrocher son diplôme, puisqu'il ne s'intéressait qu'à la vie des tavernes, aux cartes, aux femmes, et ne crachait pas à l'occasion sur une petite bagarre. Vu son âge, il se battait de moins en moins, mais compensait en fréquentant plus souvent les putes de la station thermale. Il avait triché à son examen de cardiologie (en se faisant remplacer par un cousin qui lui ressemblait), ce qui laissait planer quelques doutes sur sa capacité à soigner Ivan.

Le Dr Rozic se rendit auprès du corps d'Ivan et lui saisit le poignet. Il n'y détecta pas la moindre pulsation. Ses mains se déplacèrent alors rapidement vers la poitrine, puis plus vite encore vers le cou. Rien !

Il plaça son stéthoscope sur ses oreilles et commença à l'ausculter, faisant glisser le métal froid sous la chemise d'Ivan, autour de ses mamelons et le long du sternum. Le médecin essaya ensuite d'ouvrir sa bouche pour en examiner la langue, en vain. Il glissa un thermomètre dans la brèche laissée par une dent manquante, sur le côté de la mâchoire.

« Y a-t-il de l'espoir, docteur ? » demanda Selma, pendant que le médecin attendait de pouvoir lire la température.

« Il y a toujours de l'espoir », répondit l'homme de science.

La température dépassait à peine les 33 °C. Il promena le rayon lumineux de sa fine lampe de poche devant les yeux d'Ivan, puis ses mains lui fermèrent les paupières. Il ôta lentement le stéthoscope de son cou et le lâcha dans son sac. Il appuya ensuite son double menton bleu par une barbe naissante sur ses clavicules, se donnant ainsi l'air digne du général apprenant la déconfiture de ses armées. Il était manifeste que ce médecin avait gâché sa vie, qu'il aurait bien mieux réussi sur une scène de théâtre – d'ailleurs, les tavernes l'attiraient parce qu'elles étaient des sortes de théâtres.

Selma n'eut pas besoin de demander si Ivan était mort : puisqu'un médecin à la figure aussi digne le déclarait mort, nul doute qu'il l'était. « Il est mort. » Le médecin prononça son diagnostic d'une voie profonde et sonore qui ébranla Selma. Elle frissonna. Elle sanglota.

Le docteur saisit un formulaire et commença à rédiger le certificat de décès de son écriture chaotique, si typique de sa profession, en deux exemplaires : un pour le client, un pour ses dossiers. « Mort de cause inconnue. » Il laissa sur la table la copie de Selma. Elle avait l'œil humide, rougi. Elle se mordit la lèvre inférieure, comme si elle luttait pour réprimer un débordement d'émotions. Voyant cela, le docteur l'étreignit, lui tapotant paternellement les omoplates.

Soudain, cet homme très sensible à la chaleur féminine sortit de son rôle. Prétextant son désir d'apaiser ce chagrin, et tout en lui disant : « Tout va bien se passer », il commença à lui caresser la nuque et à se presser contre elle.

Dans sa grande confusion, Selma ne prêta tout d'abord pas attention aux consolations du médecin. Puis tremblements de peur et vagues de chaleur s'emmêlèrent. Sans se retenir davantage, elle appuya sa tête contre la poitrine du médecin, lequel frotta son menton mal rasé contre les cheveux de la femme, faisant frémir son cuir chevelu. Les mains de Rozic glissèrent vers le bas du dos de Selma, et il répéta de sa voix de baryton : « Tout va très bien se passer. » Il lui ronronnait ces mots à l'oreille, et son souffle envoyait à la base de son cerveau un vent si chaud et si voluptueux qu'elle en perdit momentanément ses esprits. À cet instant précis, le docteur enfonça ses doigts dans la chair sous la jupe, faisant remonter ses paumes à l'arrière des cuisses fraîches.

Selma se mit à haleter. Le docteur la poussa contre la table où son derrière écrasa le certificat de décès, qui émit en guise de violente protestation un bruit de froissement. Les mains de l'homme pétrissaient les cuisses de Selma, et ses doigts pénétrèrent en terre étrangère où ils trouvèrent, cachée sous les broussailles, une argile humide à travers laquelle ils se frayèrent un chemin jusqu'à la source des délices moussus. Elle gémit comme si elle tombait. Le docteur l'embrassa. Le mélange de tabac, de bacon et de cognac dans ses narines et sur sa langue rendirent à Selma tous ses sens. Elle le repoussa. « Comment osez-vous ? Vous n'avez pas honte ? »

Quand le médecin fit un pas de côté, elle découvrit sa fille, médusée, dans l'embrasure de la porte. « Va dans ta chambre. Papa est malade, et l'oncle docteur va le soigner. Il s'est penché pour me demander quelque chose à voix basse. »

Découragée, elle s'assit dans le fauteuil et le docteur la toucha doucement. Selma se releva. « Il faut que je m'occupe de lui. Que je commande un cercueil, que j'achète un emplacement au cimetière, que j'appelle ses proches. Oh, j'ai tant à faire!

— Hum! dit joyeusement le docteur, vous pourriez utiliser mon téléphone, ou je pourrais appeler moi-même les entrepreneurs de pompes funèbres.» Il était l'un des premiers en ville à avoir un Nokia, mais n'en avait pas communiqué le numéro à l'hôpital pour ne pas être dérangé lorsqu'il était de garde.

Selma sortit de la chambre, réveilla sa mère, à qui elle demanda d'emmener Tanya voir les dessins animés de Disney à la séance matinale du cinéma; cela lui donnerait le temps de réfléchir à la manière d'annoncer la nouvelle à tout le monde.

La vieille femme se mit à se lamenter. «Pauvre Ivan! Mourir si jeune d'une crise cardiaque!

— Je crois que c'était une attaque cérébrale», précisa Selma.

Elle courut au bureau de poste – un vieil immeuble jaune-orange, aux couleurs du défunt empire des Habsbourg – et écrivit plusieurs câblogrammes annonçant la mort d'Ivan.

Selma et sa mère s'affairèrent, choisissant pour Ivan une belle chemise d'enterrement, les bonnes chaussures. Comme il n'en possédait pas de noires, la mère de Selma suggéra d'acheter une paire de souliers bien robustes. Mais Selma trouva la dépense excessive et emprunta les peintures à l'huile de sa fille pour en barbouiller de noir les vieilles chaussures marron d'Ivan. L'huile mit très longtemps à sécher.

Selma et sa mère retournèrent Ivan et le lavèrent à l'eau chaude et à l'alcool. Elles luttèrent avec ses jambes raides pour lui enfiler ses plus beaux sous-vêtements (ses sous-vêtements de bureau) et ses plus beaux habits du dimanche, comme s'il avait rendez-vous pour une entrevue importante. Les larmes de Selma coulaient sur le visage d'Ivan. La belle-mère soupirait en exprimant *in petto* ses opinions quant aux difficultés de la vie et aux désagréments de la mort.

CHAPITRE 22

Où se perd le respect dû aux malades

Ivan avait espéré que le médecin détecterait sa faible respiration et les battements de son cœur. Son regard fixait le plafond bleu, incapable de s'en détourner. La couleur palpitait en cercles concentriques fluorescents qui oscillaient entre le jaune et le mauve.

Quand le docteur était arrivé, Ivan avait désespérément tenté de bouger, de respirer plus profondément, de faire aller son cœur plus fort, plus vite. Il avait été soulagé de sentir ses mains sur les siennes, sur son front. Ce contact chaud et paternel laissait penser qu'il se trouvait entre de bonnes et puissantes mains.

Le métal doux et frais du stéthoscope sur sa poitrine le chatouillait et avait déclenché des éclats de rire silencieux dans son esprit. Il avait beau ordonner à son cerveau de mettre sa langue en mouvement pour crier, aucun muscle ne bougeait. J'ai peut-être eu une attaque cérébrale?

Les cercles flous du plafond vibraient, gagnés peu à peu par une obscurité croissante. Soudain, la tête du médecin apparut au milieu d'un brouillard bleu : un énorme menton mal rasé, des yeux injectés de sang sous lesquels pendaient des poches sombres, un nez rouge sillonné de vaisseaux qui se perdaient dans de minuscules crevasses pourpres encerclant de petites proéminences couronnées d'un point noir. Le regard indifférent de l'homme révélait la distraction bien plus que l'objectivité qu'il désirait sans nul doute exprimer. Il fait seulement semblant de me regarder dans les yeux ! Il étire juste un peu le temps pour rassurer Selma !

Les mots du docteur, « Il est mort ! », résonnèrent dans la tête d'Ivan comme si son crâne était un immense couloir sur les murs duquel les sons se répercutaient, donnant à la phrase tout son mordant et déformant le rythme : « Il est mort ! mort ilililililililileileileeeeeeeeeeeeeeeeeeeee momomomomo-momomomoooooooooooooooorrrr iiiiiiiiiiileeeeeee momoooooooooooorrrr ! » Il pouvait déconstruire l'écho en « il est mort, mort il est, il mort est ». Mais aucune de ces permutations ne donnait : « Est-il mort ? » Le dérisoire « ilei-leileeeeeeee » commença à dominer et à se métamorphoser en un rire dont la fréquence grimpa dans les aigus pour deve-nir « eeeeeeee ». L'esprit d'Ivan était comme un récepteur de télécommunications équipé de haut-parleurs dysfonction-nels, comme s'il recevait un message cosmique venu d'une autre galaxie : la galaxie des MORTS.

Et à travers l'écho, il entendit Selma et l'homme haleter de désir. Ivan crevait de jalousie. Comment osait-elle ? Sur son lit de mort ! Mais quand Selma repoussa enfin le méde-cin, il se sentit plus clément. Après tout, qu'ils le fassent. Per-sonne n'en a rien à fiche.

Selma et Tanya vinrent le voir. « Papa est endormi, dit Selma. Et il ne se réveillera jamais. »

Tanya poussa un hurlement.

— Ma fille m'aime ! pensa Ivan avec bonheur. Qui aurait pu s'en douter ?

Son enthousiasme retomba toutefois quand, bien contre son gré, il se mit à penser que c'était la frayeur bien plus que la perte qui avait causé ce cri. Vous sentez dans votre chair la terrifiante réalité de la mort quand un de vos proches disparaît, pas nécessairement quelqu'un que vous aimez, simplement une personne qui fait partie de votre vie. Quand un morceau de votre vécu passe de vie à trépas, puis devient une chose (une non-chose), vous prenez conscience du fait que, au même titre que ce pan de votre vie qui disparaît, c'est votre vie tout entière qui disparaîtra elle aussi un jour dans le néant. Tanya n'avait peut-être crié d'épouvante que pour elle-même. Selma pleurait aussi, maintenant. « Ivan, Ivan, se lamentait-elle. Pourquoi nous abandonnes-tu ? »

Peut-être que je me trompe et qu'elles ont vraiment du chagrin pour moi, pensa Ivan. Elles sont certaines que je suis mort. Et si je l'étais vraiment ? Tout le monde traverse peut-être cette phase après la mort : on continue de ressentir et de penser avant de se désintégrer. Quelle preuve ai-je d'être encore en vie ? Cette pensée le fit paniquer, mais son corps ne bougea pas d'un poil.

Ivan souffrit le calvaire de la séance d'habillage, Selma et sa mère lui tordant les membres en tous sens. Mais la caresse du linge humide et tiède sur sa peau le soulagea. Les larmes chaudes de Selma tombant sur son visage emplirent son corps de doux frissons. Et tandis que les cheveux de Selma balayaient ses larmes, Ivan se sentit aimé comme jamais auparavant, et il aima à son tour, et il souffrit de ne pouvoir le montrer. Il lui pardonna sa petite incartade avec le médecin. Après tout, Éros et Thanatos ne forment-ils pas un couple indissociable ? L'orgasme est une petite mort – et la mort un gigantesque orgasme. Le comportement de Selma était naturel. Pour ce qui est du gigantesque orgasme, toutefois, il attendait encore cette sensation de plaisir associée à la mort, pour peu qu'il fût mort.

Son frère, Bruno, qui venait juste d'atterrir d'Allemagne de l'Ouest, et son ami Nenad le portèrent hors de son lit. Selma ouvrit à la volée la porte pour libérer le passage vers le séjour, ce lieu de « vie ». Ivan estima qu'ils venaient de le lâcher sur une surface dure, un cercueil, à en juger par le choc de ses épaules contre les planches. Il pouvait humer l'odeur des essences de bois. Du sapin ! Elle aurait quand même pu lui acheter du chêne ! Ou même un sarcophage de fibre de verre ou de plastique ; au moins, ça ne pourrit pas. Fichue Selma ! Elle lésine sur ma mort ! Toute la chaleur de son amour s'évapora à travers son nez froid et les poils givrés de ses narines.

Bruno et Nenad observèrent le corps pâle, bâillèrent, et allèrent jouer aux échecs dans la pièce voisine pendant que Selma leur servait du café turc et de la tarte qu'elle avait préparée pour la veillée mortuaire. Les délicieux effluves de café affriandaient Ivan, qui aurait adoré en avaler une petite gorgée. Il se rongeait d'envie, mais rien à faire et, même s'il se sentait un peu plus alerte que tout à l'heure, il restait avec cette terrible frustration de ne pouvoir assouvir un désir lancinant. Les joueurs claquaient les pièces sur le bois creux de l'échiquier, faisant résonner le cercueil d'Ivan, comme si lui aussi était creux et vide. Bruno et Nenad retournèrent dans le séjour, soulevèrent le cercueil de la table de salle à manger – une table de ping-pong – et le déposèrent sur deux chaises, près de la fenêtre. Puis ils jouèrent au ping-pong pendant une heure ou deux. La balle tombait parfois dans le cercueil, meurtrissant le nez ou l'oreille d'Ivan, qui ne pouvait y faire grand-chose. Par la fenêtre à demi ouverte, le vent soufflait et agitait les rideaux qui, se balançant d'avant en arrière, lui chatouillaient le nez, les lèvres et le front au point de le rendre fou, enfin, encore plus fou qu'il ne l'était déjà. Pendant ce temps, Bruno et Nenad s'affrontaient, transpiraient, juraient et se disputaient au sujet du pointage.

« Vingt à dix-neuf, dit Bruno.

— Non, c'est vingt partout, objecta Nenad.

— C'était vingt à dix-huit la dernière fois, rétorqua l'autre. Souviens-toi, j'ai servi avec un revers lifté que tu as manqué.

— Ça, c'était le coup d'avant. Ta mémoire te joue des tours.

— Et toi, t'en as jamais eu. C'est pour ça que tu imagines.

— Rejouons ce point, alors !

— Alors tu avoues ! Mais je suis dans un bon jour, et je t'ai mis une raclée aux échecs.

— On devrait jouer avec les nouvelles règles, des parties en onze points, et je suis le premier à avoir fait onze points. Ton jeu est si ennuyeux que j'ai du mal à rester concentré jusqu'à vingt et un. Et en plus on utilise des vieilles balles, je n'arrive pas à m'y faire. Tu sais que les nouvelles balles sont plus grosses, leur diamètre fait au moins deux millimètres de plus.

— Excuse-moi, mais tu n'as pas d'excuses ! Fais preuve d'esprit sportif, sois bon perdant. »

Ivan sursauta dans son cercueil – mentalement, bien sûr. Je suis mort, et mon frère est de joyeuse humeur !

« Les trois premières parties servaient juste de mise en train, mais quand ça comptait vraiment, je t'ai montré de quel bois je me chauffe, déclara Nenad.

— Je t'ai battu trois à deux. Et c'est pour ça que j'ai la générosité de te laisser rejouer un point perdu. »

La balle continua de rebondir, et les hommes de haleter.

« Ça a touché ! cria Bruno.

— Pas du tout, objecta l'autre.

— Je l'ai vu. Toi, tu ne pouvais même pas, tu étais sous la table.

— Non, mais t'es bigleux ou quoi ?

— C'est ta mère qui est bigleuse.

— Ne touche pas à ma défunte mère !

— Je ne serais pas le premier.

— Cochon d'Oustachi !

— Tchetnik ! »

Et les amis d'enfance retombèrent en enfance, se battant à coups de poing, se fendant les lèvres et faisant valser leurs couronnes de porcelaine – ça, c'était une amélioration notable par rapport à l'enfance. Ils s'accordèrent ensuite une trêve et tombèrent à quatre pattes pour chercher les précieuses prothèses entre les lattes du plancher.

Une fois les couronnes retrouvées – aucune n'était tombée dans les narines d'Ivan ni dans son col de chemise –, les deux camarades les replacèrent sur leurs chapes d'argent, claquèrent bruyamment la langue pour en éprouver la solidité, et, tout en continuant de s'insulter copieusement, remirent le cercueil sur la table. Mais, en sueur comme ils l'étaient, la boîte leur glissa des mains et heurta le canapé. Ivan se fit mal en se cognant la tête contre le bois.

Ils me traitent comme un moins que rien, pensa-t-il. Et ils s'en font pour leurs mères disparues. Est-ce que ça ne devrait pas être ma journée à moi ?

Comme s'ils l'avaient entendu, les deux hommes le regardèrent.

« Il a l'air bien, n'est-ce pas ? constata Nenad. Il ne gonfle pas trop et ne pue pas trop non plus. Enfin, pas plus que d'habitude.

— Ils sont bizarres, ces intellectuels, ajouta Bruno. Vivants, ils ont l'air morts. Et c'est une fois morts qu'ils ont l'air vivants. »

Selma plaça deux bougies de chaque côté du visage d'Ivan, qui apprécia la douce caresse des flammes – et du souffle chaud de sa femme sur ses joues. Les chaleureuses manifestations de la vie semblaient si simples qu'il aurait aimé vivre encore. Il saurait maintenant apprécier les petits plaisirs de l'existence. Il serait enfin capable d'aimer. Et quand il ferait l'amour, il consacrerait plus de temps aux préliminaires et à la conclusion qu'au seul coït. On introduisit dans ses narines et ses oreilles une substance étrange et piquante. Son visage fut lubrifié avec un produit qui sentait la mort et le meurtre. Tout ce qui vivait en lui allait être exterminé, même les bactéries. La panique et le désespoir gagnèrent jusqu'à la moelle de ses os, à supposer que ces deux émotions puissent cohabiter : par nature, la panique ouvrait des perspectives plus souriantes que le désespoir.

Il finit par s'habituer aux substances chimiques et ne fut plus incommodé par leur odeur. Comme on ne peut pas paniquer trop longtemps, il cessa de paniquer, et la lassitude, voire l'ennui, l'envahit. Empoisonné par sa faible respiration, Ivan somnola.

Un objet, peut-être la tasse de café que Bruno venait de terminer, se brisa sur le sol et le réveilla. Tanya murmura. Ivan se demanda si elle le pleurait. La maison lui paraîtrait-elle vide quand elle rentrerait de ses funérailles ?

L'importance qu'il accordait désormais à l'amour que lui portait son enfant le surprenait. Mais puisque toute vanité l'avait quitté, il pouvait bien reconnaître que l'amour était plus important que tout. Il regrettait que son enfant ne s'approchât pas davantage. Elle parlait tout bas à l'oreille de sa mère, comme effrayée à l'idée de le « réveiller », de le faire revivre – ne serait-ce pas terrifiant ? On a peur parfois de réveiller un dormeur, mais ce serait pire encore de réveiller un mort.

Puis Tanya se mit à sangloter si doucement, si imperceptiblement, que le cœur d'Ivan s'emballa.

Le bois émit toutes sortes de grincements. Il y avait dans la pièce beaucoup de monde. Le chuintement de leurs murmures épouvanta Ivan, comme si les tentacules d'une pieuvre l'engloutissaient. Certains étant incapables de chuchoter, leurs murmures n'étaient pas des murmures. « Quand est-il mort ? Comment ?

— Crise cardiaque.

— Attaque cérébrale.

— Cirrhose du foie, m'a-t-on dit.

— C'est possible, il buvait beaucoup trop.

— Son père en est mort. C'est génétique !

— C'est bien plus que ça ! Ce pays tout entier meurt de problèmes du foie. Je vous le dis.

— Non, c'est la guerre. Diable, les maladies liées au syndrome de stress post-traumatique ont tué plus de monde que les balles !

— N'importe quoi ! C'est de stress prétraumatique qu'il s'agit, parce que ce pays et tous ses habitants sont en faillite, ils s'inquiètent de ce qui va leur arriver dans deux ans, et ils ne voient même pas le virage au bout de la route devant eux, et bang ! Tous morts !

— S'il avait continué à boire de la slivovitz, il serait encore là, j'en suis persuadé. Le problème avec la vodka, c'est que ça a un goût de flotte et que vous pouvez en descendre toute une bouteille sans vomir ni avoir la gorge qui brûle. Aucun danger que ça vous arrive avec la slivovitz : quand vous en buvez, vous savez que vous buvez !

— Tout à fait d'accord. Après deux verres, on a l'estomac

en feu. Après trois, on vomit ses tripes. Cet alcool a son propre système de sécurité intégré. La sagesse de Dieu se reflète dans les prunes, c'est comme ça qu'Il veille sur nous. Pas la peine de s'en faire à essayer de se contrôler. Ah, super, où avez-vous trouvé ça ? *Na zdravlje !* » Ivan entendit des verres s'entrechoquer et des bruits de déglutition.

« Excellent ! *Na zdravlje !* »

Puis les invités passèrent à la salle à manger, et leurs chuchotements trahirent le soulagement général de s'être éloigné du cadavre. Ivan saisit quelques mots par-ci par-là. « Vacances... à Trieste ?... L'Opel Corsa ne se compare pas à la Vectra... Suker aurait dû marquer un autre but... laine... les taux du marché noir... devises convertibles... côtes de porc à la hongroise. » Les verres s'entrechoquaient. Les effluves de slivovitz venaient caresser son nez sur leur chemin vers la fenêtre, et l'odeur du strudel aux noix traversait le coton qui obstruait ses narines, emplissant sa gorge pâteuse de salive. Ivan souffrait : sa mort servait de prétexte à une réception à laquelle il n'était pas invité.

Il pensa que, par respect pour le mort, aucun des visiteurs ne dirait quoi que ce soit d'embarrassant ou de trop honnête le concernant. Quel dommage que je ne puisse entendre ce qu'ils pensent vraiment. Mais j'ai quand même une sacrée chance ! La plupart des hommes n'ont pas entendu leur femme et leurs enfants les pleurer à leur mort – d'amour ou de terreur. Moi, je les ai entendues. Mais je déteste entendre les gens dire que j'étais un alcoolo. Certes, j'adorerais boire un verre de rouge là, maintenant, mais qui, à ma place, n'en aurait pas envie ? En fait, j'ai la bouche si pâteuse qu'une bonne rasade de cognac me conviendrait encore mieux.

Ivan se rappela ses rêveries d'enfance, quand il se demandait comment ce serait de mourir d'un coup, quand il imaginait le chagrin qu'éprouveraient pour lui ses amis. Il avait même pensé se suicider juste pour éveiller leur compassion. Cette attirance pour le suicide découlait de l'impression, très vague, que la mort vous offrait un ticket pour la réunion au cours de laquelle vos amis vous pleuraient. Leur tristesse ne serait-elle pas un merveilleux tremplin vers l'infini océanique ? Si vous saviez combien les vivants vont vous regretter après votre départ, la vie serait bien plus agréable. La mort aussi. Enfant, Ivan savait que ce raisonnement sur le suicide était bancal. Seuls les vivants entendent et croient ; il n'y a pas de vie après la vie.

Mais voilà qu'Ivan entendait les gens réagir à son trépas. C'était fantastique. Juste pour ce moment, il n'avait pas vécu pour rien. Et qu'importe qu'ils aient du bon temps. Cela valait mieux que la souffrance.

Les visiteurs partirent, et il ne resta plus qu'un silence macabre. Les émanations de cire saturaient l'obscurité. La béatitude d'Ivan se mua en consolation d'avoir été aimé, puis la consolation en mélancolie. Il sentit son cuir chevelu et son front balayés par des bouffées de chaleur, sans doute venues de la cire consumée et des respirations humaines qui flottaient encore dans l'air, et peut-être aussi du mal dont il souffrait.

Dans la faible lueur des chandelles, son écran visuel évoluait vers les nuances de marron, les tonalités de cette terre dont il était fait, et il lui sembla que l'art de mourir, tout en teintes de pastel poussiéreuses, se jouait à cet instant précis – la poussière redevient poussière dans une vision à la fois merveilleuse, confuse et horrifiante. Les marrons se faisaient de plus en plus évanescents, de moins en moins consistants. Il retournait à la poussière qui, à moins d'être confinée dans un cercueil bien solide, serait dispersée par-delà l'horizon.

CHAPITRE 23

Il n'est jamais trop tard
pour un peu de théologie

On voit sa vie défiler comme un film avant de mourir, paraît-il. Pourtant, Ivan n'eut droit à aucune rediffusion, même s'il l'appelait de ses vœux. Peut-être faut-il que la mort soit soudaine et catégorique pour qu'advienne ce type de représentation mentale. Qu'importe, Ivan n'arrivait pas à recréer d'images dans son esprit, et quand il parvint enfin à former quelques vagues contours, ils étaient sombres et marron, comme de vieilles photos du temps de nos grands-pères, avec leurs longues moustaches en guidon de vélo et leurs énormes pantalons. Certaines images apparaissaient sur un écran vide, comme si la pellicule était plongée dans le révélateur, mais qu'elle s'assombrissait rapidement dès qu'une forme floue se dessinait. Comme il ne pouvait pas retirer le papier photo du bain, l'image se ternissait et les formes disparaissaient. Si seulement il parvenait à améliorer la mise au point! Il essaya de visualiser.

Il y a peut-être du vrai dans le pouvoir de la pensée positive. Les images gagnaient en précision. Il vit les yeux de Selma à l'époque de leur première rencontre : de grandes pupilles noires cerclées de flammes noisette. Plutôt que de le brûler, ce petit brasier le réchauffa. Il essaya de passer à travers la couronne de feu noisette, de pénétrer la noirceur grandissante de ses pupilles, jusque dans son âme. Mais il lui aurait fallu être un tigre au cirque de l'amour pour franchir ce cercle de feu et faire le saut dans l'inconnu. Or il n'avait jamais été ce tigre, et pas plus aujourd'hui.

Comme il est étrange que je voie ses yeux ! Je ne l'ai pas regardée dans les yeux depuis des années. Elle lui avait semblé si omniprésente, si banale. Il regardait volontiers d'autres femmes dans les yeux, et peu lui importait qu'elles lui rendissent ce regard, mais les yeux de Selma ? Il se souvint de ses yeux pendant quelques minutes, si beaux, si tristes, mais aussi si… si primaires, si indifférents… si…, et son souvenir se dissipa, le laissant encore plus abattu.

Ivan crut venu le dernier jour de sa vie, et avec lui sa dernière chance de penser quelque chose de fondamental. Il disposait maintenant de temps libre que rien ne venait perturber, et n'avait plus à se soucier de ses fins de mois difficiles – sa fin tout court viendrait bien assez vite. Il pouvait désormais penser en toute honnêteté. Plus besoin de se torturer pour savoir si ses pensées étaient présentables ou brillantes. Plus besoin de se tracasser au sujet de la politique. Quel soulagement ! Sa mort n'appartiendrait qu'à lui et à lui seul – un événement privé, hors de portée du spectre social et national. Dans son cercueil, il n'y aurait ni espionnage, ni intimidation, ni balkanisation, ni propagande, ni idéologie, ni fiscalité. Rien qui puisse le déranger. Il était libre de se pencher sur les questions qui importaient véritablement : la mort, la vie éternelle, l'âme, Dieu.

Si mon corps cesse de vivre, serai-je capable d'exister grâce à cette âme que je n'ai jamais connue ni ressentie ? Qu'est-ce que l'âme ? Est-ce la biochimie de mon organisme qui soutient mon flux verbal et ma conscience du « je » ? Ou bien y a-t-il une âme spirituelle, totalement immatérielle ? Ou encore l'âme est-elle constituée de minuscules particules et d'ondes électromagnétiques qui, indépendamment du sang, du cœur ou du corps, révèlent la pensée et sont elles-mêmes constituées de pensées et d'idées ? La substance de l'âme est-elle différente de celle du corps, de sorte que, quand le corps pourrit, l'âme continue d'exister différemment, survit ?

Mais je ne pense pas, là ! Je ne fais que poser des questions sans jamais risquer de réponses. Essayons de nouveau. Où en étais-je ? Bien, où suis-je et, par conséquent, où serai-je ? Certaines personnes croient que l'âme dispose de plusieurs vies, et que la plupart d'entre nous ont déjà vécu avant. Si j'ai déjà vécu une autre vie, suis-je maintenant le même « moi » que le « moi » de cette vie antérieure ? Je n'ai aucun souvenir d'une autre vie. Et puisque je n'en ai aucun souvenir et que je n'en connais rien, il est difficile de m'y intéresser. Alors quelle différence cela fait-il que j'aie une vie à venir, si le futur « moi » ne peut pas se souvenir du « moi » présent et de la vie du « moi » présent ? En fait, il ne s'agit pas ici de se faire du souci, mais au contraire d'être apaisé. Suis-je apaisé ?

Satisfait d'avoir aligné des pensées pendant quelques secondes, mais pas vraiment du résultat plutôt confus, Ivan se détendit. Il ne savait pas trop s'il était endormi ou éveillé quand il entendit la voix de baryton du Dr Rozic et la voix de contralto de sa femme. Chouette, pensa-t-il. Ils n'ont pas abandonné tout espoir !

Le médecin et Selma fermèrent la porte. « Oh, comme c'est dur ! » dit-elle.

Pauvre Selma, elle souffre sans moi.

« Encore plus dur », hoqueta-t-elle.

Haletant, le Dr Rozic la souleva au-dessus de la table. Son vrai-faux certificat de décès qui s'y trouvait encore émit le même froissement. Elle lui arracha le pantalon, le sous-vêtement, et l'escalada, enroulant ses jambes autour de son corps. Il la souleva alors et la besogna vaillamment contre l'armoire. Le bois grinça, les albums de photos de famille et les documents perchés au sommet du meuble tombèrent, planant dans l'air comme des prospectus qui, largués d'un avion, expliqueraient comment déposer les armes au pied d'une armée d'envahisseurs. Un papier effleura le nez d'Ivan, affolant une mèche de cheveux qui commença à le déman-ger. Ce ne serait pas mon acte de naissance, ça ? se demanda Ivan. Selma poussa le médecin sur le sol et s'assit sur lui, le chevauchant et criant, comme emportée dans une danse sla-vonne. Rozic laissa échapper un chapelet de jurons orduriers parce que son coccyx heurtait le sol à chaque coup de boutoir de Selma. Ils jouirent bruyamment, bousculant le cercueil, qui tomba sur le sol.

La tête d'Ivan percuta une fois de plus le bois au-dessus du coussin, et il crut que son crâne se fendait en deux, que son épaule, ses côtes et ses hanches se brisaient. Les amants soulevèrent le cercueil de leurs mains qui sentaient le sang, le sperme et la sueur, et le ramenèrent sur la table. Ivan fulmi-nait, mais si calmement qu'il n'était pas sûr d'être éveillé. La douleur le quitta, et il se retrouva seul.

N'aurais-je pas besoin de Dieu maintenant ? Dieu n'est-il pas reconnu pour nous aider au lit – le lit de mort ?

Si, de toute sa vie d'adulte, Ivan n'avait quasiment jamais cru en Dieu, c'est parce qu'il était incapable de L'imaginer. (Parfois, submergé par la peur, durant la guerre par exemple, il s'était tourné vers la religion et avait trouvé dans la prière un certain réconfort.) Mais là, il pensait que, même si Dieu existait, Il serait totalement indifférent au fait qu'Ivan Doli-nar, cet humain insignifiant, soit croyant ou non – sauf bien sûr s'Il se trouvait face au même dilemme que lui : être à la recherche de la moindre trace d'amour et de foi dans l'espoir de Se donner le sentiment d'être en vie pour affronter le néant de l'éternité.

Je serais heureux qu'un chat, une souris ou une mouche ait peur de moi. Cela signifierait que je suis en vie ! Si un moustique croyait que je suis vivant et voulait me piquer, ce serait pour moi un cadeau du ciel ! Peut-être est-ce aussi tout ce que cherche Dieu : qu'un moustique croie vraiment en Son existence et tente de Le piquer.

Soudain, il éprouva pour Dieu de la compassion.

J'aurais dû lire davantage la Bible après l'enfance. Peut-être aurais-je eu une sorte de révélation – je pourrais essayer de tirer quelque chose du texte si je le connaissais par cœur. Je me souviens tout de même de quelques-uns de mes versets préférés de l'Ecclésiaste : *Car le sort de l'homme et le sort de la bête sont un sort identique : comme meurt l'un, ainsi meurt l'autre, et c'est un même souffle qu'ils ont tous les deux. La supériorité de l'homme sur la bête est nulle, car tout est vanité. Tout s'en va vers un même lieu : tout vient de la poussière, tout s'en retourne à la poussière. Qui sait si le souffle de l'homme monte vers le haut et si le souffle de la bête descend en bas, vers la terre ?* Si les rédacteurs de la Bible ne croyaient pas en l'existence de l'âme humaine, comment pourrais-je, ignorant que je suis, être assez effronté pour penser que j'en possède une ? Et si les hommes n'avaient pas d'âme à cette époque, ils n'en possèdent pas davantage aujourd'hui, puisque, selon la Bible – et Socrate –, notre monde n'en finit pas de sombrer dans la déchéance morale.

Qu'est-ce que le christianisme ? Un instrument pour contrôler les masses ou une révélation destinée à sauver les âmes ? Pourquoi avions-nous besoin de Jésus, si nous avions déjà Dieu ? Dieu & Fils inc. Dieu est trop vieux, c'est son fils qui dirige l'entreprise. Le fils dirige l'entreprise en nous apparaissant dans une grande pauvreté alors qu'Il est propriétaire de l'univers, ou à tout le moins, l'un de ses plus gros actionnaires. Il suscite la compassion en mourant, mais Il le fait à des fins purement électoralistes puisqu'Il est éternel et qu'Il est l'un des cocréateurs et l'un des maîtres de l'univers. Comment pourrais-je croire à ces balivernes ? Si j'avais vu l'homme le plus riche du monde se balader en guenilles et chercher à se faire élire, je me serais grandement méfié des intentions de ce politicien. Et la Bible n'est-elle pas bourrée de contradictions ? Vers qui Caïn a-t-il pu se tourner, s'il était le fils de la première famille sur terre ?

Il se concentra sur quelque chose, un cercle brillant. Mais, bientôt, la crainte grandit en lui d'être condamné pour idolâtrie, comme adorateur de Râ, dieu du soleil. Il perdit la force d'imaginer des cercles brillants. Il cessa d'imaginer Dieu, mais seulement pour Le concevoir comme une entité inimaginable, comme le nombre imaginaire que, se dit-il, personne ne parvient à imaginer.

Il ne pouvait pas concevoir Dieu.

Il prononça tout de même quelques credo élémentaires. Il pria et psalmodia – en esprit, bien sûr, puisqu'il ne pouvait remuer les lèvres : « Je crois en Dieu. Je crois en Dieu. Je crois en Dieu. Et quiconque croit en Dieu sera sauvé. » Puis, après un silence, l'exercice lui apparut dans toute sa monstrueuse futilité.

CHAPITRE 24

Où un orchestre de poivrots malmène une marche funèbre

Ivan entendait encore et encore le bip du réveil japonais, lent, inexorable. Les cierges s'étaient consumés. L'obscurité le terrorisait encore plus que lorsqu'il était enfant. Il aurait hurlé s'il avait pu.

Il ne parvenait ni à dormir ni à rester vraiment alerte. Il estimait avoir pensé à Dieu autant qu'il le pouvait, et même au-delà, sans en tirer le moindre bienfait pour le salut de son âme. Si Dieu existait, toutefois, l'initiative L'avait sans aucun doute comblé. Sa réflexion théologique se fondit dans une brume confuse, un chaos vide de toute pensée.

Des animaux sauvages surgirent de l'ombre et bondirent sur lui. Un léopard l'accula contre un arbre. Des serpents le pourchassaient en sifflant sur une pente abrupte ; il trébucha sur des cailloux. Ils rampaient vers lui implacablement.

Ivan émergea de son cauchemar pour aussitôt basculer dans un autre. Une lumière bleuâtre, semblable à la flamme d'un poste à souder, illumina son esprit, et tout son corps frissonna, comme pris dans un flux électrique. Il trembla de peur, ou rêva qu'il tremblait.

De violents coups de marteau le tirèrent de ses tourments. On clouait le couvercle de son cercueil. Même s'ils étaient retenus, ces coups tonnaient comme si on martelait les clous directement dans ses oreilles. Une fois le vacarme passé, il entendit des sanglots. S'agissait-il d'un nouveau cauchemar? Il l'espéra. Un moment s'écoula, puis il eut la sensation d'être soulevé et ballotté. Il fut ensuite incliné dans un angle très raide et violemment secoué. Ils me descendent dans les escaliers!

Un grincement lui apprit que l'on glissait son cercueil à l'arrière d'un corbillard. Il entendit un hennissement et le murmure de l'assistance. Les chevaux et leurs sabots l'avaient toujours mis mal à l'aise. Véritables messagers de la mort.

Bientôt, il ressentit un mouvement brusque. Le cercueil bondit de quelques centimètres avant de retomber bruyamment sur le fond du véhicule. Les roues écrasaient le gravier de la route, ce qui lui rappela les pierres qu'il plaçait sur les rails de chemin de fer pour faire dérailler les trains, et la poussière toute fine qui restait après leur passage – il se souvint aussi du plaisir qu'il prenait à écraser dans ses mains, jusqu'au sang, les plus grosses particules de cailloux. Et voilà qu'il était maintenant le passager d'un wagon qui avait déraillé.

Il entendit une formation de cuivres entonner une triste mixture de notes. Leur musique semblait sortir tout droit du dodécaphonisme: des sons superflus s'égaraient, hésitaient, cherchaient leur niche! Ces notes nomades se regroupaient à l'occasion, explosant en une harmonie à vous glacer le sang. Puis elles battaient en retraite dans un souffle profond, vide, aspiré et exaspéré, dont elles émergeaient comme des plaintes. Ivan imaginait les musiciens: retenant leur souffle, le front parcouru de veines saillantes, leurs têtes rougies par le vin trônant sur des uniformes verts.

Le rythme s'éparpillait puis retrouvait ses marques, les notes se perdaient de vue, puis se dépêchaient de rentrer au bercail, de peur d'être laissées derrière, abandonnées. Du jazz bien involontaire ! Mais ces vieux Tchèques, amoureux des cuivres dans la bonne tradition germanique, comblaient Ivan, qui avait toujours rêvé que l'on joue du jazz à ses funérailles. Il l'avait souvent clamé dans les tavernes, et voilà qu'on lui en donnait, improvisé et prenant, bien qu'un peu lent. Quel bonheur que de pouvoir écouter la musique de son propre enterrement !

Quand les musiciens firent une pause, il entendit de nouveau le bruit des cailloux broyés sous les roues de l'attelage. Comme les roues tremblaient, il sentait vibrer le bois en dehors et ses os en dedans. Le bois et les os écrasaient impitoyablement sa chair meurtrie. Son corps fut soulevé de quelques millimètres par un cahot, puis retomba lourdement.

Chaque lieu que dépassait le corbillard était derrière lui, mort. Il ne restait de la ville et de sa vie que la distance le séparant de la tombe. Il aurait voulu bondir de son cercueil, courir dans les rues, grimper aux arbres comme un enfant. Et sortir de sa léthargie hystérique, maintenant qu'il n'avait plus de raisons d'avoir peur de vivre. S'il y parvenait, réussirait-il à hurler ? Ne manquerait-il pas d'assurance, même à ce moment-là, pour crier ? Ne serait-ce pas fabuleux ? Un éclat de voix tout droit sorti du cercueil ! Dans la foule, le cœur des superstitieux en claquerait.

Il se réjouit un peu à l'idée que les processionnaires avalaient la poussière de la route, et il souhaita aux absents d'en bouffer encore plus. Peut-être une partie de cette poussière venait-elle de corps morts depuis des milliers d'années ? Voire des vivants ? Il avait lu que, dans les espaces clos des villes, la majeure partie de la poussière provenait de gens qui perdaient des couches de peau. N'était-il pas extraordinaire que la poussière qui s'accumule sur les vieilles bibles défraîchies soit d'origine humaine ? Le livre qui vante le miracle de la poussière qui retourne à la poussière.

Lorsque le cercueil cessa de tressauter, Ivan devina que le corbillard roulait sur l'asphalte de la rue Lénine, rebaptisée boulevard Tudjman. Il se sentit comme un voyageur passant d'une mer démontée à une baie dont on aurait calmé les eaux en y répandant du pétrole, une baie dont on aurait étouffé les vagues – une sorte de golfe Persique dans les eaux duquel la « sérénité » de la région se déverserait doucement. Ivan doutait de ses chances de se transformer en ce liquide noir et uniforme, indispensable aux fonctions auxquelles, précisément, il avait échoué : le travail et la mobilité.

Il pensa que sa tête était plus près des chevaux que ses pieds, qu'elle entrerait dans le cimetière avant eux, comme un sprinter qui se penche pour franchir la ligne d'arrivée.

Le sang afflua à sa tête, exerçant une pression dans ses oreilles. Nous descendons, et ma tête est plus basse que mes pieds. La cour de récréation de l'école est à ma droite. Il se souvint de ses bagarres dans l'herbe, de sa manière de serrer le cou de ses adversaires pour les affaiblir, les empêchant ainsi de répliquer dès qu'il les lâchait – sinon, ils auraient essayé de l'étrangler.

On passe devant le gymnase. Ivan y avait beaucoup souffert, contorsionnant son corps dans une grande variété de formes géométriques sur des appareils qui semblaient tout droit sortis de l'Inquisition espagnole. Le prof lisait religieusement le manuel de gymnastique avant d'ordonner aux enfants de basculer, tête en bas, et de se balancer sur les barres parallèles. Chacun de ces exercices illustrait la même vérité : les enfants sont des hérétiques au regard de la sainte discipline de l'obéissance.

À droite, Ivan imagina le long bâtiment de l'usine textile, avec ses rangées à n'en plus finir de femmes tristes derrière leurs longues machines. Il les espionnait par les fenêtres qui donnaient sur le sous-sol surchauffé où s'étalait cette vision d'horreur : le travail collectif.

Le cercueil continua de cahoter alors que les roues cerclées de fer grinçaient sur les pavés gris-bleu de style romain. L'église catholique s'élevait là où commençaient les pavés. Ivan entrait dans l'antre de Dieu pour frémir au son spectral de l'orgue dont les vibrations faisaient impitoyablement trembler colonnes et bancs, et qui témoignait de la clémence du Seigneur, une clémence suscitant l'épouvante.

Et un coin de rue plus loin se trouvait l'église orthodoxe, toute jaune. Le jour de la Saint-Étienne, dans le cimetière attenant, de vieux Serbes aux dents chaussées d'argent l'avaient autrefois laissé tremper son pain dans la graisse qui coulait des porcs en train de rôtir. Il mâchait le pain lourd et salé imbibé de sang noir, en savourait le mélange sur sa langue. Au bout de quelques minutes, des nausées l'avaient fait s'appuyer contre le mur frais de l'église, où il avait vomi. Les nuages jaunes défilaient si rapidement sur le clocher rouillé qu'il avait eu l'impression que l'église s'effondrait sur lui, qu'elle allait le broyer. Aujourd'hui encore, dans son cercueil, il fut pris de nausées et de vertiges.

Mais il avait aussi de bons souvenirs dans ce cimetière. Un puits profond y donnait une eau plus froide que la glace – impossible, d'accord, mais c'est l'impression qu'on avait. La mousse en recouvrait les briques et, au fond, très loin, on voyait le liquide noir que traversaient parfois des reflets d'argent. Ivan jetait le seau dans l'eau et le laissait couler profondément, puis il faisait tourner la roue à manivelle jusqu'à ce que la grosse corde le remonte à sa portée. En s'enroulant bien serrée, la corde grinçait comme des dents. Ivan plongeait le visage dans l'eau et aspirait à grandes goulées cette fraîcheur, les yeux grands ouverts, regardant le grain du vieux bois que l'eau rendait plus gros, plus clair, plus proche. Dans son cercueil, Ivan sentit la soif monter.

Une odeur de bois très particulière flottait dans l'église désertée – communistes pour la plupart, les Serbes ne voulaient plus se compromettre avec la religion. Vous fermiez les yeux, et vous vous seriez cru dans une forêt plutôt que dans un édifice. Les cierges se tordaient et fondaient dans la chaleur, comme un groupe de vieillards émaciés qui, vêtus de blanc, laisseraient couler leurs larmes sur le sol enneigé ; les flammes, comme les langues de la Pentecôte, léchaient le ciel bas, lui bouffant l'oxygène, dans un silence absolu.

À sa droite s'étirait maintenant la bibliothèque, où Ivan avait une fois remarqué une belle Hongroise à la grande bouche fleurie et au profond regard d'émeraude. Elle vivait dans l'annexe d'une église luthérienne à l'abandon, peuplée de chauves-souris, d'araignées, de rats, de meubles brisés et de pénombres étouffantes. Son grand-père était pasteur, mais, après la guerre, quand régnait la famine, il ne resta plus en ville d'autres luthériens que lui. Pour nourrir sa famille, il se cachait dans le clocher et capturait à mains nues des pigeons merdeux. Les lèvres de la jeune fille brillaient si fort qu'Ivan pouvait presque voir son image s'y refléter à l'envers – en fait, c'est plutôt son cœur que ces lèvres avaient mis à l'envers. Près de la bibliothèque, Ivan avait éprouvé l'envie soudaine de l'impressionner. Il avait grimpé sur un mur qui longeait le bâtiment et couru jusqu'à l'extrémité, qui s'élevait à près de deux mètres du sol. Le jeune homme avait prévu de sauter ces deux mètres, mains dans les poches, et de continuer à courir au même rythme une fois au sol. Tout était millimétré. En courant sur le mur, il sifflotait nonchalamment un air de western-spaghetti. Il ne vit pas toutefois le morceau de métal rouillé dépassant du mur de béton qui, comme la plupart des ouvrages du socialisme constructif, n'était pas tout à fait terminé. Il trébucha, s'envola, et, bien trop occupé à tenter de sortir les mains de ses poches, ne pensa pas à rétablir son équilibre durant sa chute. Il tomba tête première. Comme il n'est jamais trop tard pour bien faire, Ivan se releva d'un bond, les mains toujours dans les poches, et repartit en courant, sifflant le même air. À défaut de faire la démonstration du formidable contrôle qu'exerçait son cerveau sur son corps, il prouva au moins qu'il avait la tête vraiment dure.

Un mois plus tard, il vit la belle Hongroise embrasser un policier trois fois plus âgé qu'elle derrière un grand hêtre du parc. La haine d'Ivan pour la police ne datait pas d'hier ! Il se demanda si des policiers assistaient à ses funérailles.

La promenade en cercueil se fit plus douillette : de retour sur l'asphalte. Nous sommes sur la place du Maréchal Tito – enfin, c'est comme ça qu'elle s'appelait. Comment l'avait-on rebaptisée ? Impossible de s'en souvenir ; il n'avait jamais prêté attention à cette manie qu'ont les hommes politiques nouvellement arrivés au pouvoir de modifier la toponymie. À sa gauche, Ivan sentit la présence des bureaux de la municipalité où des fonctionnaires buvaient de méchants cafés, battaient les cartes, potinaient, et regardaient par les fenêtres pendant que les gens faisaient la file dans des couloirs de ciment encombrés de crachoirs autour desquels rôdait souvent un vieux fumeur tuberculeux à la bouche craquelée, jamais avare de crachats verdâtres.

Ivan visualisa : des coulées blanches laissées par les nids d'hirondelles descendaient le long des murs de l'immeuble ; des visages remontèrent du passé ; corps appuyés contre des poteaux de signalisation, mains dans les poches ; poivrots efflanqués, braguette ouverte, titubant le long des murs, fredonnant des chansonnettes à la gloire de Tito et du Parti ; cortège nuptial défilant sur une musique d'accordéon et de tambourin, juché sur des attelages tirés par des chevaux puissants levant la queue pour éjecter du crottin vert et fumant sur la chaussée, une fiancée cramoisie, rouge comme une tomate, et un fiancé tout pâle, blanc comme un œuf, en route vers la maison pour y baiser toute leur nuit de noces, et vivre. Et je pars dans mon petit carrosse passer ma nuit de noces avec les asticots, et mourir.

Le corbillard retrouva les pavés. La rue Nikola Tesla. Ivan imagina la maison bleue du chef de la police, les marches où il s'était affalé, nu. Il avait toujours honte. Mais le policier aurait dû avoir plus honte encore, lui qui après avoir assassiné un homme briguait un mandat politique – quoique, à bien y penser, il n'y a pas de meilleure qualification pour un politicien que de prouver sa capacité à commettre un meurtre.

À gauche se déployait un édifice de briques rouges aux portes épaisses, le cinéma du Premier Mai, où Ivan avait vu son premier film : un train noir se dirigeait vers lui, de plus en plus gros. Ivan, certain que le train allait s'écraser dans la foule, s'était enfui à toutes jambes, terrifié. Dehors, il fut surpris de constater que le train n'avait laissé aucun trou dans le mur de l'immeuble.

Il avait ensuite pris l'habitude de s'introduire dans le cinéma par le sous-sol, en grimpant sur le bois de chauffage ; placé derrière l'écran de toile, il regardait l'image inversée. Le concierge, un homme irascible, fumeur de cigarettes à la chaîne, sec comme un hareng saur, le tenait à l'œil, essayant de l'attraper avant qu'il ne s'échappe et se fonde dans la foule obscure des spectateurs.

Le parc municipal suivait, avec ses sources chaudes où il venait chaque mois prendre un bain dans les grandes piscines turques ovales. Il introduisait son pénis dans les trous d'alimentation, et l'eau tourbillonnante lui donnait des orgasmes à lui faire tourner la tête. Avec les ongles ramollis de ses pouces, il creusait des trous dans la peinture épaisse des fenêtres afin de reluquer les baigneuses nues. Et beaucoup de femmes esseulées venaient en ville se baigner dans ces eaux minérales dans l'espoir de soigner leur infertilité.

À sa gauche, il percevait le brouhaha du marché municipal. Paysans et artisans y vendaient poulets vivants, oies, lapins, dindes, ail, pastèques, chaussettes de laine, tapis, sabots, casseroles de cuivre, vestes en peau de mouton. Les acheteurs grouillaient, examinant la marchandise, barguignant à haute voix, tapant sur les épaules, serrant les mains, dépliant les billets, faisant cliqueter les pièces.

Un bang fit sursauter Ivan, qui somnolait. L'attelage venait de traverser la voie ferrée en quatre secousses. Il se souvint comment, alors qu'il dévalait trop vite la colline, sa roue de vélo s'était un jour tordue en butant contre les rails. Il avait fait un vol plané et s'était écorché les coudes et les genoux, le front et le nez.

Les musiciens tchèques reprirent leur morceau funèbre, saisissant ainsi l'essence du deuil et ratant tout le reste. La tristesse submergea Ivan et évinça sa peur, comme si quelqu'un d'autre que lui allait se faire enterrer, et il écouta le râle étouffé de la trompette.

Mais son chagrin tenait davantage de la torpeur que de l'émotion. Il avait épuisé sa vie émotionnelle. Le fait de ne plus pouvoir éprouver de passion aurait dû le rendre encore plus triste, mais il resta mélancolique.

Les chevaux tiraient l'attelage sur une pente raide. Le cadavre-en-devenir d'Ivan glissa, et ses pieds se pressèrent contre le bois. Quand l'équilibre s'inversa et que sa tête frappa les planches à l'autre extrémité, Ivan sut qu'ils avaient franchi le sommet de la colline. Les freins de bois grincèrent contre le métal des roues.

CHAPITRE 25

De la boue à la boue

L'attelage couina et cahota sur le mauvais chemin conduisant au cimetière. L'atmosphère à l'intérieur du cercueil était étouffante, et ce, bien que sa femme et le médecin l'eussent fendu au cours de leurs violents ébats. Ivan entendait les lamentations assourdies. Il appréciait ces pleurs, même s'il savait que c'était avant tout la peur de leur propre mort et de la tombe qui les inspirait. Il n'enviait pas leur autoapitoiement. Après tout, la tombe allait bientôt devenir son foyer, et sa chair se mêlerait bien vite à la boue ; il ne ferait plus qu'un avec sa sépulture.

Le corbillard s'arrêta, le cercueil glissa vers l'avant. Les chevaux renâclèrent comme si on les poussait dans le trou. Ivan se sentit ballotté. Il présuma que des hommes de tailles différentes le portaient, et se demanda qui ils étaient. Lui-même n'avait jamais porté de cercueil, mais il avait soulevé jusqu'à l'ambulance le corps déjà un peu rigide de Peter. Il eut le mal de mer. Ivan crut entendre le son du bois cognant le bois : on poussa la boîte sur les planches qui surplombaient la fosse et on glissa dessous des cordes. Le vide sous lui draina son sang des dernières lueurs d'espoir. Un tourbillon de terreur l'aspira dans le trou noir de son imagination. Ses viscères se figèrent.

La descente du cercueil dans la tombe fut hésitante, et le bruyant sifflement des cordes évoquait une scie coupant du bois. Le bruit résonnait à travers le bois, qui tremblait comme sa propre peau. Un côté était plus haut, puis l'autre. Soudain, une accélération se fit sentir jusque dans sa chair, comme dans un ascenseur en chute libre, et son sang afflua dans son nez, ses yeux, ses lèvres, son sexe, ses genoux, ses orteils. Le cercueil s'écrasa au fond du trou. Il entendit un cri perçant, enfin, il crut l'entendre. Le dehors cessa d'exister. Tout fut tranquille un instant, puis des paquets de terre commencèrent à tambouriner sur le cercueil. Ils butaient sur le bois, d'abord assourdissants, puis de plus en plus lointains, au fur et à mesure que la terre au-dessus de lui s'épaississait. Puis il ne resta plus que le bruit mat des pelletées de terre. Tout devint calme, sauf une lointaine rumeur venue d'en haut, comme si une tempête couvait et que le sol charriait les ondes du tonnerre, comme un murmure, à travers un océan de terre. Puis ce fut le silence. Un silence d'outre-tombe. Sans le moindre son. Rien.

Tout au long de ses funérailles, il s'était perçu comme légèrement en retrait du monde, mais dans le monde tout de même. Maintenant, tout lien avec l'extérieur était rompu. Aucun bruit de vie venu du dehors pour réfuter la mort du dedans, aucun soubresaut sur la voie ferrée pour animer la valse des souvenirs.

Même si sa paralysie venait à disparaître, il ne pourrait plus appeler à l'aide. Personne ne l'entendrait.

Je suis peut-être mort. Je le suis peut-être depuis un bon moment. J'y ai pensé avant sans trop vraiment y croire. Mais maintenant, comment imaginer que je puisse encore être en vie ? Peut-être que les morts continuent ainsi, sans jamais vraiment croire qu'ils sont morts. Peut-être la mort est-elle un état de total scepticisme. Peut-être vais-je passer le reste de l'éternité à hésiter entre deux doutes opposés, la vie et la mort, ces deux manifestations d'une même illusion.

Il faisait de plus en plus humide à l'intérieur du cercueil. Ivan aurait pu somnoler vers la mort, n'eût été le froid. Il aurait frissonné si ses muscles avaient pu bouger. Il frissonna mentalement, sentit de l'eau monter au fond de sa passoire, et maudit Selma d'avoir acheté un cercueil bon marché. Mais peut-être est-ce la mauvaise qualité de cette bière qui l'avait tenu en vie – s'il était vivant. L'air avait pénétré à travers les fentes durant la procession. Mais maintenant, il étouffait.

Un peuple de vers va-t-il ramper vers moi et me ronger ? Les vers peuvent-ils vivre dans le froid, dans la terre humide ? Les vers qui dévorent un corps bien enterré ne sont que le fruit d'une imagination morbide. Certes, les asticots se repaissaient des corps dans la boue des jours après la bataille, et aussi en été, dans les tombes peu profondes, mais pas dans un sol gelé. Il n'y a pas de vers ici.

Qu'il allait pourrir ne faisait aucun doute. Il avait apporté avec lui un sacré paquet de bactéries aérobies et anaérobies qui allaient festoyer sur son corps et s'y multiplier, de la pointe de son nez aux ongles de ses doigts de pied, de ses oreilles vers tous les conduits, tuyaux et ligaments – gorge, cou, trachée, œsophage, intestins, rectum, vaisseaux sanguins et nerfs. L'eau trempait son dos. De la poussière à la poussière ? Faux. De la boue à la boue.

Ses os seraient-ils encore là dans mille ans ? Il en doutait. Les squelettes humains parcouraient l'argile glissante et molle, comme le système racinaire d'un vieil arbre. La colline avait grandi tel un bébé, dotée d'une ossature de plus en plus ferme. Chien géant, Cerbère, dominant la ville et passant ses après-midi à croquer des os. Les os pourrissaient lentement, contrairement à ceux qui reposent dans le sable sec, comme les manuscrits de la mer Morte qui ont survécu à toutes les civilisations, à toutes les langues, et même à bien des dieux, aux dieux grecs en tout cas, disparus dans le génocide théologique ourdi par Byzance. Mais les os bourbeux de la plaine de Pannonie s'effritent et se changent en boue en quelques siècles seulement, pareils en cela aux dieux slaves qui ont si totalement disparu qu'il ne reste aucune trace de leur religion, juste de la boue et de la terre, de la terre slave. C'est pour remplacer les divinités slaves, trop périssables, qu'il a fallu importer les dieux des régions arides. Comment peut-on traverser le temps et survivre quand on n'est même pas capable de créer des dieux qui durent? pensa-t-il. C'est pour ça que, à défaut de mieux, nous vénérons des dictateurs, nous les élevons au rang de divinités. Tito était le seul dieu de mon époque, et sa gangrène, sorte d'infestation de la pourriture, reflétait parfaitement le caractère spécifique de notre religiosité, de nos stigmates putrides.

Ivan regrettait maintenant de n'avoir pas fait don de son corps à une école de médecine, ce qui, au lieu de l'envoyer six pieds sous terre, lui aurait valu d'être disséqué et gentiment découpé par les mains tremblantes d'étudiants de première année. Ils l'auraient entouré dans l'air confiné, lâchant des pets silencieux – rien de très ragoûtant –, mais il n'aurait pas craché sur les quelques sous que lui aurait versés l'école. Il aurait au moins pu se payer un bordel dans une grande ville. Cela aurait toujours mieux valu que de séduire Svjetlana – ou d'être séduit par elle.

Qu'allait-il advenir de ses os? Il se souvint comment, enfant, alors qu'il passait ses vacances au bord de la mer, il s'était faufilé dans un bunker où il avait trouvé quelques crânes humains et des centaines de côtes. Il avait pris un crâne avant de partir en courant vers le camp, trébuchant sur les pierres et les os, se lacérant les pieds, comme si les ossements restés derrière s'étaient assemblés et lui couraient après, armés de faux, essayant de lui couper les jarrets pour le coucher par terre, comme de l'herbe. Il avait accroché son trophée à l'entrée de sa tente, faisant de celle-ci un vaisseau pirate. Il fut expulsé du camp par le directeur pour avoir manqué de respect envers les morts et avoir posé des questions sur l'identité de ces squelettes.

Maintenant, le crâne desséché le fixait d'un regard plein d'ironie, ses mâchoires cliquetaient, exhibant le trou noir de leurs cavités dentaires. Les grandes orbites vides le regardaient de haut. Le crâne grossissait de plus en plus, le dévisageant stupidement, lui ouvrant un absurde néant. Des arêtes brisées de son nez sortirent des bourrasques putrides qui s'engouffrèrent dans les poumons d'Ivan. Les rafales l'enveloppèrent, le soulevèrent du sol et l'aspirèrent à travers la cavité nasale. Il se cogna contre les os creux et flotta dans l'obscurité à travers un trou débouchant sur le vaste espace à l'intérieur du crâne. Gelé, en état d'apesanteur, il essaya d'inspirer de l'air, en espérant qu'il y en aurait. Mais l'intérieur du crâne était vide. Ses poumons se gonflèrent comme un ballon de chair spongieuse et se liquéfièrent en une boue jaunâtre et tiède. Dans sa dissolution putride, Ivan hallucinait et titubait vers l'au-delà.

CHAPITRE 26

Il n'est jamais trop tôt pour creuser

Le collègue d'Ivan, Paul, le jovial farceur, traînait dans le cimetière. Ce soir-là, au Cellier, Nenad lui avait raconté en détail la mort d'Ivan. « Tu te rends compte, son frère d'Allemagne ne lui avait pas rendu visite depuis deux ans. Et voilà que ce Yougo-Souabe se sent coupable. Et qu'est-ce qu'il fait de sa culpabilité ? Il prend une montre de gousset du XVIIIe siècle qui vaut une fortune et la flanque dans la poche de pantalon de son frère, dans le cercueil. Cette montre donne les phases de la lune, les cycles astrologiques, la position des planètes, et Dieu sait quoi encore. Une montre toute faite d'or et de rubis. Il faut vraiment que son frère soit un imbécile pour sacrifier un objet aussi précieux. Ça doit coûter des milliers d'euros !

— Arrête tes conneries ! » rigolaient les clients, sachant le goût de Nenad pour les balivernes. Quelques ivrognes auraient bien été tentés de se laisser convaincre, mais la terreur des fantômes éclipsait chez eux l'appât du gain et l'envie d'aller ouvrir une tombe en pleine nuit, qui plus est une tombe dans laquelle on venait d'enterrer quelqu'un. Pour se lancer dans l'aventure, il fallait un individu susceptible de croire à l'histoire du trésor, mais pas aux fantômes, un esprit original capable de faire preuve de crédulité sélective. Sous l'influence de l'alcool et de la cupidité, Paul répondait à cette rare disposition. « Je pensais qu'on l'enterrerait avec son violon, dit-il.

— Je suis content que tu en parles, répondit Nenad. Tu sais, aucun de nous n'a vraiment pensé au violon, et lui-même n'a jamais fanfaronné au sujet de cet instrument. Mais j'ai une fois jeté un coup d'œil dedans, et j'y ai vu un S en forme de serpent. Je n'y ai pas vraiment fait attention sur le moment, mais maintenant, je suis sûr que c'est la marque d'un Stradivarius. La preuve ? Le manche et la volute ont l'air d'un serpent en colère – serpent et Stradivarius ont la même initiale, *serpentina*, ou quel que soit le mot en italien. C'était une autre manière qu'il avait de signer.

— Incroyable ! Et il n'a jamais vendu ce violon…

— Il ne savait peut-être même pas ce qu'il avait dans les mains.

— Tous les Stradivarius sont faits comme ça ?

— Non, je pense que celui-là est unique. Il a probablement été fait pour Paganini ou pour quelqu'un doté de pouvoirs démoniaques, quelque prince des ténèbres. »

Lorsque Nenad mit fin à son histoire, les joues baignées de larmes à la pensée des trésors enterrés avec son ami, Paul avait déjà quitté en trombe le bar, bien décidé à mettre la main sur le violon et la montre. Intoxiqué par ses propres bobards, Nenad faillit lui aussi courir au cimetière.

Paul se rendit dans son atelier, attrapa une pelle, une lampe électrique, des pinces, un marteau et un ciseau. Puis il monta dans sa vieille Yugo et roula vers le cimetière.

Tout en creusant, il sifflotait *Green, Green Grass of Home*, de Tom Jones. Il lui fallut des heures pour parvenir au cercueil et dégager suffisamment la terre tout autour pour ouvrir le couvercle. Il attaqua le bois à coups de ciseau et de marteau, ouvrit le cercueil dans un craquement, arracha le couvercle, et saisit les mains froides d'Ivan.

Ivan sentit l'air frais affluer dans ses narines. Des mains chaudes lui remuèrent le sang. Se croyant mort, la peur de la vie comme celle de la mort l'avaient quitté – les causes de sa paralysie hystérique ou, pour être plus précis sur le plan médical, de la défaillance électrique de son cœur. Il commença à aspirer de l'air. Paul ne le remarqua pas, aveugle à tout ce qui sortait du champ de sa lampe. Il fouillait frénétiquement. Pas de montre dans les poches. Rien dans les mains, sur les mollets, les jambes. Il ne trouva qu'un Nouveau Testament, sous l'oreiller. Il le prit, tourna les fines pages de papier pelure, et le fourra dans la poche intérieure de la veste du mort. Puis il s'assit paresseusement à côté du cercueil, sortit sa flasque de slivovitz, et but.

Ivan ne savait pas trop si ce qu'il entendait, ressentait et voyait était une hallucination. Il était si engourdi qu'il avait l'impression qu'une armée de fourmis lui recouvrait la peau, lui marchait dessus. Son corps était plongé dans un profond sommeil.

Quand Paul le souleva et le remua dans le cercueil, Ivan eut envie de crier, mais n'en eut pas la force. Il respirait de plus en plus profondément en regardant les nuages sombres – si lumineux à ses yeux qu'ils l'aveuglaient. Il tenta de soulever la tête, en vain, essaya de nouveau, toujours sans succès. Sentant un frémissement dans ses muscles, il essaya encore, et parvint à lever légèrement le bras droit. Il en fut si excité que son cœur se mit à battre de manière perceptible. Il prit une bonne respiration et souleva son bras presque entièrement. Il releva la tête, changeant d'angle de vision, et nota que Paul, assis près de ses jambes, portait une bouteille à sa bouche. Cette vision, loin de l'épouvanter – en supposant que quelque chose pût encore l'épouvanter –, fit naître en lui une sensation de chaleur, un espoir. Ah! regarde donc ça! Un homme! Est-ce un rêve ou un homme? Est-ce que je vois réellement? Oui, oui, regarde!

Plein d'enthousiasme, il observa l'homme et, désirant l'embrasser, l'appela doucement, gentiment, d'une voix chargée d'amour : « Frère! » Mais son effort surhumain ne produisit qu'un chuintement et un gargouillement inhumain qui se perdirent dans le sifflement du vent et le hululement des chouettes au loin.

Troublé par ces sons, Paul voulut se hisser hors de la fosse, mais glissa et retomba. Il réessaya très vite parce que ces bruits commençaient à l'angoisser, saisit une racine qui pointait hors de la paroi, et parvint enfin à s'extraire du trou.

Rageusement, il avala d'autres gorgées de slivovitz, et, s'aidant de la pelle, commença à renvoyer la terre dans la tombe, non qu'il craignît que son forfait fût découvert, mais pour que quelqu'un d'autre éprouve une déception aussi vive que la sienne. Il était persuadé que toute la ville ferait la queue devant la tombe pour en déterrer les trésors cachés. Bien fait pour eux! Quant à ce voyou de Nenad, ce bon à rien, il ne perdait rien pour attendre!

Une pelletée de terre atterrit sur la tête d'Ivan. Son crâne frappa le bois du cercueil, et il perdit connaissance – il en avait maintenant l'habitude.

CHAPITRE 27

Un goût de terre dans les narines

Quand Ivan revint à lui, il avait de la terre dans le nez et dans la bouche – il avait été frappé au moment précis où il l'ouvrait pour dire quelque chose. Gémissant de douleur à cause d'un mal de tête, Ivan essaya de ramper hors du cercueil. Il roula par-dessus la paroi latérale et se leva tout doucement, d'abord à quatre pattes, puis dans la position bipède d'*Homo erectus*. Il grimpa sur le cercueil, maudissant sa femme parce qu'il n'était finalement pas aussi bon marché qu'il l'avait d'abord cru – le bois en était verni et très glissant. Il dérapa et retomba dans la fosse à plusieurs reprises. Ses mains tâtonnèrent sur le rebord de l'excavation avant de tomber sur une belle racine de sapin. Ivan s'en empara, poussa des pieds contre le cercueil et parvint à se hisser hors du trou.

Courageusement, même si rien dans son attitude n'évoquait le courage, il s'éloigna en chancelant et prit la direction de Nizograd. Une fois dissipé ce regain d'énergie dû à l'enthousiasme de son retour parmi les vivants – quoique, à en juger par les croix, les fleurs et les cierges qui l'entouraient, il appartînt toujours davantage au monde des morts –, il sentit la faiblesse le gagner et trouva la bipédie de plus en plus éreintante. C'est donc à quatre pattes dans la boue qu'il arpenta le sentier du cimetière. En chemin, il écrasa sous ses paumes une foule de vers et d'escargots, et il s'entailla le genou gauche sur l'arête tranchante d'une pierre. Il avait la gorge et la bouche sèches. Mais bien que le sol fût mouillé, il ne croisa pas la moindre flaque. Il se traîna ainsi jusqu'à la clôture du cimetière.

Où aller? Marcher à quatre pattes jusque chez lui, à quelques kilomètres de là? Au-dessus de ses forces. Et comment sa femme réagirait-elle en le voyant vivant? En croirait-elle ses yeux? Le prendrait-elle pour un fantôme? Et après? Peut-être suis-je un fantôme. Non, les fantômes se déplacent bien plus facilement que je ne le fais. Si les fantômes souffrent comme ça au moindre mouvement, alors, je ne recommande ce boulot à personne. Mais comme il avait redécouvert dans le cercueil les valeurs et l'amour de la famille, il décida d'essayer de se traîner jusqu'à la maison, même si cela lui paraissait impossible. L'heure n'était pas au pessimisme – après tout, n'était-il pas arrivé là contre vents et marées? Il pensa que, maintenant, tout devenait possible, y compris ramper sur des kilomètres.

Dans une maison en construction qui ressemblait à un bunker, Ivan découvrit une pompe et pompa. Un filet d'eau coula et il s'allongea dessous tout en continuant à activer le manche de la pompe. L'eau lui lava les yeux et remplit sa bouche. Il but à grandes goulées. L'eau froide lui faisait mal aux dents et il sentit même l'arrière de son cerveau prendre dans la glace, mais c'était si bon, si revigorant, et il en voulait tellement qu'il en avala trop; l'eau pénétra dans ses poumons et faillit l'étouffer. Il grogna et toussa, se sentant fiévreux. Pourtant, quand il se toucha le front, il ne le trouva pas plus chaud ou plus froid que ses paumes. Cela ne le rassura qu'à moitié, car il se souvint que les paumes ne peuvent pas mesurer objectivement la température, puisqu'elles font partie du sujet. Il constata tout de même avec étonnement que sa santé n'avait pas trop pâti de son voyage au pays des morts.

Au bout d'un moment, il se sentit suffisamment ragaillardi pour quitter la maison-bunker. Il passa dans un jardin à travers des feuilles de choux. Un vent doux portant l'odeur de pommes tombées au sol lui caressa le visage. Si tard dans l'année ? Il mordit dans ces pommes croquantes sans même les laver. Son estomac grogna, comme s'il se plaignait d'avoir à travailler de nouveau.

Un jeune policier croate en uniforme bleu surgit au coin de la rue. Ivan ne l'avait jamais vu. Compte tenu de ses relations médiocres avec la police, il tressaillit et eut la surprise de sentir son cœur s'emballer dans sa poitrine. L'apparition du policier avait eu sur lui un effet thérapeutique, comme une injection d'adrénaline. Ivan se souvint qu'il n'avait aucune raison de s'énerver, lui qui avait du processus de la mort une expérience très au-dessus de la moyenne.

Le policier en patrouille remarqua l'étrange apparence d'Ivan : le costume, la cravate et les cheveux couverts de boue. Ivan avait l'air d'une reproduction d'humain que l'on aurait façonnée dans l'argile, comme un Adam à demi terminé à qui Dieu aurait omis d'insuffler l'étincelle de vie.

« Stop ! cria le jeune homme en uniforme. Pourquoi marchez-vous à quatre pattes ?

— Et pourquoi pas ? Ce n'est pas illégal, que je sache.

— Êtes-vous ivre ? Blessé ? Une voiture vous a-t-elle renversé ? » Le flic semblait disposé à l'aider.

Peut-être pourrait-il me raccompagner à la maison ? Non, il va plutôt me conduire à l'hôpital. Je n'en ai aucune envie. Alors Ivan répondit : « Rien de tout cela.

— Alors que faites-vous là à cette heure de la nuit ? Êtes-vous fou ?

— La santé mentale est un sujet trop hasardeux, aussi bien pour vous que pour moi. Que pensez-vous que je fais ? Je rentre à pied – manière de parler – du cimetière à la maison.

— Levez-vous quand vous vous adressez à un représentant de la loi.

— Je ne savais pas que vous étiez la loi. Très bien, je me lève.

— Et que faisiez-vous là ? Êtes-vous allé piller des tombes fraîches ?

— Non, je mourais. On m'a enterré vivant par erreur.

— Par erreur ? dit le policier, reculant d'un pas pour observer cet étrange personnage. Enterré ?

— Comment pensez-vous que je me suis mis dans cet état ? demanda Ivan.

— On nous a signalé des gens qui creusaient... et vous êtes ivre, n'est-ce pas ? »

Ivan s'appuya contre l'immeuble. « Non, j'en avais juste marre de dormir dans un cercueil. Même si vous avez envie de tout envoyer paître pendant un moment – le bruit, la famille, le boulot, la politique, la police, et le reste –, je ne vous recommande pas le cercueil. C'est inconfortable, mal aéré et pas reposant pour un sou !

— Mais c'est frais en été et chaud en hiver. Un bon plan pour un clochard ! Et pourquoi êtes-vous couvert de boue, alors ?

— Je pense que quelqu'un a creusé ma tombe, ouvert le couvercle du cercueil et fouillé mes poches avant de partir. Et il n'a même pas pris les couronnes d'or que j'ai dans la bouche. Un vrai coup de chance ! Je me souviens qu'on faisait tous ça pendant la guerre.

— Vous dites n'importe quoi !

— N'importe quoi ? C'est vous qui venez de parler de

pillage de tombe », rétorqua calmement Ivan. D'une manière générale, il se sentait serein, jouissant d'un certain recul face à la vie et à la mort. « Je n'ai pas le temps d'argumenter avec vous à coups de banalités et de syllogismes puisque ni vous ni moi ne semblons en mesure de les échafauder. Je suis heureux d'être en vie, et je rentre chez moi. J'ai une épouse à honorer, une enfant à éduquer, de la musique à jouer et des bibles à lire. En fait, j'ai beaucoup de travail qui m'attend ! » Et Ivan se remit en route. Le flic lui attrapa le bras.

« Vos papiers, s'il vous plaît ! »

Ivan fouilla ses poches et n'y trouva que le Nouveau Testament. Il le sortit et le lui montra.

« Oh, c'est donc ça ? Vous êtes un de ces nouveaux croyants, membres d'une secte, qui permettent aux Serbes de se cacher et de comploter contre nous ? Eh bien, laissez-moi vous dire que j'ai eu ma part de problèmes avec des voyous de votre espèce. Alors, maintenant, dites-moi ce que vous faisiez dans ce cimetière ! »

Il tira son pistolet de son étui, le lui colla dans le cou, le menotta, et lui fouilla les poches. « Où est votre carte d'identité ?

— On n'en a pas besoin dans une petite ville comme celle-ci. Presque tout le monde me connaît, au moins de vue. Il est clair que vous êtes nouveau dans le coin.

— Pas de carte d'identité ? Il est contraire à la loi de…

— Les asticots n'ont pas besoin de papiers ni de la permission des élus pour commencer à vous grignoter, n'est-ce pas ?

— Vous plaisantez sur la politique et vous n'avez pas de papiers ! Suivez-moi au poste ! »

Il saisit Ivan par les biceps et le poussa dans une Volkswagen bleue de la police. Ivan était bien trop faible pour résister.

Le policier fit passer à Ivan des portes de verre, puis des portes de bois, et enfin des portes de métal. Des policiers qui jouaient aux cartes, les pieds posés sur la table, se mirent à hurler en voyant Ivan débarquer. Ils bondirent de la table et sautèrent par les fenêtres du deuxième étage.

« Mais qu'est-ce qui leur prend ? » s'interrogea le jeune policier, effrayé par le comportement de ses collègues.

« Ils pensent qu'ils viennent de voir un mort en balade ! » répondit fièrement Ivan.

Depuis le trottoir, les policiers défenestrés appelaient à l'aide.

Leur jeune confrère se précipita auprès d'eux et les conduisit à l'hôpital, où on plâtra leurs membres brisés.

Une demi-heure plus tard, le chef Vukic, encore à moitié endormi et se frottant les yeux, se présenta au poste de police.

La vision d'Ivan l'épouvanta. Il faut dire que les cheveux du revenant avaient complètement blanchi durant ses tribulations, ce qui renforçait son côté fantomatique.

« Mais tu es mort ! s'exclama Vukic. Tu ne peux pas être là ! Qu'est-ce que c'est que ce bordel ?

— Il semble pourtant que je sois vivant. Enfin, je peux me tromper !

— Tu ne peux pas être vivant. Tu as été déclaré mort ! » Puis il se tourna vers le jeune policier, qui était de retour. « On va devoir le remettre dans la tombe, ajouta-t-il. C'est tout ce qu'il y a à faire.

— Que voulez-vous dire ?

— Ce que je veux dire, c'est que sa place est dans une tombe.

— Nous devons le tuer ?

— Ce ne sera pas nécessaire, on ne peut pas tuer un mort ! Ramenons-le simplement là où il était. C'est la bonne chose à faire et ça devrait être très simple, puisque tous les documents ont déjà été remplis : il a été déclaré mort. Oh, bon Dieu, qu'est-ce que je hais la paperasse !

— Mais je suis vivant ! protesta Ivan, qui n'aimait pas du tout la tournure que prenait cette conversation.

— La ferme ! ordonna Vukic en se frottant les poches sous les yeux. Hum ! Je suis en train de devenir dingue. Faut que j'arrête de boire de l'ouzo.

— Tu ne peux pas me ramener là-bas, continua tout de même Ivan. Je suis vivant et j'ai bien l'intention de le rester. En fait, il faudrait ouvrir une enquête. Je soupçonne ma femme et le médecin d'avoir orchestré ma mort. Toi aussi, tu es peut-être mouillé là-dedans – tu te souviens, ta femme et tout ça. Le docteur doit avoir donné à Selma une drogue qui m'a complètement paralysé, et il a ensuite signé mon acte de décès. Je le sais, je les ai entendus baiser sur mon acte de décès. Je veux qu'on ouvre une enquête, tout de suite.

— Il n'y aura pas d'enquête. On va simplement te renvoyer là d'où tu viens. Et surtout, ne me parle pas de cette pute.

— Ma femme n'est pas une pute. Elle a peut-être des moments de faiblesse…

— Je parle de *ma* femme, crétin ! Parce qu'il faut être un crétin pour faire confiance à sa femme.

— On fait une partie d'échecs ? l'interrompit Ivan. Si je gagne, tu me laisses partir.

— Non, je ne veux pas jouer. J'en ai ras le bol de tes échecs, toi… » Et Vukic y alla de quelques obscénités relatives à l'acte d'introduire.

« Mais c'est une grande tradition de jouer aux échecs avec la mort. Tu n'as pas vu *Le Septième Sceau* ? Tu ne te souviens pas de cette scène où la Mort triche contre le cavalier ? De toute façon, il n'avait aucune chance. Enfin, moi je l'ai battue. Et maintenant, je vais te mettre une raclée! Ha, ha, ha!»

Ivan pleurait de rire, ses larmes mouillant la boue collée à sa lèvre supérieure. Cette argile qui fondait lui rappela l'époque où il sculptait des bustes de Jules César qui s'effritaient sous la pluie pour finir par ressembler à une bande de Cicéron.

Le chef Vukic jura de nouveau. « Je déteste les films étrangers. Et qu'est-ce que ces Allemands savent que nous ne savons pas?

— C'est un film suédois.

— Suédois... OK, au moins, ils font du bon porno.

— Enfin, souviens-toi de la scène où le chevalier demande à la Mort : "Qu'y a-t-il après la mort?" Et la Mort se tourne lentement, le regarde, et répond calmement : "Rien." Puis elle s'en va. Tu ne trouves pas ça merveilleux?» Debout, Ivan s'enflamma, cria, joua la scène et, recouvert de boue, macabre et pâle comme il l'était, il était parfait pour le rôle, bien meilleur que les acteurs de Bergman. Aucun doute, Ivan mettait dans son interprétation plus de vécu.

Le jeune flic, persuadé de pouvoir apporter une explication à l'étrange comportement d'Ivan, dit à Vukic : « Chef, regardez ce que j'ai trouvé dans ses poches.» Et il tira le Nouveau Testament, petit livre noir aux pages soyeuses et à la tranche rouge.

Le chef ne le toucha pas. Il commençait à penser qu'il était effectivement en présence d'un fantôme, et qu'il était témoin de cette résurrection d'entre les morts dont parlaient les calvinistes de toutes les sectes.

Persuadé de sa supériorité sur Vukic parce qu'il le battait aux échecs, mais en aucun cas de son infériorité parce qu'il était physiquement moins fort que lui, Ivan adopta une nouvelle approche en constatant la pâleur du visage du chef de police. « Eh bien, si tu m'enterres vivant, je sortirai du tombeau de nouveau et j'irai hanter ta maison. Et, tu sais, j'ai quelques relations dans le monde des esprits, et, pour ta gouverne, dans le monde des vivants aussi. Tu as déjà entendu parler des francs-maçons ? »

Comme beaucoup de lecteurs de la presse populaire nationaliste, Vukic croyait que les francs-maçons contrôlaient la majeure partie de ce monde, que le pape, Clinton, Bush, Poutine et la plupart des chefs d'État occidentaux étaient francs-maçons. Une rumeur courait même que les francs-maçons finançaient les calvinistes et les adventistes de la ville pour la construction de temples et la réorganisation de la fédération panslave des Balkans – en d'autres mots : la Yougoslavie. L'aplomb avec lequel Ivan le menaçait ne fit que confirmer les soupçons de Vukic. Il lui demanda d'une voix chevrotante : « Dis-moi, tu es vraiment franc-maçon ?

— Oui, du trentième degré. Mon vieux pote, Gorbatchev, est du trente et unième, le pape, du trente-troisième, et Bobby Fischer, du trente-quatrième, répondit Ivan.

— Je ne peux pas te laisser partir, soupira le chef.

— Eh bien, dans ce cas… » Ivan leva les bras et commença à prier. « Écoute-moi, Toi le Très-Haut, le Tout-Puissant…

— Stop ! Prier n'est pas heu… autorisé ici ! balbutia le chef.

— Vraiment ? C'était interdit sous l'ancien régime, mais c'est plutôt bien vu du nouveau. Tu ne connais plus tes régimes ? Aurais-tu sauté la messe du dimanche ? »

Vukic se dirigea vers l'armoire et, les lèvres agitées de spasmes, avala quelques lampées de vodka, sa pomme d'Adam tictaquant bruyamment, comme une pendule d'échecs pendant les blitz. « Tu ne peux réciter de prières païennes ici.

— Je prendrais bien un peu d'alcool, moi aussi », dit Ivan. Après tout ce qu'il avait traversé, il avait besoin d'un truc un peu raide. « Non, répondit Vukic, les morts ne boivent pas. » Mais il lui tendit tout de même la bouteille, comme si sa volonté lui échappait.

« Bien, au moins tu sais ça, soupira Ivan en repoussant la bouteille. Je blaguais, mais maintenant, je ne plaisante plus. Enlève-moi les menottes. Délivre-moi un passeport – tu en as le pouvoir – et conduis-moi à la gare de Zagreb ! Et file-moi deux mille marks allemands pour que j'aille retrouver mes frères francs-maçons à Vienne. »

Vukic faisait les cent pas dans la pièce, fumant un cigare du Honduras tout en observant Ivan, qui s'épanchait sur l'omniprésence des francs-maçons – comment ils allaient irradier la tête de Vukic et ourdir une prise de contrôle électromagnétique de son cerveau grâce au métal de ses plombages… Grand spécialiste de cette technique, Bobby Fischer s'occuperait personnellement de faire de Vukic un robot. Changé en automate pour le reste de ses jours, le policier nettoierait à quatre pattes les toilettes de la loge de Vienne, grattant sur le carrelage la moindre trace de pisse et de sperme cérémoniels.

Vukic avait pris un autre verre, et se versa une nouvelle rasade, la main tremblante. Puis, écrasé de fatigue et d'alcool, il perdit connaissance. Ivan se sentit tout abandonné d'avoir ainsi perdu son interlocuteur en plein milieu de la conversation. Il se dit qu'il s'était montré amène et qu'il avait prononcé toutes ces belles paroles par simple désir de communiquer. Peut-être vaudrait-il mieux revenir s'il voulait un passeport. Il sortit du poste de police, passant devant la réception où le planton dormait, le visage posé de biais sur la table avec, tout près du nez, la casquette bleue ornée du damier rouge et blanc croate. Que pouvait bien symboliser ce damier ? Ivan fut tenté de voler la casquette qui le réchaufferait une fois dehors et qui, en plus, l'investirait de cette autorité qu'il n'avait jamais eue – l'autorité de l'appareil d'État. Enfin, il lui faudrait pour cela ne pas être couvert de boue et ne pas traîner cette pâleur de mort. Où aller maintenant ? À la clinique du peuple ? Compte tenu des circonstances, un bon examen cardiaque ne serait pas de trop – ECG et test à l'effort –, de même qu'une IRM. Il se demanda dans quelle mesure le manque d'oxygène avait endommagé son cerveau.

La médecine ayant été privatisée, il réalisa que cette batterie de tests coûterait une fortune. Et il ne trouverait de toute façon aucun médecin aux urgences à cette heure-ci de la nuit. Mieux valait rentrer à la maison, il y dégoterait bien quelque docteur en train de baiser sa femme. Ce serait drôlement pratique de dénicher dans le même lit tous ceux dont il avait besoin. Non, il n'éprouvait pas de jalousie. Il pourrait faire accroire qu'il était ressuscité et ouvrir une clinique. Il pratiquerait la médecine en se prévalant de la meilleure des qualifications : avoir vaincu la mort. Son acte de décès, même souillé de l'empreinte d'un fessier, constituerait le plus imposant des diplômes. Il ne serait pas mauvais non plus comme pasteur d'une église, même si les gens ne verraient en lui qu'un imitateur dépourvu d'originalité, un mort qui, trois jours après avoir trépassé, était revenu à la vie. La pensée fantasque qu'il était Jésus le fit éclater de rire. Vingt pour cent des fous se prennent pour Jésus, et le seul fait de le penser pouvait effectivement le ranger dans cette catégorie. Mais il arrive aussi que les fous aient raison. Combien de fous sont parvenus à quitter la tombe après leur mort ? Cela plaçait ses prétentions un peu au-dessus de la moyenne. Mais non, c'était impossible. S'il l'était, il serait sans doute plus intelligent et capable de parler à Dieu. Mais, là encore, qui sait si Jésus le faisait vraiment ? Et pourquoi me mettrais-je à croire maintenant, alors que je n'ai plus besoin de la religion ?

CHAPITRE 28

Où Ivan marche incognito
dans les rues de sa ville lyrique

Pressé d'aller boire une bonne bière bien mousseuse, Ivan projeta de faire une halte au Cellier. Mais il fallait d'abord se faire beau. Au milieu du parc, la source d'eau chaude se cachait dans une fosse recouverte d'une structure bleue aux allures de place forte. Il se lava le visage dans l'eau sulfureuse et fumante qui coulait des tuyaux rouillés, chassant de ses narines les dernières parcelles de terre. L'eau rouillée avait une odeur délicieusement huileuse ; il en aspira par le nez et éternua. La vapeur lui nettoya les sinus et, alors qu'il sortait de la fosse par les escaliers, il respira l'odeur des pins si profondément que son sentiment d'être parmi les vivants s'en trouva encore renforcé.

La lumière froide de la lune léchait la ville, et les ombres noires proliféraient dans tous les recoins. Ivan longeait les maisons bordant le côté de la rue plongé dans la pénombre, terriblement craintif. Effleurant un mur ventru, il entendit le sable crisser à l'intérieur, entre le crépi et les briques. Les façades étaient encore vérolées. La municipalité aurait pu boucher toutes ces blessures dans les murs, mais les habitants préféraient vivre avec le souvenir de la guerre, du martyre. Il éprouvait le vague sentiment de n'être pas à sa place et de l'incongruité de se promener après un si long enterrement. Il connaissait bien cette sensation de non-appartenance, ce désir de n'être pas reconnu ; il avait marché ainsi tant de fois. Les rues étaient sombres. Le nouveau gouvernement semblait aussi fauché que le précédent, comme en témoignaient les fréquentes coupures d'électricité. En approchant du Cellier, il vit Nenad debout, penché sur la porte, vraisemblablement en train de la fermer à clé. Ivan cria, mais sa voix ne porta pas si loin – il avait de la difficulté à s'entendre lui-même.

La silhouette de Nenad s'éloigna et fila vers sa BMW argentée qu'éclairait la lune. Les pneus fumèrent sur le bitume avant même que le bruit du moteur ne fût parvenu aux oreilles d'Ivan. Et son ami disparut dans toute la gloire de sa technologie importée. Ivan fut frappé par cette incongruité : Nenad et ses semblables paraissaient beaucoup plus prospères que lui, pourtant si sûr de sa supériorité intellectuelle. Il sentit la vieille morsure du doute : si tu es si brillant, pourquoi n'es-tu pas plus riche ? D'un autre côté, pour quelle raison désirerait-il une superbe voiture tout étincelante ? Eh bien, parce que maintenant, par exemple, il pourrait sauter dedans et regagner sa vieille maison. Mais il était plus de deux heures du matin… et faire son apparition à cette heure incongrue traumatiserait sans doute toute la famille. Dans la lumière du jour, Selma le verrait si clairement qu'elle ne pourrait douter de sa présence. Peu importerait alors qu'elle le crût revenu d'entre les morts ou survivant d'une erreur de diagnostic, erreur dont elle était en grande partie responsable.

Le cauchemar de sa mort l'avait rendu meilleur à ses propres yeux. Avant, il aurait haï sa femme, se serait fait un point d'honneur d'être furieux et de se venger, mais là, il était en paix. Il retourna dans le parc. L'odeur fraîche de la terre moussue se mêlait somptueusement à celle des vieilles feuilles de chêne piétinées et du soufre des sources chaudes. La lumière de la lune projetait l'ombre conique des cyprès, bleue et noire, sur les sentiers de gravier. Il traversa les rails du chemin de fer posés sur leurs traverses de bois saturées de goudron frais et d'huile. Il avançait sans lumière pour le guider parmi les chênes et les hêtres immenses – ils avaient sans aucun doute bien grandi au cours des quarante dernières années. La seule beauté du vieillissement, c'était bien de voir que ces arbres qu'il connaissait depuis l'enfance étaient maintenant des géants, et alors que la ville et ses citoyens déclinaient, le parc et ses habitants gagnaient en droiture et en majesté.

Ivan parvint au bunker en suivant l'odeur caractéristique de ciment, de pourriture et d'humidité qui en émanait. Il tâtonna, sentit la rugosité des murs, les fragments de coquillages qui pointaient hors du béton, coupants comme des lames de rasoir. Il s'enfonça toujours plus profondément, jusqu'au banc de béton, sur le mur du fond. Alors, c'est ça, être aveugle : on effleure du bout des doigts tout ce qui nous entoure, dans un état de crainte perpétuelle. En se déplaçant à tâtons, il se piqua le doigt sur une aiguille. De son autre main, il examina l'objet piquant. Une seringue. Sans doute un drogué ! Il ne se doutait pas que la jeunesse de cette ville fût si délurée. Et s'il était séropositif ? Est-ce que j'aurai le sida ? Si je l'attrape, il lui faudra une quinzaine d'années pour se déclarer, et quelques-unes de plus pour me tuer. J'aurai alors soixante-dix ans. C'est bien plus que je ne l'avais imaginé dans les scénarios les plus optimistes. Pendant quelque temps, on avait cru l'épidémie endiguée puisque, à cause du conflit, Allemands et Américains, grands consommateurs de tourisme sexuel, avaient cessé de venir sur la côte. Mais les Nations Unies s'étaient bien plus affairées à établir des bordels, ou du moins à les fréquenter, que des îlots de sécurité.

On trouvait parmi les soldats et le personnel de l'organisation un pot-pourri international d'hormones juvéniles et de virus, et tout ce petit monde avait fricoté avec des prostituées qui, venues de Moldavie et d'Ukraine, ne savaient même pas ce qu'était un préservatif. Alors, oui, n'importe quel virus ou bactérie transmissible et capable de survivre à l'air libre dans un peu de sang peut m'avoir infecté par l'intermédiaire de cette petite piqûre. Plus jamais je ne pourrai clamer ma solitude! Je vis désormais en compagnie de la crème de la crème : l'effort conjugué de millions de personnes vient de m'être transmis. La poésie de l'extase née du sexe et de la drogue coule dans mon sang et dans mes os et, dès maintenant et pour les années à venir, on pourra la décoder et la lire dans mon corps.

Qui osera encore prétendre que Nizograd est provinciale? Regardez-moi ces capotes et ces seringues. Nous faisons maintenant partie du village planétaire. Voilà qui justifie mon refus absolu de voyager à l'étranger.

Enfin, ce sont peut-être des gamins qui ont ramassé cette seringue dans les poubelles de l'hôpital et qui se sont amusés avec, histoire d'avoir l'air de junkies. Peut-être alors que cette seringue ne m'a rien transmis d'autre qu'un peu de rouille, et que je ne trône pas au sommet d'une fébrilité subversive, mais dans les tréfonds d'un donjon lugubre. Je n'ai peut-être chopé qu'un banal tétanos.

Ivan s'allongea sur une couverture qu'il avait trouvée sur le banc et laissa ses mains explorer le sol : des douilles de balles, des os mous de poulet, une botte pourrie et un briquet, qu'il saisit et tenta d'allumer. Ses doigts étaient plus raides qu'il ne l'aurait cru. Pourtant, après quelques tentatives, une flamme vacilla et, très vite, grâce à cette lueur, il trouva une cigarette entière. Il l'alluma, puis la fuma, soupirant de tristesse.

Ivan dormit de l'aube à la tombée du jour. Même le raffut des wagons de marchandises qui s'entrechoquaient sur les rails à une vingtaine de mètres en contrebas ne troubla pas son sommeil sans rêves. Lorsqu'il se réveilla, tout son corps était raide. Sa hanche, son épaule et son dos le faisaient souffrir – il avait surtout mal aux os. Il se souvint alors de son père, qui avait gardé les os de sa jambe et de son bras dans un sac à patates. Qu'étaient-ils devenus? Sont-ils encore dans ma cave? Ou bien, s'il y aura vraiment un jour du Jugement dernier, mon père ne se relèvera pas d'entre les morts au cimetière, mais dans mon sous-sol, enfermé dans un sac à patates qu'il devra déchirer?

Un timide clair de lune perça les nuages, juste assez lumineux pour éclairer le chemin menant aux sources d'eau chaude. Ivan se lava le visage et but de l'eau – pas si chaude que ça, plutôt comme un thé coupé de lait, un thé dans lequel auraient infusé du fer et du soufre, un thé du Jugement dernier ou datant de la création de la terre; peut-être était-ce un peu de la sueur tombée du front de Dieu et qui, depuis, n'avait trouvé sous terre aucun repos.

Ivan se dirigea vers le bar en catimini, comme à son habitude. Quelques badauds se promenaient dans les rues, mais pas autant qu'autrefois. Avant la guerre, la plupart des citadins se promenaient le soir avant d'aller se coucher. Puis, avec le conflit et les bombardements, l'habitude s'était perdue. Maintenant, on voyait la lumière des télévisions trembloter derrière les rideaux de bien des maisons. Dans certaines, des lueurs orange clignotaient, rythmées, très lumineuses, moins lumineuses, très lumineuses, moins lumineuses. Sans doute un porno délirant. On pouvait déduire la vitesse du coït à la rapidité à laquelle la lumière et l'ombre alternaient. Les cris d'extase qu'on entendait d'une fenêtre ouverte provenaient plus souvent d'un film de cul que d'une véritable partie de jambes en l'air. Et si, par le plus grand des hasards, ces cris de jouissance émanaient vraiment de personnes en chair et en os, sachez qu'ils s'inspiraient de la fornication à l'Occidentale, et qu'il s'agissait d'un phénomène tout à fait nouveau dans la région. Autrefois, l'acte sexuel s'associait à une forme de relaxation, la plupart du temps paisible, à part peut-être à la toute fin. Et puis les Occidentaux avaient créé cette manie de manifester l'hystérie du plaisir d'un bout à l'autre de l'acte. De plus, les gens d'ici s'étaient contentés de faire ça en quelques minutes, alors que maintenant les gémissements s'étalaient sur des heures, comme si tous s'étaient mis à consommer de la cocaïne, de la morphine et d'autres drogues pour être capables d'appliquer au sexe les principes du marathon. En tout cas, la disparition de cette culture piétonne, aussi saine qu'elle fût, ravissait Ivan. Les gens continuaient de se rendre à des tas d'endroits, oubliaient parfois pourquoi ils s'y rendaient, mais y allaient quand même, en voiture, étouffant les grandes artères de la ville. Il emprunta des petites rues et se retrouva devant le Cellier. La taverne était pleine à craquer, mais il trouva tout de même une chaise à une petite table dans un coin.

Ivan ne reconnut personne. La faute en revenait en partie à la guerre. La plupart des Serbes qui fréquentaient autrefois les bars étaient partis. Certains avaient participé au nettoyage ethnique des Croates et ne pouvaient plus revenir, d'autres avaient subi le nettoyage ethnique des Croates. Ivan se trouvait dans un bar parfaitement nettoyé, ce qui ne l'empêchait pas d'être dégueulasse et bourré de poivrots incontinents. À la fin du conflit, de nombreux Croates de Bosnie avaient débarqué en ville, presque tous si grands et si maigres qu'on les aurait dits sortis d'un camp de concentration, alors qu'en réalité ils avaient pour la plupart grandi comme ça dans les montagnes, avec leur lait de chèvre, leurs parasites intestinaux, leur tabac et, parfois, la tuberculose. Cela étant dit, quelques-uns avaient vraiment survécu aux camps de concentration serbes, comme celui d'Omarska.

Bientôt, Nenad et Bruno firent leur apparition et descendirent l'escalier sans jeter un regard vers le coin où se tenait Ivan. Ils avaient l'air bien plus joyeux que de son temps. Peut-être que ce foutu pays allait enfin devenir un endroit où il ferait bon vivre, comme l'Italie ou les Fidji, peuplé d'habitants gentils et amicaux qui se perdraient dans d'agréables conversations. C'était tout à fait possible. Non, impossible! Soudain, les clients se mirent à hurler. Un grand écran diffusait un match de foot opposant son équipe préférée, le Hajduk de Split, et le très détesté Dinamo de Zagreb. Les partisans du Dinamo brûlaient des drapeaux du Hajduk. Ivan ne parvenait pas à suivre le déroulement du match à cause de l'épaisse fumée qui encombrait à la fois le stade et le bar, et des explosions de verres que l'on projetait contre les murs. Quelques pères, venus voir le match avec leurs fils, prirent peur et partirent. Pendant la mi-temps, les partisans de Split jetèrent dans l'Adriatique un tas de voitures immatriculées à Zagreb. Ivan songea que, maintenant que les Croates n'avaient plus d'équipes serbes à affronter, et que les Croates de l'intérieur haïssaient les Croates de la côte, qui le leur rendaient bien, il ne faudrait pas longtemps avant qu'éclate une nouvelle guerre du foot qui se conclurait par la création de nombreuses républiques bananières – la Dalmatie, la Slavonie, l'Istrie, la République autonome de Dubrovnik, et ainsi de suite; elles seraient si petites qu'on pourrait même parler de républiques de pacotille. À ce stade, Ivan se foutait de savoir si la Croatie se scinderait en cinq micropays ou si elle s'unirait – d'ailleurs, avec qui pourrait-elle bien s'unir? Le temps des alliances était révolu. Tout ce que voulait Ivan, c'était attirer l'attention de la pâle serveuse avec des poches sous les yeux et des dents tachées de nicotine. Mais quand il essaya de parler, plus de voix! Avait-il attrapé un coup de froid?

Quand le Dinamo marqua un but, un paysan paya une tournée générale, et une chope atterrit sur la table d'Ivan. La *Starocesko pivo,* lui avait appris un spécialiste des bières locales, était la seule bière de levure active au pays. La levure, très vigoureuse, le fit roter et son estomac gonfla comme une miche de pain dans un four. Sa chair gagnait en volume, pensa-t-il joyeusement. Peut-être la levure était-elle l'ingrédient indispensable à la recette de la résurrection?

À la fin du match, des tirs de mitrailleuse et des explosions de grenades résonnèrent dans la rue – des gens qui célébraient, tout simplement.

Une fois le calme revenu, Ivan entendit deux hommes parler à la table d'à côté.

«Quelle ville de fous! Mon voisin m'a dit qu'un mort s'était présenté au poste de police hier soir.

— Ça n'a rien de fou. Depuis que la guerre est finie, il est arrivé toutes sortes de choses étranges. Des victimes d'atrocités hantent les rues la nuit.

— Ils apparaissent sous forme de visions à ceux qui les ont tués. Ce sont des cauchemars causés par la culpabilité, ça n'a rien de réel.

— Détrompe-toi. C'est bien plus vrai que le match de foot qu'on vient de voir. Ces dandies en culotte courte sont tous des vendus – comme dans la lutte professionnelle, où tout est fait pour que nous ayons l'impression que ce sont de vrais durs.

— Seul le meurtrier voit le fantôme, personne d'autre.

— Ce n'est pas vrai. Ce soir, par exemple, il y a sans doute quelques meurtriers ici. Ils en ont peut-être vu, des fantômes.

— Toi, t'en as vu?

— Non, mais je n'ai jamais fait de mal à personne non plus.

— Pas si fort, on pourrait t'entendre! Tu n'as pas servi dans l'armée croate?

— Si, mais je n'ai fait que jouer aux cartes, boire de la bière et conduire des camions d'une planque à une autre.

— Surtout, ne le dis à personne. Raconte que tu es un vétéran traumatisé et demande une pension.

— Je l'ai fait. Ils m'ont dit que j'en aurais une à soixante ans. Et pas grosse, elle ne paiera même pas mes dépenses de bière.

— Ça ne me surprend pas. Deux salaires d'ingénieur n'y suffiraient pas! Allez, on reprend une tournée. Nenad, mon garçon, apporte-nous de la bière!

— Tu ne dois pas conduire pour rentrer chez toi?

— Je conduis beaucoup mieux quand je suis bourré. Ça me calme les nerfs et je ne pars pas en zigzaguant si je croise un chat noir.»

Nenad rapporta deux bouteilles de bière et en versa le contenu dans les chopes posées sur la table.

Ivan marcha vers le bar et s'éclaircit la gorge. Il tenta de parler, mais n'émit qu'un étrange sifflement, comme s'il avait été une oie dans une vie antérieure, ou dans celle-ci.

Nenad discutait avec Bruno, qui sirotait un Johnnie Walker Red Label, avec des glaçons.

«Tous les poivrots de la ville ont entendu parler de l'apparition de ton fantôme de frère chez les flics. Même Paul croyait qu'Ivan avait été enterré avec des trésors, alors il est allé creuser. Est-ce qu'on l'a vraiment enterré avec des objets de valeur?

— Peut-être une bonne paire de chaussures. Ou l'éventail d'Indira Gandhi. J'y ai jamais cru, à son histoire d'éventail.

— Est-ce qu'il était fait d'or et de rubis?

— C'était juste une babiole toute bariolée. Dis, mon ami, pourrais-je avoir d'autres glaçons? J'avais demandé *on the rocks.*

— Un glaçon ne suffit pas? Tu n'as pas peur d'attraper un rhume, des streptocoques ou un truc comme ça?

— Impossible d'avoir un vrai scotch sur glace dans ce pays. Quand allez-vous comprendre que la glace, c'est génial! Que c'est le seul moyen de boire sans avoir mal à la tête après.

— Comme tu veux.» Nenad alla vers le réfrigérateur et passa devant Ivan sans le remarquer. « Voilà, mais ne viens pas te plaindre si tu as mal à la gorge demain.

— *Es tut gut!* dit Bruno en broyant un glaçon entre ses molaires.

— Tu sais, continua Nenad, j'ai entendu dire qu'il est impossible d'enterrer convenablement un homme qui a beaucoup tué durant la guerre. Son cercueil remonte à la surface pendant les grosses pluies et s'ouvre d'un coup. Et son corps finit dans les champs où des corbeaux lui arrachent les yeux et lui sucent la cervelle à travers les orbites. Et s'il y a un glissement de terrain, seul son cercueil resurgit. Même chose avec les tremblements de terre. Et alors les corps de ces criminels de guerre s'éparpillent en roulant dans tout le pays, et les paysans en font parfois des épouvantails dans leurs champs, et une fois tous les trente-six du mois, l'un d'eux se met à marcher et sème la terreur dans le village, à tel point que les habitants incendient les champs pour être sûrs de chasser les épouvantails.

— Mais où as-tu entendu ces conneries?

— Ici. Un homme de Babina Greda me l'a raconté.

— Évidemment! Tu dois en entendre, des sornettes, avec tous ces ivrognes qui se soûlent à la slivovitz. S'ils buvaient du scotch, ils délireraient pas comme ça.

— Peut-être que le cercueil de ton frère a été ouvert et qu'il en est tombé et… tu sais, il était en Bosnie. Qui sait les horreurs qu'il a pu commettre là-bas.

— Mon frère n'aurait jamais tué personne. C'est sûr qu'enfant il était cruel, mais facilement dégoûté – il ne pouvait même pas toucher une grenouille.

— Il a déjà tué. Il m'en parlait quand il avait bu.

— Ça dépend de ce qu'il buvait. La fichue vérité, c'est que ceux qui ont tué n'en parlent pas, et que ceux qui ne l'ont pas fait racontent des histoires.

— D'accord, d'accord, mais on ne sait jamais ce qui va sortir de la bouche d'un homme, et, des fois, c'est la vérité.

— Pourquoi ne fermes-tu pas le bar? On pourrait…»

Pendant tout ce temps, Ivan avait essayé d'attirer leur attention, chuintant, demandant une bière, assurant qu'il était bel et bien vivant. Il s'était même lancé dans un long monologue au sujet de son historique médical, expliquant que la résurrection n'existait pas, qu'il n'y avait que de mauvais diagnostics suivis d'un retour des sens… Mais, apparemment, rien de tout cela n'était sorti de sa bouche, alors il prit un verre vide et le brisa sur le sol. Il craignit que même ce geste ne produisît aucun effet : ce jour-là, tant de verres avaient été cassés qu'on penserait simplement qu'un autre partisan du Dinamo avait perdu la tête.

Nenad sursauta, se tourna vers le côté du bar où se tenait Ivan et blêmit.

Bruno ne tourna pas la tête et profita de cette accalmie dans la conversation pour avaler une autre gorgée.

«Hé, mais c'est… non, c'est pas possible! hurla Nenad. Regarde, c'est le fantôme de ton frère!

— Arrête! Tout ce football et ces histoires de fantômes te sont montés à la tête. Dessoûle un peu!

— Mais regarde, il est assis là, à quelques tabourets de nous...

— Où ?» Bruno regarda dans la direction d'Ivan, mais il louchait d'avoir trop bu et il sembla ne pas le voir.

« Là... juste là...» Nenad s'éloignait en courant du comptoir, bousculant les verres qui s'écrasaient par terre. Bruno regarda de nouveau, vit enfin son frère, sauta en l'air et trébucha sur un pied de chaise. En tombant, il se coupa la main sur du verre brisé, jura – *Scheiße!* –, et prit la fuite.

Alarmés par cette frayeur qui venait de propulser le tenancier et son ami hors du bar, les deux paysans regardèrent Ivan et lui trouvèrent davantage l'air d'appartenir à l'autre monde qu'à celui-ci. Ils se dépêchèrent de sortir, mais sans se précipiter parce que, dans leur village, il arrivait que des choses surnaturelles se produisent ou, au moins, on s'y attendait.

Ivan se dirigea vers la porte et vit quelques personnes courir dans la rue. Nenad actionna l'ouverture de sa BMW, sauta dedans avec Bruno, et la voiture s'éloigna dans un hurlement de moteur. Ivan secoua la tête. Voilà bien un comportement consternant de la part de ses concitoyens. Pour ne pas dire indécent.

Il resta seul dans le bar. Il aurait bien sombré dans la déprime s'il ne végétait pas déjà dans les tréfonds de la déprime, à tel point que, en comparaison, tout signe de dépression eût été accueilli comme une bénédiction. Quelle poisse que de devoir vivre avec des gens si superstitieux! Pourquoi ne lisaient-ils pas de la philosophie, Descartes, et même Marx, le sociologue marié, pour se libérer de leurs croyances? Voilà qu'un homme ne pouvait même plus retourner chez lui après avoir été très malade. Ne devraient-ils pas être heureux de constater qu'il allait assez bien pour boire un coup ? Et, à supposer qu'il fût vraiment un fantôme, Nenad et Bruno ne devraient-ils pas se réjouir de l'expérience de perception extrasensorielle qu'ils venaient de partager ? Et ne devraient-ils pas être maintenant en train de trinquer joyeusement ?

Ivan passa derrière le bar et se servit un verre de vin rouge doux. Il ouvrit un tiroir et trouva un bon paquet de fric. Pendant les matches de foot, les gens dépensaient sans compter, comme s'ils étaient dans un bordel. Il se dit que ce ne serait pas une mauvaise idée d'aller faire quelques courses. Il n'avait rien mangé depuis un moment et, même s'il n'avait pas faim, quelques charcuteries lui feraient le plus grand bien. Ivan fourra l'argent dans ses poches. Il empruntait seulement de l'argent à un ami. Il le lui rendrait dès que les choses seraient revenues à la normale.

CHAPITRE 29

Plus de camomille, par pitié !

Ivan n'avait pas vu sa mère depuis fort longtemps, et jamais meilleure occasion ne se présenterait. C'est d'ailleurs un aspect de la mort qui lui avait profondément déplu, cette idée de ne plus revoir sa mère. N'était-il pas terrible de quitter ce monde sans avoir jamais eu une bonne discussion avec un de ses parents ?

Partir pour Opatija et flâner le long de l'Adriatique sur la vieille promenade construite pour les officiers autrichiens et hongrois et leurs épouses lui ferait le plus grand bien. L'air salin, le soleil et le cri des mouettes finiraient bien par chasser les derniers vestiges de la mort – la pâleur, l'engourdissement, l'apathie et les pensées morbides.

Arrivé en train à Rijeka, sur la côte, il prit un taxi vers les collines qui dominaient Opatija. Bruno avait raison, la vue était magnifique. Il resta un moment à admirer les bleus du ciel, de la mer et des îles. Il se souvint que De Vinci avait observé que les objets éloignés tiraient souvent sur le bleu. Bien sûr, le gris des rochers, le brun et le vert dominaient dans les îles, mais là, elles avaient l'air bleu sombre. S'il avait été peintre… enfin, laissons tomber. Cela lui suffisait de voir le monde. Il sonna chez sa mère. Personne. Il sonna de nouveau et, n'obtenant toujours pas de réponse, poussa la porte et entra. Elle regardait un feuilleton mexicain à la télé.

« Bonjour. Comment se fait-il que tu n'ouvres pas la porte ?

— À mon âge, qui veux-tu que je me fasse une joie d'attendre ? Ça pourrait être un mendiant, ou le facteur, je m'en fiche de qui ça peut être.

— Hé bien, ça pourrait être moi.

— Je n'y avais pas pensé.

— Et alors, tu n'es pas contente de me voir ?

— Bien sûr que je le suis, mon fils.

— Tu n'es pas étonnée de me voir, comme les autres ?

— Et pourquoi le serais-je ? Enfin, oui, quand même, parce que c'est la première fois que tu daignes venir nous voir sur la côte. D'accord, je suis étonnée.

— Mais il n'y a pas que ça. Tu sais que je suis censé être mort. Il y a eu des funérailles.

— Je sais. J'y étais.

— Et tu ne trouves pas ça étrange ?

— Ils se sont trompés, c'est tout. Tu n'étais pas mort ; ils ont ouvert le cercueil, et te voilà ! Qu'y a-t-il de bizarre là-dedans ?

— C'est chouette, une mère ouverte d'esprit qui vous accepte tel que vous êtes. J'aurais aimé que tu sois comme ça quand j'étais petit.

— C'est vrai. J'étais stressée à l'époque, j'avais des obligations.

— Je ne t'accuse de rien. Je m'étonne, c'est tout. Mais quand même, tu ne trouves pas étrange de me voir ?

— Ça fait des années que j'essaie de mourir, et ce n'est pas si facile. Pourquoi le serait-ce pour toi ? Si ça l'était, je serais très jalouse. Évidemment, il reste le suicide, mais je ne vais pas faire un truc pareil. Tu ne penses pas qu'après une crise cardiaque, une attaque cérébrale et le diabète en prime, je pourrais simplement rendre l'âme? Eh bien non, ça n'arrive pas. Pas encore! Je ne sais pas pourquoi. Enfin, tu es trop jeune pour t'inquiéter de bêtises pareilles. Tu veux une tisane?

— Seulement si ce n'est pas cette horrible camomille que tu as bue toute ta vie.

— C'est de la camomille.

— Alors je préférerais éviter.

— Comme tu voudras. Mais c'est très bon pour les nerfs, tu sais?

— Sûr, comme tout ce qui est d'un ennui mortel. Ça fait dormir.

— J'ai aussi du café turc.

— Je prendrai du café turc.»

Ivan fouilla dans l'armoire, trouva le café et le renifla. «Il a quel âge? Tu dis que c'est turc? Est-ce que ça date de l'Empire ottoman?

— Je vois que tu es toujours aussi désagréable. J'ai aussi du whisky. Bruno en rapporte toujours.

— Laisse-moi deviner, c'est du Johnnie Walker?

— Je ne sais pas ce que c'est, mais j'en prends une gorgée tous les jours. C'est épatant comme rince-bouche.

— Parfait. Alors, trinquons!»

Ivan versa un verre pour elle et un pour lui.

Sa main tremblait, mais elle réussit tout de même à s'envoyer le whisky dans la bouche. Elle agita les joues, les gonfla, et Ivan pouvait entendre le liquide tourbillonner à travers et entre ses râteliers.

«Tu veux une tasse pour cracher?»

Elle avala le liquide. «Oh non, jamais de la vie. Ce truc coûte bien trop cher pour le cracher. Et puis, ça fait du bien quand ça descend et que ça me brûle l'intérieur pendant un moment. J'ai des tas de bactéries là-dedans, et si ce liquide peut en tuer quelques-unes, alors je remercie le Seigneur. »

« *Zivili* », trinqua Ivan, et il avala son verre. Il posa le regard sur sa mère. Elle avait le teint terreux, la peau jaunâtre, les cheveux tout blancs, mais ses petits yeux pétillaient encore d'intelligence.

Elle regarda Ivan d'un œil critique. « T'es pas très sexy, mon fils. Tu devrais descendre à la plage et aller nager un peu. Va voir les Autrichiennes aux seins nus. Bois un verre avec l'une d'elles.

— Tu me recommandes l'adultère ? J'ai déjà essayé et ça ne m'a pas vraiment réussi.

— Non, rien d'aussi indécent, mais va un peu à la découverte du monde. Flirte un peu, fais-toi chauffer le sang. Essaie de marcher. Va faire une randonnée, escalade la montagne. Le mont Ucka, c'est une sacrée balade. Tu pars du niveau de la mer et tu montes à quinze cents mètres.

— Ça a l'air trop épuisant. Et puis, ce coin est infesté de mocassins et d'autres serpents. Et puisque nous en sommes aux bons conseils, laisse-moi te donner celui-ci : tu ne devrais pas vivre seule.

— Je ne vis pas seule. Bruno descend me voir d'Allemagne presque toutes les fins de semaine. Et sa belle-famille vit dans la maison d'à côté. Ils viennent voir comment je vais.

— Ça ne compte pas. Tout ça m'a l'air froid et distant. Je pense plutôt à un petit organisme qui te tournerait autour, dormirait avec toi, te réconforterait : un chat.

— Jamais de la vie. Les chats puent !

— Comme tout ce qui est bon. Regarde le whisky. Et que dire des fromages français ? »

Ivan sortit. Il ne lui fallut que trois minutes pour trouver un chaton errant. Il était tigré, ronronnant et léchouilleur. Il posa l'animal sur les genoux de Branka Dolinar.

« Ce que tu es bête », dit-elle, mais, de toute évidence, ses mains aimaient cette peluche. Elle dorlota la petite femelle, et celle-ci frotta sa tête sur ses poignets.

La chatte semblait comprendre que cet entretien était pour elle d'une importance capitale, que son avenir en dépendait – si elle ne parvenait pas à séduire, elle resterait chatte de gouttière. Elle ronronnait très fort dans l'oreille de la vieille dame.

« C'est une charmeuse, constata Ivan.

— J'espère qu'elle ne va pas me donner de puces. »

Ivan se leva, posa un baiser sur la joue de sa mère qui n'était pas monopolisée par la chatte et lui dit au revoir.

Il se sentit tout requinqué par cette visite. Il avait enfin fait quelque chose de bien : offrir à maman une merveilleuse source de bien-être, une chatte.

Il descendit vers la promenade et la parcourut de long en large. Il avait lu dans une nouvelle de Tchekhov, venu ici pour soigner au grand air une tuberculose, qu'il n'existait pas de lieu de villégiature plus ennuyeux qu'Opatija, cette ville qui ne comptait qu'une seule et lamentable rue. Un siècle s'était écoulé et les choses n'avaient pas vraiment changé, pensa Ivan, seul manquait Tchekhov, râlant sur son banc, contemplant les mouettes et les femmes dans leurs robes à tournure qui promenaient leur bichon.

Ivan prit un taxi pour Rijeka, l'ancienne Fiume, puis le train pour Zagreb et Nizograd. Durant le voyage, il lut le *Večernji List*, le quotidien croate qui penchait à droite. Il eut la surprise d'y lire une dépêche venue de Nizograd : un homme se faisant passer pour le fantôme d'un enseignant récemment décédé avait réussi à terroriser et à faire fuir les clients de la taverne du Cellier et, une fois seul dans la place, s'était emparé de milliers de kunas. La police recherchait activement le fuyard.

Ivan rigola en lisant la nouvelle et se sentit très fier. Il avait maintenant assez d'argent pour s'acheter un blazer noir, une paire de luxueuses chaussures italiennes et des lames de rasoir importées. Arrivé à Zagreb, il entra dans les toilettes de l'hôtel Dubrovnik. Quand il vit son visage dans le miroir, il fut choqué de le voir si pâle, presque bleu. Il se rasa, ce qui fit disparaître le reflet bleu, et un massage redonna à sa peau quelques couleurs. Puis il alla se faire couper les cheveux.

Sans en faire une gravure de mode, ces soins lui rendirent élégance et dignité. Il descendit du train en soirée et marcha, lentement, vers la maison.

En passant devant l'immeuble où vivait le chef Vukic, Ivan ne put résister à la tentation de rendre visite à Svjetlana. La porte n'était pas fermée à clé. Il entra sans faire de bruit.

Il la trouva seule, qui buvait un whisky en écoutant la *Symphonie fantastique* de Berlioz. Il n'avait jamais soupçonné chez elle cette passion secrète pour la musique classique. C'était son passage préféré, le dernier mouvement. Le *Dies iræ* résonnait tandis que les contrebasses vous trituraient la zone du chagrin directement dans le cerveau. Les yeux fermés, elle soupira après avoir avalé une autre gorgée. Elle se leva d'un pas mal assuré et tituba jusqu'à la chambre. Ivan ne savait plus trop ce qui l'attirait dans ce corps de femme. Peut-être ces chairs voluptueuses, celles d'une Laura Antonelli à la retraite, lui donnaient-elles l'impression de renouer avec sa jeunesse, avec ses rêves érotiques, ses désirs ; peut-être lui disaient-elles qu'il n'était pas trop tard pour les faire revivre, qu'il n'est en fait jamais trop tard.

Toujours sans l'avoir remarqué, elle alla vers son lit, se déshabilla et s'allongea. Ses seins s'étalèrent mollement, striés de vergetures, mais toujours copieux et, bien sûr, encore plus flasques qu'avant. Elle n'avait rien d'une femme fatal, la flaccidité de ses chairs la disposait assez peu à tenir ce rôle, mais il y avait quelque chose de fatal dans le caractère inattendu de la situation. Elle était entièrement nue et exhibait une toison pubienne bien fournie. Apparemment, elle n'avait pas cédé à la nouvelle mode occidentale de la haine du poil et de la frénésie épilatoire. Elle sembla s'endormir très vite, la bouche ouverte et la respiration lourde. À voir ses lèvres rouges, on aurait cru qu'elle se les était peintes avant l'arrivée d'Ivan. Était-ce un rituel quand elle écoutait la *Symphonie fantastique*? N'avait-elle jamais éprouvé de chagrin pour lui? Étaient-ce ses funérailles qu'elle célébrait?

Ivan s'approcha d'elle sur la pointe des pieds et lui caressa le ventre. Svjetlana gémit, mais resta apparemment endormie. Il s'allongea à côté d'elle et ils firent l'amour. Elle devait s'être réveillée – en tout cas, elle se montrait très entreprenante. À un moment, elle chercha à tâtons son verre de whisky et le vida. Ils se déchaînèrent, adoptant presque toutes les positions du Kama Sutra. À la fin, épuisée, Svjetlana retomba profondément endormie et se mit même à ronfler. À vrai dire, Ivan avait commencé à s'ennuyer en plein milieu de leur partie de jambes en l'air, et avait continué plus par courtoisie que par plaisir. Il se demanda pourquoi il avait si longtemps pensé au sexe comme à quelque chose d'extraordinaire. Une idée lui traversa l'esprit : peut-être les fantômes font-ils de bons amants? Cela expliquerait l'inévitable cliché des meubles qui craquent – tôt ou tard, les fantômes finissent par baiser et, au début du moins, ils le font avec autant d'enthousiasme que si c'était la dernière fois. Enfin, tout cela ne le concernait pas, dans la mesure où il ne pensait pas être un fantôme et où il se fichait que ce soit ou non la dernière fois. Il en arriva même à le souhaiter, cela simplifierait tout.

Ivan était dans la salle de bain quand il entendit une

porte s'ouvrir et Vukic crier : « Svyeta ? Je suis rentré. Où est mon repas ? J'espère qu'on a du porc grillé ! »

Comme elle ne répondait pas, il entra dans la chambre et s'écria : « Comment peux-tu être déjà au lit ? Oh ! Tu as bu ! Il faut vraiment que tu ailles en désintox. »

Il la secoua et la réveilla. « J'ai fait le rêve le plus incroyable, lui dit-elle. Tu sais, j'ai entendu les gens parler du fantôme d'Ivan et je me suis dit : pourquoi tout le monde le voit et pas moi ? Il y a quelque chose d'injuste là-dedans. Alors j'ai écouté toutes les marches funèbres qui me sont tombées sous la main en pensant à lui et, tu sais quoi ? Ça a marché !

— Qu'est-ce que tu veux dire, ça a marché ? Qu'est-ce que c'est que ces conneries ?

— Je faisais l'amour avec le fantôme d'Ivan. C'était merveilleux, je n'ai jamais…

— Ça ne m'étonne pas. Toute la ville a fait des rêves de ce genre.

— Oh non, pas comme ça. C'était absolument réaliste. J'ai même eu des orgasmes à répétition.

— Oh, je préfère ne pas savoir. Je sais que la masturbation peut faire des miracles.

— Mon chéri, je ne ferais peut-être pas des rêves aussi cochons si on le faisait plus souvent. Ne serait-ce qu'une fois par mois ?

— Allons, allons, ne sois pas si gourmande.

— Viens, essayons. »

Et il la prit comme ça, en levrette. Quand Ivan les vit, il eut un petit rire. Il y avait dans le sexe quelque chose de vraiment grotesque. Pourquoi y avait-il consacré tant de temps – pas vraiment dans l'acte, mais dans le fantasme ? Triste à pleurer ! S'il retournait à une vie normale, il ne se casserait plus la tête avec ça.

Très vite, le chef émit un grognement.

« C'est tout ? se désola-t-elle.

— Je suis fatigué, que veux-tu que je te dise. On fera mieux le mois prochain.

— Le fantôme faisait ça beaucoup mieux. Quelle énergie, quelle imagination, quel doigté délicat… mmmm… c'était vraiment quelque chose. J'espère qu'il reviendra.

— Ne me parle pas de ce bâtard.

— Si tu ne regardais pas tous ces pornos en te masturbant, tu serais plus vaillant.

— Je n'en regarde pas !

— Ne me prends pas pour une idiote ! J'ai trouvé ta petite cachette.

— Où les as-tu mis ?

— J'ai tout jeté à la poubelle.

— Mon Dieu, mais comment as-tu pu faire une chose pareille ? Ça coûte une fortune. Que du porno français de première qualité…

— Première qualité mon cul ! Des saloperies dégoûtantes, oui ! Pas la peine de se demander pourquoi tu n'es plus bon à rien. »

Le couple entra dans une violente dispute, et Ivan sortit, sans se presser, laissant les portes ouvertes, de sorte qu'en descendant les escaliers il les entendit s'insulter copieusement. Très vite, assiettes et verres s'écrasèrent contre les murs. Mieux vaut les laisser se débrouiller seuls, pensat-il. Dehors, Ivan huma l'odeur des marronniers. Quand il émergea de sa rêverie, il vit Vukic fouiller les poubelles sur le trottoir. Il fut tenté de lui offrir quelques mots de réconfort au sujet de l'ennui du sexe, mais, gêné, préféra s'éloigner en rasant les murs.

CHAPITRE 30

Où une saleté de chouette hulule à en devenir dingue

Il était temps maintenant de rentrer à la maison. Les portes seraient certainement déverouillées. Cette ville avait ceci de particulier que, malgré les guerres, on continuait de s'y sentir en sécurité, au point que rares étaient ceux qui fermaient leur porte à clé. Chez lui, les portes étaient fermées, mais la clé pendait à un clou, là où le premier venu l'aurait cherchée.

Ivan ouvrit et pénétra dans le séjour. Il était nerveux. C'est là que le pénible épisode de sa mort avait débuté.

Assise seule dans le fauteuil, Tanya regardait un épisode de *Madeline* à la télé. Sur l'écran, plein de petites filles dansaient.

« Bonjour, ma fille, comment vas-tu ?

— Salut papa ! Où étais-tu ?

— J'ai beaucoup voyagé. J'ai même été voir grand-mère sur la côte.

— Pourquoi tu me l'as pas dit ? Je serais venue avec toi !

— La prochaine fois, quand il fera plus chaud, comme ça on pourra se baigner. Où est maman ?

— Elle est partie en ville acheter du lait et d'autres trucs.

— Et elle te laisse toute seule ?

— Pourquoi pas ? »

Vrai, pensa Ivan, pourquoi pas ? La ville est sûre. « Tu n'es pas fatiguée de regarder sans arrêt la même cassette ?

— Non, mais tu peux me raconter des histoires, comme avant.

— D'accord, je vais te raconter une histoire vraie.

— Oh non, ça va être ennuyeux ! Inventes-en une !

— Un jour, j'ai escaladé la plus haute montagne des Alpes slovènes et j'ai coupé un petit nuage…

— Comme tu es méchant !

— Pas du tout, les nuages n'ont pas de veines, alors ils ne saignent pas, tu sais ! Chaque nuage peut être découpé en plein de petits nuages, et mon petit nuage à moi était le plus mignon de tous. Il parlait autrichien et m'a raconté un tas de blagues. Je l'ai mis dans une boîte d'allumettes.

— C'était une fille ?

— Oui. La plus jolie des petites filles nuages. Mais continuons. Un jour, j'ouvre la boîte, et notre chatte bondit sur le petit nuage et l'avale.

— C'est affreux !

— Nous avons couru après et tenté de lui ouvrir la bouche pour en faire sortir le petit nuage. Mais nous n'y sommes pas arrivés. Nous étions très tristes jusqu'à ce que, tout à coup, la chatte soit victime d'un étrange phénomène : elle a commencé à gonfler et s'est peu à peu transformée en ballon, et le ballon s'est élevé dans les airs. On a bien essayé de l'attraper, mais impossible ! Et elle continuait de gonfler encore et encore, jusqu'à devenir un nuage en forme de chat gris tigré. C'était le fantôme de notre chat. Puis il a plu, et toute la campagne est devenue verte. Les gouttes de pluie rebondissaient très haut sur le sol. Mais la chose la plus surprenante, c'est que ce n'étaient pas de vraies gouttes de pluie, mais plutôt de minuscules grenouilles. La ville et les collines alentour étaient couvertes de toutes petites grenouilles sautillantes. C'était magnifique.

— Mais qu'est-il arrivé au petit nuage?

— Oh, tu sais, les nuages sont éternels. Un nuage se transforme en un autre nuage, et il continue de voguer dans le ciel.

— Et qu'est devenue la chatte?

— Eh bien, un fantôme.

— C'est quoi, un fantôme?

— Une âme qui n'a plus besoin de corps.

— C'est quoi, la différence entre une âme et un fantôme?

— Je ne sais pas.

— Tu dois savoir.

— D'accord. L'âme, c'est le vrai toi qui se trouve dans ton corps, et ça te fait vivre, et c'est aussi ce qui reste de toi une fois que tu es morte. L'âme est alors libre d'aller au paradis... ou en enfer. Mais un fantôme, c'est ce qui reste de toi après ta mort quand tu n'es pas libre de quitter la terre, ou même ta ville. Alors le fantôme continue de traîner dans le coin, le plus souvent au grenier, et il adore déplacer les meubles. » Ivan se souvint alors d'Aldo et de cette manie qu'il avait de déplacer les meubles de leur dortoir dès qu'il était seul. Par quoi était-il possédé?

« Est-ce que les fantômes font peur?

— Pas du tout. Ils sont même souvent plutôt beaux. Ce sont des créatures toutes soyeuses, qui se déplacent sous forme de filets de fumée. Il te suffirait d'agiter la main devant tes yeux pour les faire fuir, mais, la plupart du temps, tu ne veux pas qu'ils partent.

— Est-ce qu'il y a des fantômes ballerines?

— Bien sûr.

— J'aimerais en voir une. Peux-tu en faire une?

284

— Oh non! Je ne peux pas faire ça. Mais je peux te raconter une histoire où le fantôme d'une ballerine viendrait ici danser pour nous.

— Je ne veux pas d'une histoire. Je veux un vrai fantôme. »

Ivan faisait doucement sautiller Tanya sur ses genoux. La fillette pencha la tête et l'appuya sur son épaule. Il se sentit heureux, détendu. Quelle sensation merveilleuse! Cette vie le comblait. Il possédait la source de bien-être suprême, un père et son enfant, sa chair, qui allait perpétuer sa propre existence, mais sous la forme d'un être meilleur, plus jeune, plus heureux. Plus besoin de hanter le coin comme un fantôme. Il serait enfin une âme libre.

« Papa, tu veux voir mes dessins?

— Avec plaisir. »

Elle lui montra un dessin de chats tigrés, de tortues et de ballerines, un univers merveilleux d'enfant, plein de vie et de chansons.

« Très joli. Fais-en d'autres. Il faut que je monte au grenier.

— Voir s'il y a des fantômes?

— Oui, et leur dire de ficher le camp.

— Si tu en vois, dis-le-moi. J'aimerais bien en voir un, moi aussi. »

Ivan grimpa au grenier et se demanda s'il pourrait vivre là. Si Selma n'acceptait pas son retour parmi les vivants, il serait toujours possible de vivre ici, modestement, à condition de ne pas faire trop de bruit. Cela ne poserait sans doute pas de problème. Ils gardaient là un vieux fauteuil, qu'il déplaça près de la fenêtre, afin d'avoir une vue sur la rue. Puis, sur l'étagère d'une vieille bibliothèque branlante, il trouva l'éventail d'Indira Gandhi. Il le prit et redescendit.

« Regarde, Tanya, c'est un cadeau très spécial que m'a fait

une femme qui est maintenant un fantôme en Inde. Garde-le et, si jamais il fait chaud, agite-le devant ton visage, comme ça, tu vois ? Il te donnera un peu de fraîcheur. Et si jamais un fantôme se montre le bout du nez et qu'il te fait peur, tu n'auras qu'à l'agiter quelques fois et le fantôme se dispersera, comme de la fumée, et la fumée s'envolera par la fenêtre, et il pleuvra.

— Il pleuvra des grenouilles ?

— Non, seulement des larmes. Alors, quand il pleut, sors de la maison et tire la langue, et tu verras que les gouttes sont salées. Tu sais que les larmes sont salées, n'est-ce pas ?

— Oui, je le sais. C'est pour ça que j'aime pleurer. Comme ça je peux lécher le sel sur mes lèvres.

— Tu es une vraie petite chèvre, ma fille ! »

Il l'embrassa, et quelques-unes de ses larmes tombèrent sur la joue de l'enfant, qui s'empressa de les lécher. « Tu es gentil, papa. Tu n'étais pas si gentil avant.

— Je sais. C'est pour ça qu'on vieillit, pour apprendre à devenir bon, pour faire le bien au moins quelques heures avant que tout soit fini.

— Mais pourquoi est-ce que les fantômes pleureraient dans le ciel ?

— Je ne sais pas. Peut-être parce qu'ils ne peuvent plus aller à bicyclette ?

— C'est stupide ! Si j'en vois un, je lui demanderai pourquoi il pleure.

— Je reviendrai un de ces soirs, et nous bavarderons encore. Pour le moment, je vais aller voir ce qu'il y a d'autre là-haut. » Et Ivan remonta en faisant craquer les marches de l'escalier.

Selma rentra peu de temps après, les bras chargés de victuailles. Le Dr Rozic la suivait.

« Maman, devine quoi ? Papa est ici !

— Vraiment ? Je ne crois pas, non. Il est parti très loin et ne reviendra pas de sitôt.

— Tu n'es pas obligée de me croire.

— Et où est-il maintenant ?

— Dans le grenier. Il cherche ses cartes de l'Égypte ancienne. Si tu ne fais pas de bruit, tu vas l'entendre. »

Des bruits de meubles que l'on déplace traversèrent le plafond.

« C'est vraiment trop bizarre, dit Rozic.

— Ne me dis pas que tu crois aux fantômes ? » l'interrompit Selma.

Le calme était soudain revenu.

« Moi, je crois aux fantômes, renchérit Tanya. Ce sont des âmes qui sont incapables de quitter la terre. J'aimerais bien en voir un.

— En attendant, c'est l'heure de se coucher. Veux-tu que je te lise un petit livre avant que tu t'endormes ?

— Oui, s'il te plaît.

— Chéri, peux-tu attendre ? demanda Selma. Regarde la télé, ou trouve autre chose. Je reviens tout de suite. » Le médecin s'installa dans un fauteuil et se versa une rasade de gin. Ivan redescendit l'escalier grinçant et s'apprêtait à passer par la fenêtre de la pièce de derrière quand il s'arrêta. Allons, soyons rationnels avec tout ça, se dit-il. Ces gens-là ne peuvent pas être aussi superstitieux que les autres. C'est sûr que le docteur et ma femme accepteront au moins ma présence. Il entra alors bravement dans le salon et demanda un verre de gin pour trinquer.

En l'apercevant, Rozic poussa un hoquet de pure terreur. Son verre et sa bouteille lui glissèrent des mains et tombèrent sur le tapis, où le médecin les suivit de près, se tenant la poitrine. Sa gorge produisit une sorte de couinement. Un filet de sang apparut à la commissure de ses lèvres. Il était en train de mourir d'une crise cardiaque foudroyante.

Ivan ne savait pas quoi faire. Il tâta son pouls. Rien. Lui faire un massage cardiaque, un bouche-à-bouche? Non merci! Cet aspect de la pratique médicale ne l'avait jamais séduit. Et puis, que penserait le pauvre homme s'il revenait à la vie et voyait un fantôme l'embrasser à pleine bouche et lui souffler de l'air dans les poumons? C'est pourtant le genre de chose que les fantômes seraient tout à fait habilités à faire – ce serait même un boulot taillé sur mesure. Mais si c'était la peur des fantômes qui était à l'origine du malaise, pareille vision achèverait à coup sûr le malade. En plus, Ivan avait lu une étude qui mettait en doute l'efficacité du massage cardiaque: on attribuait souvent au massage cardiaque le mérite du redémarrage de l'organe, alors que, en réalité, il semblerait que le cœur de beaucoup de gens se remette à battre spontanément et sans aucune aide une fois passé le choc initial.

Ivan observa un moment le visage déformé de cet homme en train de mourir, et il ne se sentit ni accablé de chagrin, ni triomphant.

Il sortit sans bruit, calmement. Ce n'est qu'une fois au bas des escaliers, dans la rue, qu'il entendit les hurlements de Selma. Elle était déjà passée par là, elle saurait quoi faire. Elle avait même un Nokia et pourrait donc appeler un médecin. Il serait sans aucun doute meilleur que celui de la dernière fois. Elle pourrait même demander une ambulance. Attendons voir si elle a de la chance. Oh, et puis zut! Pas la peine de traîner dans le coin pour ça.

Ivan en conclut qu'il serait inconvenant de sa part de retourner dans le grenier. Selma serait incapable d'accepter sa présence – il semblait que seuls les enfants et les vieillards y parvenaient, et qu'il terrifiait tous les autres. Alors, par égard pour eux, il retourna dans son bunker. Il était fatigué, mais la soirée avait été si excitante qu'il mit du temps à trouver le sommeil. Quand il y parvint, il dormit pendant deux jours entiers.

En se réveillant, il éprouva le curieux besoin de voir sa tombe. Pour ce faire, il lui fallait d'abord acheter une pelle dans un magasin, où probablement personne ne le reconnaîtrait parmi les nouvelles têtes. Il creuserait sa tombe et saurait enfin à quoi s'en tenir. Y trouverait-il son corps? Si oui, alors je ne suis qu'une foutue projection astrale. Mais non, bien sûr, il n'y aura pas de corps!

Il traversa les bois et la vieille briqueterie. En voyant l'argile, il ne put résister à la tentation de façonner à mains nues sa propre image pendant des heures. Il y a un moment dans la vie où le souci de notre apparence n'est plus guidé par la seule vanité, mais par la quête de l'âme – qui suis-je, que sais-je, que puis-je espérer savoir, autant de questions qu'on pourrait résumer ainsi : suis-je? Si Rembrandt s'est obstiné à peindre des autoportraits, ce n'est pas seulement parce qu'il manquait d'argent pour se payer des modèles, mais aussi parce qu'il s'adonnait à cette quête de l'âme, parce qu'il la cherchait dans son visage frappé par la déchéance. Il y a plus de mystère dans quelques rides du visage de Rembrandt que dans cent une croupes bien galbées du Titien et, à ce moment précis, Ivan perçut plus de mystère dans ses lèvres tombantes que dans une douzaine de cuisses de Svjetlana.

Plutôt que d'attendre que la pluie délave son buste d'argile et lui donne une forme allongée et larmoyante, il imprima d'emblée à son image une sorte de dimension spirituelle, une longue et triste face à la Greco. On est sans doute dimanche, pensa-t-il, la briqueterie est déserte.

Alors qu'il approchait du cimetière, il ne vit personne

dans les rues. Tous assistaient aux obsèques du médecin. On enterrait Rozic non loin de la tombe d'Ivan. Celui-ci s'approcha, dissimulé derrière une haie d'arbustes à feuilles persistantes. Mais, de toute façon, les membres de l'assistance étaient si occupés à se scruter les uns les autres sous toutes les coutures qu'Ivan n'avait rien à craindre : personne ne le remarquerait. L'assemblée était chagrine. Jamais Ivan n'avait imaginé cette ville si émotive et si humaine. On offrait au Dr Rozic des funérailles à la française. Près du cercueil se tenaient sa femme et ses deux grands enfants, déjà presque adultes. Puis venait la maîtresse, Selma, et même Tanya. La fillette ne pleurait pas. Elle chuchota quelque chose à l'oreille de sa mère – sans doute au sujet de l'âme et des fantômes, pensa Ivan. Selma la fit taire.

Ivan n'avait rien à redire. Ces funérailles marquaient un progrès notable si on les comparait aux siennes. Il n'avait aucune raison de haïr ou d'envier qui que ce soit. Il se sentait bien. Il prit une profonde inspiration, chargée d'effluves de camomille, et marcha d'un pas presque joyeux vers sa tombe.

La fosse était comble : pas de trou béant. On l'avait recouverte d'une bonne couche de gravier blanc et entourée de fleurs toutes pimpantes – dont certaines variétés qu'il n'avait jamais vues. Il n'avait jamais été un grand amateur de fleurs. Quelques cierges brûlaient, la flamme bien droite. Elles ne tremblotaient ni n'hésitaient comme elles le font habituellement sur la tombe d'un mort malheureux. Non, elles montaient bien droites, comme la queue d'un bon chat. La tombe paraissait en excellent état, paisible, parfaite, si parfaite en fait qu'il eût aimé y être enterré. La sensation de perfection qui se dégageait de ce lieu le bouleversa. Qui l'avait tenu si propre ? Et qui avait rebouché le trou ? Paul ? Il avait commencé à le faire quand Ivan était encore là. Peut-être était-il revenu terminer le boulot.

Il ne fallait pas toutefois que cette tombe si bien entretenue empêche Ivan de creuser. Il retourna à la briqueterie chercher une pelle, mais la fatigue le rattrapa en chemin. Il n'avait plus son énergie d'autrefois. Peut-être devrait-il remettre à plus tard son désir de creuser sa propre tombe? Si le cercueil était vide, comme il s'y attendait, il s'y allongerait peut-être. Peut-être valait-il mieux ouvrir un autre passage pour parvenir à sa sépulture? À travers la tombe de son père? Il pourrait vivre chichement dans son trou, sans hypothèque. Il y dormirait sans être dérangé, mieux que n'importe où ailleurs, dans une obscurité et un silence absolus. En cette époque où il est impossible de fermer l'œil parce qu'un moteur est toujours là à ronronner ou à pétarader, le silence a encore plus de valeur que le bonheur. Et, de temps en temps, quand il en aurait marre, il sortirait et irait faire un tour en ville – la nuit, pour n'effrayer personne. Et il irait boire de l'eau de source, se régalerait de son goût de rouille et de soufre, son infusion du jour du Jugement dernier.

Mais que se passerait-il si, au lieu d'un cercueil vide, il tombait sur son propre cadavre dans un état de décomposition déjà bien avancé? Cette perspective, même s'il l'avait d'abord considérée comme une simple lubie, le fit frissonner. Et s'il était indécrottablement mort et que toute cette virée n'avait été qu'un spasme de son imagination? Une hallucination si réaliste qu'il était obligé d'y croire?

N'importe quoi, pensa-t-il, mais il alla tout de même à la source et s'y désaltéra d'eau chaude et délectable. Il n'avait pas remarqué à quel point il était frigorifié, s'éclaboussa le visage à plusieurs reprises et se massa les mains jusqu'à retrouver un peu de chaleur. Il marcha le long de la voie ferrée et, arrivé devant le bunker, aperçut sa vieille chatte, le bleu de Russie. Ravi, il la caressa et elle le suivit dans le bunker et, alors qu'il se tenait immobile dans le noir, attendant que ses yeux s'accoutument à l'obscurité, la chatte fit le dos rond et se frotta contre ses chevilles.

Tout cela s'est passé il y a des mois. Depuis, on a signalé à quelques reprises l'apparition occasionnelle d'Ivan Dolinar. Certains soutiennent qu'il se rend sur sa tombe à la nuit tombée, allume les cierges, creuse le sol à mains nues et modèle dans la terre des bustes de lui-même. Ce sont des bustes merveilleusement expressifs, avec des larmes qui coulent le long des joues et un faux air de Cicéron.

D'autres soutiennent l'avoir vu allongé sur la voie ferrée, la nuit. Il resterait là, paisiblement endormi, même après que les trains de marchandises lui ont passé sur le corps. Il aurait également été vu près du bunker. Ce sont ces dernières rumeurs qui sont les plus persistantes. À tel point que, la nuit, plus personne n'ose approcher la bâtisse de béton – aucun couple d'amants n'est à ce point en manque d'intimité. La seule personne qui prétend le voir souvent, c'est Tanya. Elle affirme qu'il vient au crépuscule, et qu'il a chaque fois une nouvelle histoire à raconter, et que ce sont de formidables histoires de grenouilles, de chats et de serpents. Selon Tanya, Ivan adore lire *Guerre et Paix* dans le grenier. Ce livre le plonge dans une telle agitation qu'il ne cesse de chercher une meilleure position dans le fauteuil, le déplaçant dans tout le grenier en tirant plein de craquements mélodieux. Ils éteignent la lumière et Ivan essaie de faire peur à la fillette en produisant toutes sortes de craquements, comme un fantôme. Il lui arrive de passer la nuit là-haut et il ne fait alors que très peu de bruit. Il semble qu'il pleuve plus souvent quand il reste – mais il est possible aussi qu'il urine simplement par la fenêtre parce qu'il n'ose pas descendre dans la salle de bain de Selma. Selma n'aime pas ces bruits qui, les nuits du samedi le plus souvent, proviennent du grenier. Elle a mis la maison en vente, mais personne ne veut l'acheter. Aucun de ceux qui sont allés chez les Dolinar n'a entendu ces bruits et ne peut confirmer cette histoire.

La tombe, elle, accueille de plus en plus de visiteurs. Des gens de Nizograd, mais aussi venus d'aussi loin que Novi Sad. Et il semblerait même qu'une sorte de culte commence à entourer le personnage d'Ivan... De nombreux pèlerins, la plupart du temps très pâles, mais aux lèvres très rouges, viennent sur sa tombe et se mettent à remuer les lèvres. Difficile toutefois de dire s'ils prient ou s'ils grelottent de froid.

Durant la journée, seuls les garçons les plus courageux osent s'approcher de l'entrée du bunker, mais ils ne vont pas plus loin. Ils jurent y avoir senti l'odeur d'un bon cigare cubain. Et, effectivement, il arrive de temps en temps, à l'aube, que le bunker crache de délicates volutes de fumée bleue qui flottent dans l'air comme des rubans de soie. Et, si vous tendez l'oreille, vous entendrez peut-être le triste soupir qui accompagne la fumée. Mais vous ne pourrez jamais en être sûr parce que, perchée sur le plus grand chêne du comté, tous les jours à cette heure-là, une saleté de chouette se met à hululer.

Remerciements

Merci à Terry Karten, Andrew Proctor, Jeanette Novakovich et Anne Edelstein pour l'aide, l'inspiration et les conseils qu'ils m'ont apportés tout au long de l'écriture de ce livre ; à Bill Cobb, Jamie Kembry, Toby Olson et Lucy Ferriss pour leurs précieux commentaires ; et à Anne Stringfield et Boris Fishman de m'avoir incité à publier ce roman. Merci également à la National Endowment for the Arts, à la Fondation Guggenheim, à la Yaddo et au Dorothy and Lewis B. Cullman Center for Scholars and Writers de la New York Public Library pour leur généreux soutien.

CRÉDITS ET REMERCIEMENTS

La traduction de cet ouvrage a été rendue possible grâce à une aide financière du Conseil des arts du Canada.

Nous remercions le gouvernement du Canada de son soutien financier pour nos activités de traduction dans le cadre du Programme national de traduction pour l'édition du livre.

Les Éditions du Boréal reconnaissent l'aide financière du gouvernement du Canada par l'entremise du Fonds du livre du Canada (FLC).

Les Éditions du Boréal sont inscrites au Programme d'aide aux entreprises du livre et de l'édition spécialisée de la SODEC et bénéficient du programme de crédit d'impôt pour l'édition de livres du gouvernement du Québec.

Couverture : Simon Plasse, *Projections II* (détail).

EXTRAIT DU CATALOGUE

Ce livre a été imprimé sur du papier 100 % postconsommation,
traité sans chlore, certifié ÉcoLogo
et fabriqué dans une usine fonctionnant au biogaz.

MISE EN PAGES ET TYPOGRAPHIE :
LES ÉDITIONS DU BORÉAL

ACHEVÉ D'IMPRIMER EN MARS 2014
SUR LES PRESSES DE MARQUIS IMPRIMEUR
À MONTMAGNY (QUÉBEC).